LES PÂTES

JENI WRIGHT

LES PÂTES

Traduit de l'anglais par Ariel Marinie

MANISE

Je souhaite dédier ce livre à ma chère amie Elisa,
qui m'a émerveillée par sa cuisine à l'italienne,
et plus particulièrement par ses pâtes artisanales.

Édition originale publiée en Grande-Bretagne par Lorenz Books
sous le titre *The Pasta Bible*

© 1999 et 2000, Anness Publishing Limited
© 2003, Manise, une marque des Éditions Minerva (Genève, Suisse)
pour la version française

Responsable éditoriale : Joanna Lorenz
Éditrice : Linda Fraser
Assistante d'édition : Jenni Fleetwood
Index : Dawn Butcher
Responsable de fabrication : Ann Childers
Maquettiste : Patrick McLeavey
Photographies : William Lingwood (recettes) et Janine Hosegood (techniques)
Préparation des plats sur les photographies : Lucy McKelvie et Kate Jay (recettes) ;
Annabel Ford (techniques)

Cet ouvrage a déjà été publié en grand format sous le titre : *Les Pâtes*
Traduit de l'anglais par Ariel Marinie

ISBN : 2-84198-202-5
Dépôt légal : mai 2003
Imprimé en Chine

NOTES :
    1 cuil. à café = 5 ml
    1 cuil. à soupe = 15 ml

    Utilisez des œufs de taille moyenne sauf indication contraire.

SOMMAIRE

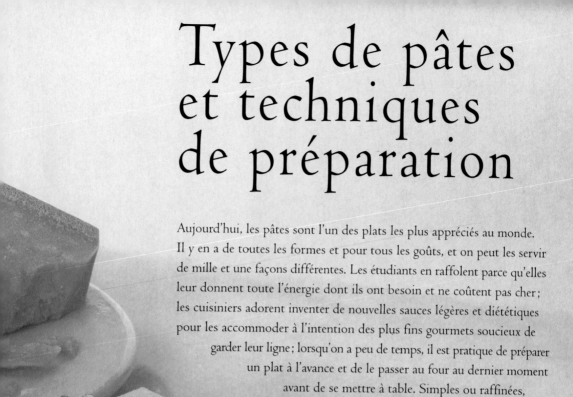

Types de pâtes et techniques de préparation

Aujourd'hui, les pâtes sont l'un des plats les plus appréciés au monde. Il y en a de toutes les formes et pour tous les goûts, et on peut les servir de mille et une façons différentes. Les étudiants en raffolent parce qu'elles leur donnent toute l'énergie dont ils ont besoin et ne coûtent pas cher; les cuisiniers adorent inventer de nouvelles sauces légères et diététiques pour les accommoder à l'intention des plus fins gourmets soucieux de garder leur ligne; lorsqu'on a peu de temps, il est pratique de préparer un plat à l'avance et de le passer au four au dernier moment avant de se mettre à table. Simples ou raffinées, faciles à cuisiner, les pâtes sont idéales pour la cuisine quotidienne et les repas improvisés, mais aussi pour les grandes occasions.

INTRODUCTION

L'origine des pâtes

L'origine des pâtes est une question très controversée. Qui les a inventées ? Les Chinois, les Italiens ou les Arabes ? On sait de façon certaine que Marco Polo a rapporté des nouilles de son voyage en Chine en 1295, mais la plupart des historiens pensent que les pâtes existaient déjà en Italie bien longtemps avant cette époque. Les peintures murales d'un tombeau étrusque représentent des ustensiles – une planche et un rouleau à pâtisserie, et une roulette – qui ressemblent étrangement à ceux que l'on utilise aujourd'hui pour fabriquer les pâtes. On sait aussi que les Romains préparaient une pâte sans levain à base de farine et d'eau qu'ils faisaient frire, coupaient en lamelles et dégustaient avec une sauce. Au Ier siècle, Apicius, le célèbre gastronome romain, mentionne des plats au four à base de pâtes farcies avec divers ingrédients. Peut-être une sorte de lasagne romaine.

Quoi qu'il en soit, il semble bien que les Siciliens aient été les premiers à faire bouillir les pâtes dans l'eau. Les Arabes, qui avaient conquis l'île au IXe siècle, leur avaient appris à irriguer et à cultiver les terres et, au XIIe siècle, ils mangeaient de longues pâtes fines similaires à nos spaghettis. À la même époque, les Calabrais s'étaient mis à fabriquer des pâtes de forme tubulaire qui évoquent nos macaronis modernes.

Dans un livre de cuisine italien du XIIIe siècle publié juste avant le retour de Chine de Marco Polo, on trouve des recettes indiquant comment fabriquer des pâtes de différentes formes, notamment les raviolis, les vermicelles et les tortellinis. Il est donc certain que les pâtes existaient en Italie, sous une forme ou une autre, avant le retour du navigateur, et on trouve au musée des Pâtes de Rome de nombreux documents, textes, peintures et gravures qui le confirment.

Dès la Renaissance, les pâtes figuraient souvent au menu des Italiens. Les Florentins aisés les mélangeaient avec du sucre et des épices, mais les plus modestes se contentaient de les manger nature ou accompagnées d'ingrédients très simples comme de l'ail, des légumes et du fromage.

À l'époque, les pâtes étaient rudimentaires, fraîches et confectionnées à la main

– très éloignées de ce que nous connaissons aujourd'hui. Ce sont les Napolitains qui ont inventé les pâtes sèches, parfumées à différents arômes et produites à échelle industrielle.

Les terres fertiles de la région de Naples se prêtaient bien à la culture du blé dur, qui donne les meilleures farines pour pâtes, et la combinaison unique de soleil et de vent qui caractérise cette partie de l'Italie méridionale était idéale pour faire sécher les différentes sortes de pâtes. L'industrie des pâtes alimentaires prit son essor aux alentours de Naples et, dès la fin du XVIIIe siècle, toute l'Italie en mangeait. Les premières pâtes fabriquées industriellement furent les macaronis, les spaghettis et les tagliatelles. Elles étaient faites uniquement avec de l'eau et de la farine.

À l'époque, les pâtes étaient considérées comme une nourriture pour les pauvres, et on les servait avec différentes sauces à base de tomates. Celles-ci prospéraient sous le climat ensoleillé et les Italiens appréciaient tant ce fruit qu'ils se mirent à le cuisiner de toutes sortes de façons.

Les pâtes aux œufs, *pasta all'uovo,* que les Italiens du Nord aimaient particulièrement,

CI-DESSOUS Il ne fait aucun doute que Marco Polo a rapporté des nouilles de son voyage en Chine à la fin du XIIIe siècle. Cependant, un livre de cuisine italien publié juste avant son retour contient déjà des recettes de pâtes. Ce tableau du début du XVIe siècle intitulé La Romance d'Alexandre représente le départ de Marco Polo, à Venise.

CI-CONTRE Travailleurs dans les champs de blé *au XIXᵉ siècle (Palais Pitti, Florence).*

n'étaient pas encore produites à grande échelle. On les mangeait fraîches, farcies à la viande ou accompagnées de sauce, et ce plat était réservé aux riches. Ce n'est qu'à la fin du XIXᵉ siècle que le perfectionnement des équipements industriels rendit possible la fabrication des pâtes aux œufs.

Les pâtes aujourd'hui

Partout où ils allaient, les Italiens emportaient des pâtes. Ceux qui ont émigré aux États-Unis et en Grande-Bretagne ont adapté les formes et les sauces aux goûts et aux ingrédients locaux.

La consommation des pâtes se répandit très vite en raison de la rapidité et de la facilité de leur préparation, et les fabricants italiens répondirent à la demande en inventant de nouveaux goûts et de nouvelles formes. Les pâtes industrielles ont beaucoup de succès en Italie. Elles ne sont nullement inférieures aux pâtes artisanales fraîches, mais exigent une préparation différente. Les ménagères italiennes, comme les chefs cuisiniers, en conservent toujours plusieurs paquets dans leurs placards et les utilisent quotidiennement, même dans le nord de l'Italie où la tradition des pâtes fraîches se perpétue depuis longtemps.

Une variété de blé idéale

La variété de blé idéale pour produire la farine employée dans la fabrication des pâtes industrielles est le blé dur *(Triticum durum)*, que les Italiens appellent *grano duro.* Cette variété de blé d'été donne une farine riche en gluten. La pâte obtenue à partir de la farine de blé dur est souple et facile à pétrir. La plus grande partie du blé dur destiné à l'industrie des pâtes

alimentaires italienne est cultivée en Italie ou importée d'Amérique du Nord. La farine de blé dur, appelée *semola* en italien, donne des pâtes de qualité, qui ne se déforment pas. Elles sont peut-être plus chères que les pâtes faites avec un mélange de farine de blé dur et de blé ordinaire, mais elles sont bien meilleures. Les autres qualités de pâtes tendent à se ramollir et à coller pendant la cuisson. En règle générale, les marques italiennes sont excellentes. N'hésitez pas à payer un peu plus cher pour avoir une qualité supérieure. La différence de goût et de consistance entre les marques italiennes les plus chères et les marques économiques est considérable.

La préférence pour les pâtes aux œufs en Italie du Nord

Dans le sud de l'Italie, la plupart des pâtes sont fabriquées avec de la farine de blé dur et de l'eau uniquement, et on dénombre des centaines, voire des milliers de formes. En Italie du Nord, on préfère souvent les pâtes aux œufs, *pasta all'uovo*. C'est en Émilie-Romagne, où l'on a commencé à fabriquer des pâtes farcies, qu'est née la tradition des pâtes aux œufs. Les cuisinières s'étaient aperçues que le fait d'ajouter un peu d'œuf à la pâte la rendait plus résistante et donc plus facile à farcir. Lorsqu'elles perdirent l'habitude de faire des pâtes fraîches pour acheter des pâtes industrielles sèches dans le commerce, de petites entreprises se lancèrent dans la fabrication des pâtes aux œufs sèches pour répondre à la demande. Aujourd'hui, cette industrie est florissante mais il existe moins de formes de pâtes aux œufs que de pâtes à base de farine de blé dur et d'eau. En effet, les pâtes

aux œufs sont plus difficiles à travailler. Les pâtes longues comme les spaghettis ne sont pas additionnées d'œufs car elles se briseraient trop facilement. Les pâtes aux œufs industrielles peuvent contenir jusqu'à sept œufs au kilo et ont un goût plus riche que les pâtes ordinaires. En outre, elles absorbent plus d'eau.

Si vous achetez des pâtes aux œufs italiennes, vérifiez bien qu'elles sont faites avec de la farine de blé dur et des œufs *(semola di grano duro e uova)*. Les pâtes aux œufs complètent les sauces à la crème et au beurre appréciées dans le Nord. Les sauces à base de tomate et d'huile d'olive, typiques du Sud, sont traditionnellement servies avec des pâtes sans œufs, même si la mode des pâtes aux œufs tend à se répandre partout depuis quelque temps.

La valeur nutritive des pâtes

Riches en protéines, en vitamines et en minéraux, les pâtes sont des féculents complexes. Elles donnent autant d'énergie

que les protéines pures contenues dans un steak, mais avec peu ou pas de graisses. Sur les huit acides aminés nécessaires pour faire une protéine complète, les pâtes en contiennent six, aussi faut-il très peu de fromage, de viande, de poisson, de légumes secs ou d'œufs – les produits qui accompagnent traditionnellement les pâtes – pour en faire un aliment complet. Si vous utilisez des pâtes aux œufs, évitez d'y adjoindre trop de protéines.

Pour une alimentation diététique, il est conseillé de manger les pâtes à la façon des Italiens, c'est-à-dire en ajoutant peu d'ingrédients. En Italie, les pâtes sont servies en hors-d'œuvre, avant le plat de résistance. Accompagnées d'une cuillerée de sauce ou d'un peu de fromage râpé, les pâtes sont un aliment parfaitement sain et équilibré.

C'est en Italie que l'on trouve l'un des taux de maladies cardio-vasculaires les plus bas au monde, et les médecins, les nutritionnistes et les chercheurs pensent que l'alimentation des Italiens y est pour quelque chose. Dans cette cuisine, les ingrédients naturels tels que l'huile d'olive vierge extra, les tomates, l'ail, les oignons, les olives, les poivrons rouges, le persil frais, le poisson frais, les légumes, la salade, les fruits, les légumes secs et le jus de citron sont omniprésents. La plupart de ces produits se marient à merveille avec les pâtes, et on les retrouve sans cesse dans les recettes présentées dans cet ouvrage.

Les pâtes sont un aliment entièrement naturel, sans additifs. Les pâtes aux œufs contiennent plus d'éléments nutritifs, tandis que les pâtes à base de farine de blé complète ont un pourcentage plus élevé de vitamines et de fibres. Si vous achetez des pâtes colorées, vérifiez sur la liste des ingrédients qu'elles ne contiennent pas de colorants artificiels.

Les pâtes sont un aliment peu onéreux et leur préparation est rapide et facile. Le temps de les faire bouillir et votre sauce est prête. Les pâtes aux œufs sont très nourrissantes et particulièrement recommandées pour les enfants qui n'aiment pas les œufs en tant que tels. Outre leurs qualités nutritives et leur valeur énergétique, les pâtes sont très digestes, ce qui en fait l'aliment de prédilection des athlètes et des sportifs.

Il est, par conséquent, parfaitement raisonnable d'inclure les pâtes dans votre alimentation quotidienne. Puisque tout le monde les aime, cela ne devrait pas poser de problème. Les personnes qui surveillent leur ligne seront agréablement surprises d'apprendre qu'une portion de pâtes cuites de 75 grammes contient seulement 100 calories et peut par conséquent être incluse dans un régime amaigrissant, à condition bien entendu que la sauce reste légère.

Les pâtes au quotidien

En Italie, on mange généralement les pâtes en entrée (*primo piatto* ou simplement *primo*), lors du principal repas de la journée. Celui-ci peut être le déjeuner ou le dîner, suivant les habitudes de la famille ou selon qu'il est servi pendant la semaine ou le week-end. Le repas commence ordinairement par un hors-d'œuvre suivi d'un *primo piatto* de soupe, de pâtes, de riz ou de gnocchis. Les pâtes étaient servies en entrée au déjeuner du temps où celui-ci était le principal repas de la journée, mais de nos jours, en Italie comme dans les autres pays, de plus en plus de femmes travaillent à l'extérieur et les habitudes familiales changent. Après le *primo piatto,* on sert le deuxième plat, *secondo piatto.* Il peut s'agir de poisson ou de viande, suivi de légumes ou d'une salade, puis de fromage, de fruits frais et de café. Les desserts sont généralement réservés aux grandes occasions.

Lorsqu'on prévoit des pâtes en entrée, la quantité usuelle est de 65 à 90 grammes de pâtes crues par personne. Habituellement, on les mélange avec la sauce à la cuisine,

CI-CONTRE Les pâtes colorées sont décoratives et délicieuses, mais vérifiez toujours sur l'emballage qu'elles ne contiennent pas de colorants artificiels.

avant d'apporter le plat à table. Ainsi, elles ont le temps d'absorber la sauce et de s'imprégner des différents arômes qui la composent avant d'être dégustées.

Si vous servez les pâtes directement à partir du plat, ajoutez une petite louche de sauce par-dessus après les avoir mélangées, puis saupoudrez d'un peu de fromage râpé ou d'herbes aromatiques sur l'ensemble au dernier moment.

Si vous présentez les pâtes comme plat principal au déjeuner ou au dîner, augmentez la quantité de pâtes crues à 150 grammes par personne et préparez plus de sauce. Servez les pâtes dans des assiettes creuses – plus commodes que des plates – que vous aurez préalablement chauffées au four pour que la préparation reste bien chaude. Si vous accompagnez votre plat principal d'une salade verte et de fruits frais, vous aurez un repas complet, nourrissant et délicieux. *Buon Appetito !*

CI-DESSOUS Les sauces sont confectionnées généralement pour un type de pâtes, mais le plus important est d'équilibrer saveurs et textures.

LES PÂTES SÈCHES

Il existe des centaines de sortes de pâtes sèches divisées en plusieurs catégories.

Les pâtes longues, courtes et plates sont les plus courantes, mais il y a également des pâtes farcies et des pâtes pour la soupe. Parmi celles-ci, vous trouverez des formes régionales moins connues et des pâtes décoratives plus rares.

N'achetez que des pâtes fabriquées à partir de semoule de blé dur à 100 %. Si vous les conservez dans des bocaux, consommez d'abord le reste de pâtes qui s'y trouve avant d'ouvrir un paquet neuf. Plus les pâtes sont vieilles, plus elles sont longues à cuire ; en outre, les pâtes de marques différentes n'ont pas toutes le même temps de cuisson.

LES PÂTES LONGUES / *PASTA LUNGA*

Les spaghettis sont les pâtes longues les plus connues et sans doute parmi les premières à avoir été exportées d'Italie. Les spaghettis comptent encore parmi les pâtes les plus consommées, mais il existe désormais de nombreuses autres variétés de pâtes longues qui leur ressemblent. Il n'y a pas de règles strictes concernant les sauces qu'il convient d'associer aux diverses formes de pâtes. Essayez différents mélanges en vous rappelant que les pâtes longues sont meilleures avec une sauce légère et onctueuse ou bien une sauce lisse et épaisse. Si la sauce est trop liquide, elle glissera le long des pâtes ; si elle est trop épaisse, elle tombera au fond du plat. Les sauces onctueuses faites avec de l'huile d'olive, du beurre, de la crème, des œufs, du fromage râpé et des herbes aromatiques finement hachées se mélangent bien avec les pâtes longues.

Les pâtes longues existent en différentes dimensions mais la moyenne est de 30 cm. Dans les magasins spécialisés, on peut trouver des pâtes deux fois plus longues que cela, mais réfléchissez bien avant de les acheter car elles peuvent être difficiles à faire cuire et à manger et n'ont pas meilleur goût pour autant. La largeur des pâtes longues est également variable ; elles peuvent être plates, creuses, rondes ou carrées, ou encore enroulées en forme de nids.

La plupart des pâtes longues n'existent qu'en semoule de blé dur. Les pâtes aux œufs sont très cassantes et sont enroulées en nids ou pressées en forme de vagues. Les pâtes longues, comme les spaghettis, sont beaucoup trop fragiles pour être fabriquées avec des œufs, mais en Émilie-Romagne, on trouve une sorte de spaghetti court appelé *capricciosa all'uovo*.

Bavette

Bucatini

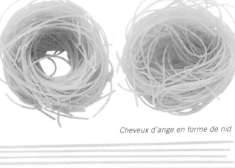

Cheveux d'ange en forme de nid

Cheveux d'ange

Capellini

Capellini en forme de nid

Bavette

Cette pâte longue est connue dans toute l'Italie, mais elle est plus courante dans le Sud. Ces pâtes sont étroites et plates comme les tagliatelles mais plus minces. En fait, certains Italiens du Sud utilisent le mot *bavette* pour désigner les tagliatelles. Les *bavettine* sont une variante encore plus étroite. Les deux sortes de pâtes existent en semoule de blé dur, pure ou aux œufs *(all'uovo)*.

Bucatini

Les *bucatini* ressemblent aux spaghettis, mais en plus gros. Ce sont des pâtes creuses (*buco* signifie « trou »), comme des pailles à boire rigides. On les utilise surtout dans la recette romaine *Bucatini all'amatriciana*, accompagnées d'une sauce tomate au bacon et aux poivrons. En Sicile, on les sert traditionnellement avec une sauce aux sardines fraîches. Les *bucatoni* sont une variante plus courte. Les *bucatini* sont parfois également appelés *perciatelli*.

Cheveux d'ange

Les cheveux d'ange sont des pâtes extrêmement fines. On les utilise dans les soupes et les bouillons. Les enfants en raffolent. On les trouve parfois enroulés en forme de nids sous le nom de *capelli d'angelo a nidi*. Ces nids sont faciles à cuire – on compte un nid par personne. Les *capellini* et *capel venere* sont similaires aux *capelli d'angelo*.

Chitarra

Également appelées spaghettis *alla chitarra*, ces pâtes sont découpées sur un cadre de bois spécial tendu de fils de fer comme une guitare (*chitarra* signifie « guitare » en italien). Bien que de forme carrée, elles s'utilisent de la même façon que les spaghettis.

Fusillis

Ce sont des sortes de spaghettis en spirale qui ressemblent à de longs tire-bouchons déployés. On les trouve également sous le nom de *fusillis lunghi* ou *fusillis col buco* pour les distinguer des fusillis courts et des *eliche*. Les fusillis sont généralement servis avec une sauce tomate.

Lasagnette

Ces pâtes plates ressemblent aux tagliatelles mais elles sont un peu plus larges. Il en existe plusieurs sortes, dont la plupart ont des bords dentelés. Les *reginette* sont similaires. Les *lasagnette* peuvent remplacer n'importe quelle pâte en forme de ruban.

Linguine

En italien, ce nom, littéralement « petites langues », désigne des pâtes très fines qui ressemblent à des spaghettis aux bords aplatis. Les *linguinette* et les *lingue di passera* (« langues d'hirondelle ») sont encore plus étroites. Les *linguine* existent aussi en farine de blé complète. Toutes ces pâtes sont délicieuses avec une simple sauce à base d'huile d'olive ou une sauce lisse à la tomate de l'Italie méridionale.

Macaronis

C'est l'une des pâtes les plus répandues. Nous connaissons bien la forme courte, mais en Italie, les longs tubes épais sont utilisés avec toutes sortes de sauces – dans certaines régions, le mot *maccheroni* sert de terme générique pour diverses variétés de pâtes, et *maccheroncini* désigne des pâtes longues et minces. Les macaronis existent en différentes longueurs et épaisseurs, aux extrémités droites ou coupées en biais, en semoule de blé dur, aux œufs ou complets. On recense même une version carrée de style *chitarra* qui vient des Abruzzes. Dans cette région, on les appelle *maccheroni alla chitarra*, mais on les trouve aussi sous le nom de *tonnarelli*. Les macaronis se marient avec toutes les sauces.

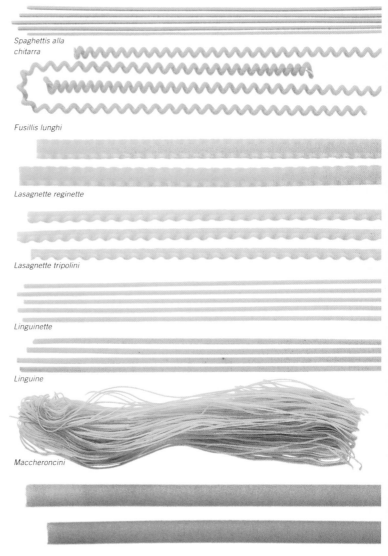

Spaghettis alla chitarra

Fusillis lunghi

Lasagnette reginette

Lasagnette tripolini

Linguinette

Linguine

Maccheroncini

Macaronis

Spaghettis

Ce nom est dérivé du mot *spago*, qui signifie « ficelle ». Les *spaghettini* sont des spaghettis encore plus fins, tandis que les *spaghettoni* sont plus épais. Les spaghettis ont été inventés à Naples mais, aujourd'hui, on les fabrique un peu partout en Italie et leur longueur comme leur épaisseur varient suivant les régions.

Il en existe de nombreuses marques, avec des couleurs et des saveurs différentes, notamment les spaghettis à base de semoule de blé dur *(integrali)*, les spaghettis aux épinards *(spinaci)* et au piment *(peperoncini)*, aussi avez-vous l'embarras du choix. Évitez cependant les marques trop bon marché. Les spaghettis italiens longs sont généralement très bons ; ils sont classés par numéros en fonction de leur épaisseur. Ces pâtes restent les meilleures qui soient en dépit du nombre sans cesse croissant d'autres formes. Les spaghettis se marient avec un large choix de sauces.

Tagliatelles

Les tagliatelles, les pâtes en ruban les plus communes, tirent leur nom du verbe italien *tagliare,* qui veut dire « couper ». Ces pâtes font généralement environ 1 cm de large, mais il existe des variétés plus fines appelées *tagliatellina, tagliarini* et *tagliolini,* et même *tagliolini fini.* Les tagliatelles traditionnelles viennent de Bologne. Elles sont préparées avec ou sans œufs, ou avec des épinards *(tagliatelle verdi),* mais les fabricants proposent sans cesse de nouveaux parfums et de nouvelles couleurs.

Tous les types de tagliatelles sont vendus enroulés en nids qui se déroulent pendant la cuisson lorsqu'on les remue. Les *paglia e fieno* (« paille et foin ») sont un mélange de nids de tagliatelles aux œufs ordinaires et de nids de tagliatelles aux œufs et aux épinards. Les pâtes sont habituellement très fines, soit des *tagliarini* ou des *tagliolini.* Toutes ces pâtes sont très appréciées, mais évitez de les servir avec une sauce au poisson. L'assaisonnement classique est une sauce à la viande, comme pour les tagliatelles à la bolonaise.

La variante romaine des tagliatelles s'appelle *fettuccine.* Ces longues pâtes plates ressemblent aux tagliatelles, mais elles sont légèrement plus fines.

Spaghettis

Spaghettis à base de semoule de blé dur

Spaghettis aux épinards

Spaghettoni

Spaghettini

Spaghettini au piment

Tagliatelles nature et aux épinards

Vermicelles

Ziti

Mezza zita

Vermicelles

Ce nom signifie « petits vers ». Les vermicelles sont en fait des spaghettis très fins – à l'origine, le nom napolitain des spaghettis était *vermicelli*, et les Italiens du Sud appellent encore parfois les spaghettis de cette manière. Il existe des vermicelles ordinaires et des vermicelles aux œufs. Ils se marient avec la plupart des sauces légères, mais surtout avec les sauces à la tomate et les sauces aux fruits de mer qui sont une spécialité napolitaine. On trouve une version encore plus fine appelée *vermicellini*, ainsi que des nouilles similaires nommées *fidelini*.

Ziti

Le nom de ces pâtes est dérivé du mot *zita*, désignant la « fiancée ». Autrefois, la tradition voulait que l'on serve des *ziti* lors des cérémonies de mariage et autres grandes occasions. Les *ziti* sont très longs, épais et creux comme les macaronis, et habituellement on les coupe à la longueur souhaitée juste avant de les faire cuire. En raison de leur taille, ces pâtes se marient bien avec les sauces épaisses contenant des morceaux de viande ou de fromage. On peut aussi les couper en petits tronçons et les faire cuire au four dans des timbales. Les pâtes servent à tapisser le fond du moule, que l'on remplit ensuite avec une garniture de champignons, de jambon ou de foies de volaille mélangés avec de la sauce et parsemés de fromage râpé. Les *zitoni* sont plus épais que les *ziti*. Les *mezza zita* sont plus minces.

Tagliolini aux œufs

Tagliatelles « paille et foin »

Tagliarini aux œufs

QUELQUES TYPES RÉGIONAUX DE PÂTES LONGUES SÈCHES

Les *fettucine* viennent du Latium ; ces pâtes sont utilisées dans des plats classiques romains comme les *Fettucine all'Alfredo*. Ce sont des rubans plats un peu plus étroits que les tagliatelles (environ 5 mm de large), vendus en nids assez lâches. Les trois types les plus courants sont les fettucine à base de semoule de blé dur, les fettucine aux œufs *(all'uovo)* et les *fettucine* aux épinards *(verdi)*. On peut les utiliser à la place des tagliatelles. Les *fettuccelle* sont similaires, mais elles ne sont pas vendues en nids. Les *fettuccelle integrali* sont une variété à base de farine complète.

Les *frappe* sont originaires d'Émilie-Romagne. Ces pâtes de 3 à 4 cm de large sont plates avec des bords ondulés. Par leurs dimensions, elles se situent à mi-chemin entre les tagliatelles et les lasagnes. Faites avec des œufs et très cassantes, elles sont emballées à l'aide d'une machine spéciale qui les presse en forme de vagues.

Les *pappardelle* sont de larges rubans (2 à 2,5 cm de large) aux bords ondulés. Ces pâtes aux œufs fraîches sont une spécialité de Toscane. Elles existent aussi sous forme séchée avec un seul bord ondulé ou même avec des bords droits. Elles se marient particulièrement bien avec les sauces à la viande et au gibier assez épaisses. Les *nastroni* sont similaires, mais ces pâtes ont des bords droits et sont enroulées en forme de nids.

Les *trenette* sont une spécialité de Ligurie, où elles sont traditionnellement servies avec une sauce au *pesto*. Le plat génois, *Trenette alla genovese*, associe les *trenette* au *pesto* avec des pommes de terre et des fèves. Ces pâtes faites avec des œufs mesurent environ 3 mm de large. Elles ressemblent aux *bavette* et aux *linguine*, et on peut utiliser les unes ou les autres indifféremment.

Fettuccine à l'encre de calmar

Pappardelle

Trenette

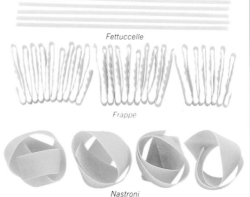

Fettuccelle

Frappe

Nastroni

LES PÂTES COURTES / *PASTA CORTA*

Il existe des centaines de variétés de pâtes courtes et de nouvelles formes apparaissent sans cesse. Certains préfèrent les pâtes courtes simplement parce qu'elles sont plus faciles à faire cuire et à manger. En outre, elles se marient avec un grand nombre de sauces – sauce tomate, à la crème ou à l'huile d'olive, lisse ou avec des morceaux de poisson, de viande ou de légumes. Seuls les plats régionaux exigent des formes spécifiques, comme par exemple les *Penne all'Arrabbiata*.

On distingue deux sortes de pâtes courtes. Les pâtes sèches *(pasta secca)* sont fabriquées industriellement à partir de semoule de blé dur et d'eau. C'est de loin le groupe le plus important et la plupart des paquets de pâtes sèches ne comportent que ces deux ingrédients. Les pâtes aux œufs *(pasta all'uovo)* sont plus jaunes que les pâtes sèches et ont une plus grande valeur nutritionnelle. Très appréciées dans le nord de l'Italie, surtout en Émilie-Romagne, elles possèdent des propriétés différentes des pâtes ordinaires et se combinent bien avec les sauces riches à la crème et à la viande de cette région. Elles cuisent un peu plus vite que les pâtes à base de semoule de blé dur et ont moins tendance à ramollir. Bien que plus chères que les pâtes ordinaires, les pâtes aux œufs ont de plus en plus de succès et les fabricants en créent constamment de nouvelles formes.

Les pâtes courtes existent aussi en une large gamme de saveurs et de couleurs. Pendant de nombreuses années, on a surtout fabriqué des pâtes à la tomate et aux épinards mais, aujourd'hui, il semble ne pas y avoir de limite aux variétés de couleurs et de parfums : de l'ail, des piments rouges et des herbes à la betterave, au saumon et aux champignons, en passant par l'encre de calmar ou encore le chocolat. On trouve souvent des paquets de pâtes tricolores dans le commerce. Les pâtes complètes, *pasta integrale,* sont faites à partir de semoule de blé dur et d'autres céréales. Elles contiennent plus de fibres que les pâtes ordinaires et leur cuisson prend plus de temps. Elles ont un goût de noisette et une consistance un peu caoutchouteuse.

Benfatti

Benfatti

Le mot *benfatti* (ou « bien fait ») désignait à l'origine les chutes de pâtes résultant de la fabrication d'autres formes telles que les tagliatelles. Autrefois, on les mettait dans les soupes, mais elles ont eu tant de succès qu'elles sont désormais fabriquées et commercialisées comme une variété à part entière, ordinaires ou aux œufs. On les utilise en salade et dans les soupes.

Chifferini rigatini

Chifferini

Également appelées *chifferi, chifferoni* et *chifferotti,* ces pâtes, plus connues chez nous sous le nom de « coquillettes », sont des petits tubes incurvés qui se remplissent de sauce, ce qui en fait des pâtes idéales pour toutes sortes de sauces et de soupes.

Conchigliette striées

Conchiglie

Comme leur nom l'indique, ces formes évoquent de petites conques. Elles sont parfois striées, auquel cas on les appelle *conchiglie rigate.* Elles sont très pratiques pour leur forme concave qui permet d'absorber n'importe quelle sauce. Très appréciées, elles existent dans divers couleurs et parfums. Leur taille varie également beaucoup, depuis les

Conchiglie striées

Conchiglioni striés

minuscules *conchigliette* destinées aux soupes aux *conchiglione* géants que l'on remplit de farce.

Eliche

Ce nom signifie « hélice », ce qui correspond exactement à la forme de ces pâtes. Elles sont parfois répertoriées sous le nom de fusillis. Celles-ci leur ressemblent effectivement mais, si on les place côte à côte, on s'aperçoit qu'il y a une nette différence. Les *eliche* sont de courtes pâtes enroulées en spirale. Elles existent en plusieurs épaisseurs, couleurs et saveurs, y compris complètes et tricolores, et se combinent avec la plupart des sauces, en particulier celles à base de tomate. Vous pouvez les acheter sous le nom de fusillis – les deux variétés sont interchangeables et leur nom dépend souvent de la région d'Italie où elles ont été fabriquées.

Eliche aux œufs

Eliche tricolores

Farfalles

Fusillis

Macaronis

Farfalles aux épinards

Fusillis aux épinards

Maccheroncelli

Farfalles salmonseppia

Fusillis aux œufs

Tubetti

Farfalles tricolores

Farfalles

Ce mot signifie « papillon » et, en France, on trouve souvent ces pâtes vendues sous ce nom. Elles présentent des bords dentelés et certaines sont striées. En raison du grand nombre d'amateurs, elles existent dans une gamme étendue de parfums et de couleurs : ordinaires, aux œufs et tricolores (semoule de blé dur simple, à la tomate et aux épinards, parfois vendues ensemble dans des paquets mixtes). Les farfalles peuvent être accommodées avec n'importe quelle sauce, mais celles à la tomate et à la crème lui conviennent particulièrement bien. Les enfants en raffolent. À Modène, les farfalles sont vendues sous le nom de *strichetti*.

Fusillis

Ces pâtes ressemblent aux *eliche* (avec lesquelles elles sont souvent confondues), mais la spirale est beaucoup plus serrée. Vérifiez avant de les acheter car la plupart des paquets de fusillis sont en réalité des paquets d'*eliche*. Les vrais fusillis sont faits avec de la semoule de blé dur, sans œufs ni colorant. Ils se marient bien avec les sauces légères.

Lumache striées

Lumaconi striés

Gomiti striés

Lumache

À la différence des *conchiglie*, la forme de ces jolies pâtes creuses s'inspire de celle des coquilles d'escargot. Elles absorbent bien les sauces. La variété la plus répandue est la *lumache rigate* (striée), mais il existe aussi une variante plus grande appelée *lumaconi*. Les *gomiti* ont une forme similaire.

Macaronis

Lorsque l'on parle de *maccheroni* dans le sud de l'Italie, c'est pour désigner des pâtes longues mais, dans le nord du pays, on préfère les *maccheroni* courts. C'est la variante courte qui est généralement exportée à l'étranger sous le nom de macaronis. Autrefois, les macaronis étaient les pâtes courtes les plus répandues en dehors de l'Italie mais, aujourd'hui, d'autres formes intéressantes leur font concurrence. Du fait qu'ils sont creux, les macaronis retiennent bien les sauces et sont pratiques pour les plats au four, aussi restent-ils très populaires. Les macaronis existent en semoule de blé dur simple et aux œufs. Leurs tailles sont très variables – on trouve même une variété très mince à cuisson rapide. Les *tubetti* sont des macaronis miniatures utilisés pour les soupes.

Pennes lisses

Pennes striées

Pennes striées aux épinards

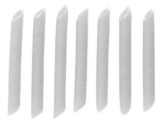

Penne mezzanine

Pennes tricolores

Pennoni

Pennes

Les pennes sont des tubes creux aux extrémités coupées en diagonale, pointues comme des plumes. Ces pâtes ont supplanté les macaronis chez de nombreux consommateurs, sans doute en raison de leur forme plus intéressante. Elles se marient à n'importe quelle sauce, mais surtout à celles contenant des morceaux de viande, de fromage ou de légumes, car elles sont très épaisses. Les *penne lisce* sont lisses et les *penne rigate* striées. Parmi les autres sortes de pennes, on trouve les *pennette*, les *pennini*, encore plus fins, les *penne mezzanine* ou « demi-pennes », courtes et trapues, et enfin les gros *pennoni*. Les pennes aux œufs et les pennes à la tomate ou aux épinards sont courantes.

Pipe striées

Pipe

Ces pâtes sont un compromis entre les *conchiglie* et les *lumache*. Elles sont creuses et incurvées (leur nom signifie « tuyau ») et souvent striées *(pipe rigate)*. Elles sont assez petites pour des pâtes courtes. Idéales pour retenir la sauce, elles constituent une alternative bienvenue aux autres variétés de pâtes creuses. On trouve des *pipe* fabriquées avec de la semoule de blé dur simple, des *pipe* complètes et une version plus petite appelée *pipette*.

Rigatoni

Mezzi rigatoni

Elicoidali

Elicoidali au basilic

Rigatoni

De la même famille que les macaronis, les *rigatoni* sont striés, creux et trapus. Ils sont bons avec les sauces épaisses contenant des morceaux de viande ou du fromage, et existent dans de nombreux parfums. On trouve une variante courte, *mezzi rigatoni* et une variante droite et trapue, *millerighe*. Les *rigatoni* ont plus de consistance que la plupart des autres pâtes. Les *elicoidali* (« hélice ») sont similaires mais un peu plus étroits avec des bords incurvés. Il existe des *elicoidali* ordinaires et des *elicoidali* parfumés, au basilic par exemple.

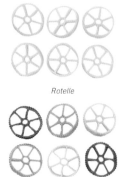

Rotelle

Rotelle tricolores

Rotelle

Ce sont des pâtes en forme de roue de charrette. Il en existe une variété striée, *rotelle rigate*, que l'on trouve aussi sous d'autres noms : *ruote, ruote di carro* et *trulli*. Même s'il ne s'agit pas d'une forme très classique, elle permet à ces pâtes de bien retenir les sauces épaisses. Les enfants les adorent et on les trouve en plusieurs couleurs avec différents goûts. Ces roues en semoule de blé dur italiennes sont très bonnes.

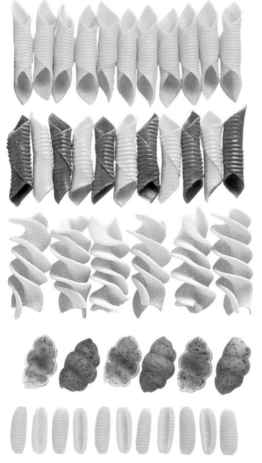

QUELQUES VARIÉTÉS RÉGIONALES DE PÂTES SÈCHES

Les *garganelli* viennent d'Émilie-Romagne. Ce sont des pâtes tubulaires aux œufs se rapprochant des pennes, mais en forme de rouleaux plutôt que de plumes. Elles sont étendues à l'aide d'un ustensile spécial appelé *il pettine* qui ressemble à un grand peigne.

Les gnocchis sardes viennent de Sardaigne. Ils doivent leur nom aux gnocchis fabriqués avec de la purée de pommes de terre, mais ils s'apparentent à de petits couteaux. Les *gnocchetti sardi* sont encore plus petits et on les utilise principalement dans les soupes. En Sardaigne, les gnocchis sont également appelés *malloreddus*. Ces pâtes sont souvent aromatisées au safran et servies avec des sauces à la viande et aux légumes. Elles ont beaucoup de consistance.

Les *orecchiette*, ou « petites oreilles », sont originaires des Pouilles, dans le sud-est de l'Italie. Toujours fabriquées avec de la semoule de blé dur, elles ont une consistance caoutchouteuse et sont préparées avec les sauces traditionnelles de la région, en particulier celles à base de brocoli.

Les *pizzoccheri* sont des pâtes à base de semoule de blé noir fabriquées dans la vallée de la Valteline, en Lombardie, non loin de la frontière suisse. Minces et plates, elles sont généralement enroulées en forme de nids comme les *fettuccine*, mais elles sont deux fois plus courtes que celles-ci. On les coupe parfois pour en faire des petites pâtes. Les *pizzoccheri* ont un goût de noisette et se marient bien avec les ingrédients nourrissants propres à la cuisine de l'Italie du Nord, en particulier le chou, les pommes de terre et le fromage.

Les *strozzapreti*, « étrangleurs de prêtre », viennent de Modène. Ils doivent leur nom, dit-on, à l'histoire d'un prêtre qui les aimait tant qu'il en mangea trop et faillit en mourir. Ce sont en fait deux morceaux de pâte enroulés ensemble. Parmi les autres formes enroulées similaires, citons les *caserecce*, les *fileia* et les *gemelli*. Les *strozzapreti* peuvent être remplacés par les *trofie* génois, assez proches mais qui ne sont pas enroulés.

Les *trofie* sont une spécialité du port de Gênes, en Ligurie, où on les présente avec une sauce au *pesto*. Ce sont des rouleaux de pâte aux extrémités pointues, très petits et délicats. Autrefois, ces pâtes étaient fabriquées artisanalement mais, aujourd'hui, on les vend sèches dans les magasins. Il arrive qu'elles soient ouvertes sur le côté au lieu d'être compactes. Achetez-les si vous voulez faire d'authentiques *Genovese trofie al pesto*.

CI-DESSUS À PARTIR DU HAUT Garganelli aux œufs, garganelli « paille et foin », girondole di Puglia, gnocchis sardes complets et gnocchetti sardi.

Gnocchetti sardi

Pizzoccheri a nidi

Strozzapreti

Orecchiette

Pizzoccheri courts

Trofie

LES PÂTES PLATES

Même s'il existe de nombreuses sortes de pâtes longues en ruban comme les *fettuccine* et les tagliatelles, il n'y a qu'une sorte de pâte plate très large qui soit destinée à la cuisson au four *(al forno)* : c'est la lasagne. Les fines bandes de lasagne sont conçues pour être cuites entre des couches de sauce. On peut aussi les faire cuire à l'eau bouillante, enroulées autour d'une farce, avant de les passer au four : en ce cas, ce sont des cannellonis. Tous les types de lasagnes sont prévus pour être utilisés de cette façon et la sauce n'est jamais servie à part.

Les lasagnes ordinaires

Fabriquées avec de la semoule de blé dur et de l'eau, les feuilles sont vendues en couches superposées dans des boîtes. Elles existent en trois couleurs – jaune (ordinaires), vert (*verdi*, aux épinards) et brun (*integrali*, c'est-à-dire complètes). Leur forme varie suivant les fabricants, allant de simples carrés à des bandes rectangulaires plus ou moins larges. En général, elles sont plates, mais il arrive qu'elles soient ondulées. Certaines ont des bords frisés qui permettent de retenir la sauce.

Essayez les différentes marques et choisissez celle dont la taille convient à votre plat, afin d'éviter d'avoir à la recouper. Il est très facile d'assembler les couches avant de les mettre au four. Lisez les instructions qui figurent sur l'emballage, car les lasagnes ordinaires doivent être précuites avant d'être farcies et superposées ou enroulées. La méthode habituelle consiste à cuire environ quatre feuilles à la fois dans une grande casserole d'eau bouillante, pendant 8 minutes, puis à retirer chaque feuille à l'aide d'une écumoire pour la poser à plat sur un chiffon humide et la laisser s'égoutter. Les feuilles doivent être égouttées séparément, faute de quoi elles risquent de se coller entre elles. Cette méthode prend du temps mais permet de réduire le temps de cuisson au four à 30 minutes.

Les *lasagnette* sont de longues bandes étroites de pâte plate, frisées sur un bord ou sur les deux. On les utilise de la même façon que les lasagnes, fourrées de sauce, puis saupoudrées de fromage râpé et cuites au four.

Lasagne verdi

Lasagnette

Lasagnette

Festonelle

Pantacce

Lasagnes

Lasagnes aux bords frisés

Lasagnes aux épinards

Lasagnes aux œufs et aux épinards

Les *festonnelle* sont de petits carrés de *lasagnette* également cuits au four. Les *pantacce* sont de minuscules morceaux de *lasagnette* coupés en diagonale. Ils ressemblent aux *quadrucci* coupés à la main et sont employés pour les plats au four et les soupes.

Les lasagnes aux œufs

Ces lasagnes sont faites avec de la semoule de blé dur et de l'eau comme les lasagnes ordinaires, mais on y ajoute des œufs. Cela donne une couleur jaune plus soutenue, ainsi qu'un goût plus riche et plus de qualités nutritives.

Il existe des lasagnes aux œufs simples *(lasagne all'uovo)* et des lasagnes aux œufs et aux épinards *(lasagne verdi all'uovo)*. De même que les lasagnes ordinaires, elles existent en différentes formes et tailles, avec des bords plus ou moins ondulés.

Lasagnes

Lasagnes aux œufs

Lasagnes prêtes à l'emploi

Bien qu'il s'agisse d'une innovation relativement récente, les lasagnes prêtes à l'emploi ont de plus en plus de succès. Ces lasagnes n'ont pas besoin d'être précuites ou bouillies, mais peuvent être mises directement au four, pour vous faire gagner du temps. Comme les lasagnes ordinaires ou aux œufs, elles existent en différentes formes, tailles et couleurs, avec des bords courts ou frisés. Elles sont plus faciles à utiliser lorsqu'elles sont juste aux dimensions de votre plat mais, si ce n'est pas le cas, vous pouvez les couper aux dimensions requises. Le temps de cuisson est un peu plus long que celui des variétés précuites : prévoyez 40 minutes. Utilisez une sauce fluide car ce type de lasagne tend à absorber le liquide pendant la cuisson.

Tortellinis aux œufs

Tortellinis aux épinards

Raviolis aux œufs

Agnolotti aux œufs

LES PÂTES SÈCHES FARCIES /
PASTA RIPIENA

Les pâtes sèches farcies les plus connues sont les tortellinis, une spécialité bolonaise inspirée, dit-on, du nombril de Vénus. Faites de rondelles de pâtes, elles ressemblent à de petits anneaux dodus. On les appelle aussi *anolini*. En Italie, on trouve aussi des *cappelletti* (« petits chapeaux ») secs qui ressemblent aux tortellinis mais sous forme de carrés de pâte, avec une petite pointe. Les *cappelletti* sont généralement vendus frais, comme les raviolis et les *agnolotti.* Les tortellinis sont très appréciés sous leur forme sèche, car ils sont cuits traditionnellement *in brodo* – c'est-à-dire dans du bouillon de volaille ou de bœuf. En Italie, les tortellinis *in brodo* tiennent souvent lieu de repas du soir lorsque le déjeuner de midi est le principal repas du jour. On les sert aussi comme remontant lorsqu'un membre de la famille est malade. À Bologne, il est courant de manger des tortellinis *in brodo* la veille du nouvel an, sans doute comme antidote aux excès du réveillon de Noël.

Les tortellinis secs sont généralement garnis avec des farces à la viande *(alla carne)* ou au fromage *(ai formaggi).* Les pâtes sont faites avec des œufs et existent en trois couleurs – jaune (ordinaires), rouge (à la tomate) et verte (aux épinards). Tous les tortellinis doivent cuire pendant au moins 15 minutes pour que la pâte ait le temps de gonfler et que les ingrédients contenus dans la farce retrouvent toute leur saveur. Les farces à base de viande sont faites avec de la saucisse de porc et de bœuf mélangée à de la chapelure, du parmesan et des épices. Les farces à base de fromage consistent en 35 % (au minimum) de fromage mélangés avec de la chapelure et des épices.

Les tortellinis secs se conservent jusqu'à douze mois (vérifiez toujours la date limite de consommation sur le paquet). Pour une soupe, une poignée de tortellinis suffit et vous pouvez refermer le paquet après usage. Les tortellinis sont également délicieux bouillis et mélangés avec une sauce au beurre et aux herbes, ou à la crème et à la tomate, ou encore avec une sauce à la viande, puis parsemés de parmesan râpé. Les enfants en raffolent et les tortellinis sont parfois un bon moyen de leur faire manger de la viande et du fromage sans rechigner. Un paquet de 250 grammes suffit pour quatre personnes.

PÂTES SÈCHES POUR FARCES /
PASTA DA RIPIENO

Les grosses pâtes sont prévues pour être farcies et cuites au four. Les farces varient de la viande ou de la volaille aux épinards, aux champignons et au fromage, et vous pouvez faire cuire les pâtes au four avec une sauce Béchamel ou une sauce tomate. La farce et la sauce doivent être assez liquides pour éviter que le plat ne soit trop sec. Les pâtes sèches changent des lasagnes et rencontrent beaucoup de succès auprès des enfants. Il n'est pas nécessaire de les faire bouillir avant de les farcir.

Cannellonis

Cannellonis

Ces grandes pâtes en forme de tubes (leur nom signifie « gros roseaux ») mesurent environ 10 cm de long. On trouve des cannellonis ordinaires, aux épinards et complets. En Italie, ces pâtes sont traditionnellement confectionnées avec des feuilles de lasagnes fraîches enroulées autour d'une farce, mais les cannellonis prêts-à-l'emploi sont plus pratiques. Pour les remplir, utilisez une cuillère à café ou une poche à douille.

Conchiglie

Conchiglie

Parfois appelées *conchiglioni*, ces grosses pâtes en forme de coquilles de conques existent en versions nature, aux épinards et à la tomate, lisse ou striée. On trouve souvent deux tailles – moyenne et grande – qui conviennent aussi pour les farces. Les plus grandes sont néanmoins plus faciles à garnir.

Lumaconi

Lumaconi

Les *lumaconi* ressemblent aux *conchiglie* mais sont en forme de coudes, avec une ouverture à chaque extrémité. Les *lumaconi* sont souvent à base de semoule de blé dur et portent des stries, mais on en trouve aussi de différentes couleurs dans les épiceries spécialisées. Il existe des formes similaires appelées *chioccioloni, gorzettoni, manicotti* et *tuffolini.*

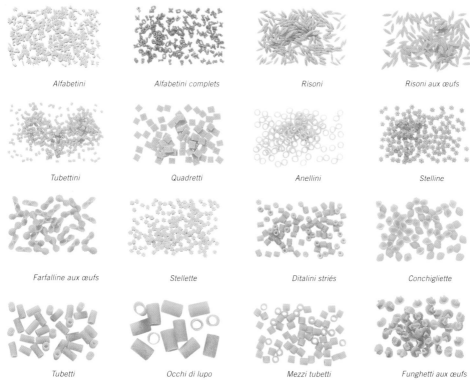

Alfabetini	*Alfabetini complets*	*Risoni*	*Risoni aux œufs*
Tubettini	*Quadretti*	*Anellini*	*Stelline*
Farfalline aux œufs	*Stellette*	*Ditalini striés*	*Conchigliette*
Tubetti	*Occhi di lupo*	*Mezzi tubetti*	*Funghetti aux œufs*

PÂTES SÈCHES POUR LES SOUPES / *PASTINA*

En Italie, les très petites pâtes sont appelées *pastina,* et il en existe plusieurs centaines de sortes différentes. La plupart sont fabriquées avec de la semoule de blé dur, mais on trouve aussi des variétés aux œufs, aux épinards ou aux carottes. On les sert surtout dans des bouillons destinés aux enfants ou aux malades. Si vous êtes hospitalisé dans ce pays, il est probable que l'on vous servira de la *Pastina in brodo.*

Ces pâtes revêtent de nombreuses formes variées et il en apparaît sans cesse de nouvelles sur le marché en raison de leur succès.

Les plus petites ressemblent à des grains minuscules. Certaines s'apparentent à du riz et sont d'ailleurs appelées *risi* ou *risoli,* tandis que d'autres évoquent plutôt de l'orge et sont fort justement baptisées *orzi.* Les *fregola,* de Sardaigne, font penser à du couscous et ont un goût de noisette. Les *semi di melone* se rapprochent des pépins de melon comme leur nom l'indique, tandis que les *acini de pepe* ou *peperini* sont désignés ainsi d'après les grains de poivre dont ils ont la taille et la forme, sinon la couleur. Les *coralline, grattini* et *occhi* sont trois autres sortes de pâtes minuscules très courantes.

Les enfants préfèrent les pâtes un peu plus grandes comme les alphabets, les *stelline* et les *stellette* (« étoiles »), les *rotellini* (« petites roues de charrette ») et les *anellini,* qui sont des anneaux plus ou moins grands, parfois striés. Les *ditali* ressemblent aux *anellini,* mais sont plus épais. Les *tubettini* sont plus grands.

Parmi les autres variétés pour la soupe *(pasta per minestre),* on trouve des pâtes un peu plus grandes, sortes de versions miniatures des pâtes courtes les plus courantes. Leurs noms se terminent par les formes diminutives « ine », « ette » ou « etti » – *conchigliette* (« petites coquilles »), *farfalline* et *farfallette* (« petits papillons »), *funghetti* (« petits champignons »), *lumachine* (« petits escargots »), *quadretti* et *quadrettini* (« petits

Peperini

carrés »), *orecchiettini* (« petites oreilles »), *penette* (« petites plumes ») et *tubetti* (« petits tubes »). Leurs tailles varient : les pâtes les plus petites sont utilisées pour les bouillons, tandis que les plus grandes sont réservées aux soupes plus épaisses comme le minestrone.

LES PÂTES AUX FORMES INSOLITES

On trouve depuis quelque temps sur le marché des pâtes dont la forme n'a rien à voir avec celle des variétés traditionnelles ou régionales. Beaucoup sont fabriquées ailleurs qu'en Italie, et celles qui y sont produites sont destinées à l'exportation. La plupart des Italiens se contentent des formes traditionnelles.

C'est dans les supermarchés, les épiceries fines et même certaines boutiques de décoration intérieure que l'on peut trouver ces pâtes. Leur qualité est très variable, et certaines sont décevantes par leur consistance et leur saveur. D'autres rencontrent un franc succès, en particulier celles qui sont fabriquées par les grandes marques italiennes. Elles changent un peu des formes ordinaires.

En règle générale, les pâtes aromatisées sont meilleures accompagnées de simples sauces à l'huile d'olive ou au beurre car souvent les goûts des pâtes et de la sauce tendent à s'annuler les uns les autres.

Les pâtes longues et les nouilles
Les spaghettis et les tagliatelles sont souvent aromatisés et colorés. Ce sont des pâtes très longues ou enroulées en nids *(a nidi)*, et l'on peut même trouver une variété appelée *spagliatelle,* qui est un compromis entre les spaghettis et les tagliatelles. Certains paquets ne proposent qu'une seule couleur, d'autres en contiennent jusqu'à cinq. Ces pâtes peuvent être faites avec de la semoule de blé dur simple ou enrichies aux œufs et étiquetées *all'uovo.* Les parfums les plus courants sont les épinards, la tomate, les champignons, la betterave, le safran et le saumon fumé, mais il existe aussi des pâtes au piment rouge et à l'ail (séparés ou mélangés), ainsi qu'à l'encre de calmar *(nero di seppia).*

L'un des mélanges les plus extravagants qui soient a été inventé à Venise. Baptisé *arlecchino* (« arlequin »), c'est

Tagliatelles aux piments rouges et verts

Tagliatelles aux œufs et au saumon fumé

Tagliatelles tricolores

Tagliatelles aux champignons sauvages

Tagliatelles à l'encre de calmar et aux œufs de mulet

Spaghettis à l'ail et au piment rouge

Tagliatelles aux graines de pavot

Tagliatelles aux champignons sauvages

Bavette aux champignons sauvages

Spagliatelle aux cinq couleurs

Arlecchino multicolores

Strangozzi au basilic

un mélange de pâtes noires (encre de calmar), vertes (épinards et herbes), rouges (tomates et betteraves) et bleues (myrtilles et curaçao). Les tagliatelles aux herbes ou aux graines de pavot sont plus courantes, de même que la version toscane aux champignons sauvages *(porcini)*. Les tagliatelles appelées *bavette de Puglia* sont aussi aromatisées aux champignons sauvages. Les *strangozzi* sont des nouilles fines d'Ombrie assez inhabituelles. Elles existent en semoule de blé dur simple ou parfumées aux épinards, au basilic ou à la tomate, ou encore aux épinards et au basilic. Elles sont parfois vendues entortillées en une longue tresse épaisse très décorative mais difficile à faire cuire – il est préférable de la casser en morceaux avant de la plonger dans l'eau bouillante.

Les formes courtes

Inventée par un ingénieur automobile, Giorgetto Giugiaro, la *marille* a été l'une des premières pâtes à la forme vraiment insolite lancée sur le marché. La société italienne qui avait chargé Giugiaro de dessiner cette pâte voulait une forme qui retienne le plus de sauce possible et la *marille* répond pleinement à cette exigence. Semblables à un double rouleau de pâte strié à l'intérieur, les *marille* sont esthétiques.

Depuis l'invention de la *marille,* de nombreuses autres pâtes aux formes originales ont été créées, toutes destinées, avec plus ou moins de bonheur, à retenir la sauce. Parmi ces formes, citons notamment les *ballerine, fiorelli, gigli del gargano, rocchetti* et *spaccatella,* autant de pâtes qui retiennent

bien la sauce mais laissent parfois une sensation étrange dans la bouche. Les formes telles les *banane, creste di gallo, radiatori* et *riccioli* sont un peu fantaisistes.

Même chose en ce qui concerne les pâtes multicolores comme les *orecchiette* (« petites oreilles ») aux sept couleurs et les *chioccioloni* (« escargots ») aux cinq couleurs – semoule de blé dur simple, tomate, encre de calmar, champignons et... chocolat ! Bien que souvent présentées comme artisanales (*lavorazione artigianale* ou *prodotto artigianale*) du fait qu'elles ont été fabriquées par des artisans locaux, ces pâtes se révèlent souvent décevantes et égalent rarement les pâtes traditionnelles.

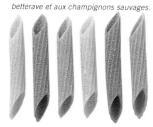

Les chioccioloni aux cinq couleurs sont faites avec de la pâte de semoule de blé dur simple et de la pâte aromatisée à l'encre de calmar, au chocolat, à la tomate et aux champignons sauvages.

Les orecchiette aux sept couleurs sont à base de semoule de blé simple et aromatisées aux épinards, à la tomate, au safran, à l'encre de calmar, à la betterave et aux champignons sauvages.

Penneti rigati aux trois couleurs

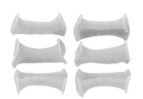

Conchiglie aux épinards, nature et à la tomate (coquilles artisanales destinées à être farcies)

Rocchetti rigati

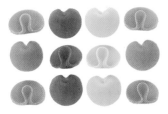

Cappelletti aux trois couleurs

Spaccatella

Gigli del gargano

Fiorelli tricolores

Corali rigati

LES PÂTES FRAÎCHES

En Italie, c'est la tradition d'acheter des pâtes fraîches, et aujourd'hui cette coutume s'est étendue à d'autres pays. Les Italiens achètent les pâtes fraîches chez leur *pastificio*, ou boulanger, dont les vitrines sont un véritable régal pour les yeux. Dans de nombreux pays, et notamment en France, la gamme des formes, des arômes et des farces ne cesse d'augmenter en raison d'une demande toujours croissante. Tout le monde aime les pâtes fraîches. La qualité est excellente, en particulier pour les pâtes fraîches vendues dans les épiceries fines italiennes. Les pâtes sous vide n'ont pas la fraîcheur ni la texture des pâtes fabriquées le jour même, mais elles sont néanmoins très bonnes. Même si les parfums varient, les ingrédients usuels sont les épinards, la tomate, la châtaigne, les champignons, le jus de betterave, le safran, les herbes, l'ail, les piments rouges et l'encre de calmar.

Achetez des pâtes fraîches le jour où vous avez l'intention de les manger ; sinon, laissez-les dans leur emballage et utilisez-les dans les 24 ou 48 heures au maximum. Si vous achetez des pâtes fraîches dans une boutique de produits italiens, demandez au marchand de vous conseiller sur les conditions de conservation. Les pâtes fraîches contiennent des œufs, ce qui réduit leur durée de conservation, mais augmente leur valeur nutritive, améliore leur saveur et donne aux variétés non colorées une belle couleur jaune d'or.

Les pâtes fraîches cuisent plus vite que les sèches, mais les techniques de cuisson ne changent pas. La plupart des pâtes ordinaires seront *al dente* en 2 à 4 minutes, et les pâtes farcies en 5 à 7 minutes. Renseignez-vous auprès de votre marchand.

De même que pour les pâtes sèches, choisissez les sauces en fonction des formes – les pâtes fraîches longues se combinent mieux avec les sauces lisses, tandis que les sauces épaisses contenant des morceaux de viande, de fromage ou autres se marient mieux avec les pâtes fraîches courtes.

PÂTES LONGUES ET PLATES

Ce sont les premières pâtes fraîches à avoir été commercialisées, et c'est souvent le propriétaire de la boutique de produits italiens ou son épouse qui les fabrique. Récemment, on avait juste le choix entre les tagliatelles et les *fettuccine* aux œufs, parfois aromatisées aux épinards ; maintenant, on trouve toutes sortes de variétés. Les pâtes longues fraîches sous vide existent en formes et en tailles standard mais les épiceries fines italiennes préparent parfois des spécialités dominicales avec des parfums et des couleurs différents suivant la saison et les ingrédients disponibles. C'est souvent le cas lorsqu'un commerçant approvisionne un restaurant en pâtes fraîches. Si le restaurant passe une commande, il arrive au commerçant d'en fabriquer un peu plus pour le proposer à ses clients. N'hésitez pas à lui demander et à rechercher les spécialités régionales. Si les propriétaires de votre magasin de produits italiens sont originaires du Latium, vous aurez une chance d'acheter des *fettucine* artisanales. Les Liguriens fabriquent plutôt des *trenette,* tandis que les commerçants originaires de Toscane ou de Bologne vendent des *pappardelle.*

Fettucine

Ces longs rubans plats, version romaine étroite des tagliatelles, mesurent en général 5 mm de large. Il y a des variétés aux œufs et aux épinards. On trouve aussi des nouilles similaires appelées *fettuccelle.* Les deux sont interchangeables et se mangent simplement avec du beurre et de la crème.

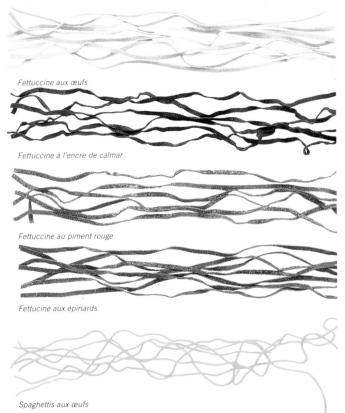

Fettuccine aux œufs

Fettuccine à l'encre de calmar

Fettuccine au piment rouge

Fettucine aux épinards

Spaghettis aux œufs

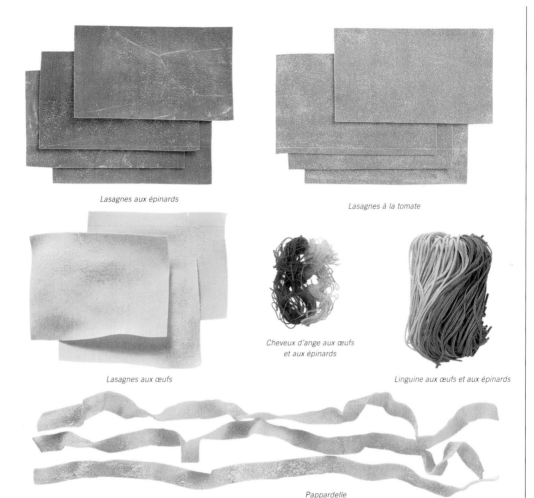

Lasagnes aux épinards

Lasagnes à la tomate

Cheveux d'ange aux œufs et aux épinards

Lasagnes aux œufs

Linguine aux œufs et aux épinards

Pappardelle

Lasagnes

On trouve des feuilles de lasagnes à base de semoule de blé simple, aux œufs ou aromatisées aux épinards ou à la tomate. Suivant le fabricant, elles peuvent être carrées, rectangulaires ou sous forme de bandes à bords droits ou ondulés. Les lasagnes *al forno* (au four) préparées avec des feuilles de pâte fraîche sont bien meilleures que celles faites avec de la pâte sèche.

Linguine

Ces pâtes étroites et fines ressemblent à des spaghettis aplatis. Elles contiennent des œufs *(all'uovo)* et se marient bien aux sauces à l'huile d'olive mélangées avec de l'ail haché, des piments ou du poivre noir fraîchement moulu. Les *linguine* sont aussi délicieuses avec les sauces au poisson ou aux fruits de mer.

Pappardelle

Ces pâtes aux œufs plates sont plus larges que toutes les autres nouilles en ruban : elles font entre 2 et 2,5 cm de large. Les *pappardelle* traditionnelles ont des bords ondulés, mais on trouve également des variétés à bords droits. Bien qu'originaires de Toscane, elles sont également appréciées à Bologne, en Lombardie, où on les sert avec une sauce riche à base de viande ou de gibier – en effet, ces pâtes sont assez larges et fermes pour être associées aux morceaux de viande. On trouve des *pappardelle* ordinaires et des *pappardelle* aux tomates ou aux champignons sauvages.

Spaghettis

Connues dans le monde entier, les spaghettis existent en différentes largeurs. Les *spaghettini* sont une version étroite, que l'on trouve dans certaines épiceries italiennes. Servez les spaghettis ou les *spaghettini* à la mode napolitaine avec des sauces à l'huile d'olive et à la tomate. Ces deux variétés se marient aussi très bien avec le poisson et les fruits de mer coupés en tout petits morceaux. Les cheveux d'ange existent également en version ordinaire ou aromatisée aux épinards.

Tagliolini à l'encre de calmar

Tagliolini aux œufs

Tagliolini au saumon

Tagliolini aux épinards

Tagliatelles aux œufs

Tagliatelles aux épinards

Tagliatelles

Les tagliatelles sont probablement les pâtes fraîches les plus connues. Ces nouilles longues et droites mesurent environ 1 cm de large. On les trouve partout dans une large gamme d'arômes et de couleurs. Les tagliatelles aux œufs et celles aux épinards sont les plus consommées. Ces pâtes peuvent aussi contenir des herbes fraîches, de l'ail, des champignons sauvages, des tomates séchées au soleil, du poivre, des piments rouges et d'autres épices, ou être colorées avec du safran ou de la tomate. Les tagliatelles à l'encre de calmar sont noires. Les tagliatelles, originaires de Bologne, sont traditionnellement servies avec une sauce bolonaise, mais elles se marient avec toute sauce à base de viande. Les *tagliarini* et les *tagliolini* sont des variantes très fines d'environ 3 mm de large. Ils existent sous deux formes : aux œufs ou blancs et verts (*paglia e fieno* : « paille et foin »). Les paquets mélangés permettent d'obtenir un plat à l'effet visuel original. Ces pâtes s'associent bien avec les sauces à la tomate et à la crème.

FORMES COURTES

Dans les supermarchés, on trouve des pâtes courtes fraîches mais le choix est souvent limité. Les épiceries fines italiennes vendent parfois des pâtes courtes fraîches fabriquées sur place, mais compte tenu du fait qu'il faut des presses spéciales pour les couper et leur donner leur forme, l'offre reste restreinte, et les fabriquer à la main prendrait trop de temps pour être commercialement viable. Les pâtes courtes ont tendance à coller ; dans les supermarchés, on les conserve sous plastique dans des compartiments réfrigérés. Ces paquets peuvent être mis au congélateur. Dans certains petits commerces, on supprime l'excédent d'humidité en séchant les pâtes au ventilateur juste après leur fabrication. Alors appelées demi-sèches, elles doivent être vendues dans les 48 heures. Les formes varient beaucoup, suivant qu'elles viennent d'une grande manufacture ou de petits commerces. Les *conchiglie*, les *fusillis* et les pennes sont faciles à trouver, tandis que d'autres formes comme les *garganelli* et les *ballerine* sont plus rares.

Conchiglie

Ces pâtes en forme de coquillages existent en différentes tailles et couleurs, et les variétés tricolores (rouge, blanc et vert) sont très appréciées. Elles conviennent bien aux sauces épaisses contenant des morceaux de viande ou autres ingrédients, en particulier lorsqu'elles sont striées. Elles sont également idéales pour les salades car elles se mélangent bien aux assaisonnements.

Fusillis

Ces pâtes en spirale devraient en fait être appelées *eliche,* mais elles sont presque toujours vendues sous le nom de fusillis. Elles sont faciles à trouver, nature, aux épinards ou à la tomate, mélangées ou séparées. Dans certains commerces, on fabrique des fusillis à l'encre de calmar. La forme de ces pâtes est parfaite pour retenir les sauces et les assaisonnements.

Garganelli

Vendues dans certaines boutiques spécialisées, ces pâtes en forme de rouleaux striés sont faites à partir d'une

Ballerine

Pennes striées

Fusillis aux œufs

Conchiglie

Garganelli demi-secs

pâte aux œufs spéciale d'Émilie-Romagne. Leur fabrication exige l'utilisation d'un ustensile appelé *il pettine* en italien, qui possède des dents comme un peigne ; ce sont ces dents qui permettent de strier la pâte. Il existe des *garganelli* nature et des *garganelli* aux épinards ; ils sont parfois vendus en paquets mixtes. En Émilie-Romagne, on les sert traditionnellement avec une sauce riche à la viande, mais ils peuvent être employés dans d'autres recettes comprenant des macaronis courts ou des pennes. Les *garganelli*

sont particulièrement délicieux avec les sauces crémeuses onctueuses.

Pennes

Parfois appelées « plumes », ces pâtes existent en diverses tailles et couleurs, lisses ou striées, tout comme leurs homologues sèches. À Rome, on sert les pennes fraîches avec une sauce *all'arrabbiata* pimentée, mais elles se marient avec de nombreuses autres sauces.

Pâtes farcies

Récemment encore, les seules pâtes fraîches farcies étaient les pâtes régionales traditionnelles. Les raviolis étaient les plus réputés, suivis des tortellinis. Ces spécialités régionales ont toujours autant de succès mais, aujourd'hui, les formes et les types de farces se diversifient, qu'il s'agisse de pâtes industrielles ou artisanales. Les variantes locales des formes courantes, le nombre sans cesse croissant d'ingrédients de saison frais pour les farces et les mélanges de couleurs de plus en plus audacieux permettent de créer de multiples variétés. N'hésitez pas à goûter différentes sortes de pâtes afin de découvrir celles que vous préférez. Nous présentons ici les plus connues et les plus faciles à trouver, suivant les traditions régionales.

Agnolotti

Ces pâtes farcies viennent du nord de l'Italie et sont plus particulièrement une spécialité du Piémont. Traditionnellement, elles se présentent comme des demi-lunes rebondies farcies avec des légumes. Les *agnolotti* carrés sont appelés *dal plin* (« avec pli ») car ils ont un pli au milieu. Tous les *agnolotti* ont un bord dentelé obtenu en coupant la pâte autour de la farce avec une roulette à pâte dentée.

Cappelletti

Ces pâtes doivent leur nom au mot italien qui signifie « petits chapeaux ». En Émilie-Romagne, on garnit de farce des petits carrés de pâte, puis on les replie en diagonale de façon à créer des formes triangulaires dont on ramène les deux coins l'un vers l'autre ; dans le même

Agnolotti aux œufs demi-secs

Cappelletti aux œufs demi-secs

Cappelletti aux œufs farcis aux champignons sauvages

Cappelletti aromatisés à la tomate et farcis avec des tomates séchées au soleil

temps, le bord inférieur est retourné vers le haut comme un rebord de chapeau. Dans certaines régions du centre de l'Italie, les *cappelletti* ne sont pas faits avec des carrés de pâte, mais avec des ronds dentelés. Il peut s'agir d'une pâte ordinaire, additionnée d'œufs *(all'uovo)* ou encore parfumée à la tomate ou aux épinards. Traditionnellement, les *cappelletti* sont farcis à la viande hachée et au fromage. Dans le nord et le centre de l'Italie, on les mange dans du bouillon à Noël et au nouvel an – *Cappelletti in brodo*. Vous pouvez les utiliser de cette manière ou les servir comme plat principal avec un peu de beurre fondu et du parmesan râpé, ou bien encore les mélanger avec une sauce à la tomate ou à la crème.

*Raviolis demi-secs aux œufs avec
farce à base de viande hachée*

*Raviolis ovales parfois appelés rotondi
et farcis avec des artichauts*

Raviolis aux œufs avec farce à base de poulet haché

*Raviolis nature et raviolis aux épinards
de fabrication artisanale*

Grands raviolis rectangulaires farcis au roquefort

Gros raviolis farcis avec du poulet haché et des asperges

*Raviolis avec farce aux asperges, raviolis à l'encre
de calmar farcis aux herbes et raviolis au safran farcis
avec du saumon fumé et du mascarpone*

Pansotti

Ces pâtes dont le nom signifie « potelé » sont originaires de Ligurie. Elles sont triangulaires avec une poche de farce au milieu. Traditionnellement, les *pansotti* sont farcis avec des épinards, des œufs bouillis et du *pecorino* hachés ; on les sert avec une sauce aux noix. Formées de petits carrés de pâte, elles peuvent avoir des bords droits ou dentelés.

Raviolis

Les raviolis se présentent le plus souvent comme des carrés de pâte aux bords dentelés, mais leur taille et leur forme sont très variables. Avec les tortellinis, ce sont les pâtes farcies fraîches les plus courantes et chacun semble avoir sa propre manière de les préparer.

On utilise généralement de la pâte nature, aux épinards ou à la tomate (bien que d'autres arômes comme l'encre de calmar et le safran tendent à se répandre), que l'on garnit avec une farce à base de légumes (épinards, artichauts, champignons), de poisson et de fruits de mer ou de viande de veau et de poulet hachée. Il existe de minuscules raviolis appelés *raviolini*.

Les raviolis farcis au potiron s'appellent *cappellacci*. On trouve également de petits raviolis ronds baptisés *medaglioni*. Enfin, certaines épiceries fines italiennes vendent aussi de gros raviolis ronds, ovales ou rectangulaires garnis avec une farce à base de fromage ou de légumes. Les raviolis ovales sont parfois appelés *rotondi*, tandis que les grandes formes rectangulaires peuvent être désignées sous le nom de cannellonis.

Tortellinis nature et aux épinards

*Sacchetti farcis aux épinards et à la ricotta
et noués avec de la ciboule*

*Tortellinis farcis aux artichauts
et à l'huile de truffe*

*Medaglioni aux œufs aromatisés
à la tomate et garnis avec une farce
à base de truite et de crevettes*

Cappelli aux œufs farcis avec du saumon haché

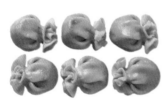

Sacchettini

*Caramelle aux œufs en forme de bonbons
et farcis avec des épinards et de la ricotta*

*Cannellonis aux épinards garnis avec une
farce à base d'herbes et de fromage frais*

Tortellinis

Très appréciés, les tortellinis ressemblent plus ou moins à des *cappelletti,* mais ils sont réalisés avec des ronds de pâtes et non avec des carrés et, par conséquent, ils n'ont pas de pointe. Ils sont généralement un peu plus gros que les *cappelletti,* tandis que les *tortelloni* et les *tortelli* sont encore plus gros. Les tortellinis sont une spécialité de la ville de Bologne, en Émilie-Romagne, où on les garnit traditionnellement avec une farce à base de viande hachée et de *prosciutto* (jambon de Parme). À Noël, la coutume locale veut que l'on mange des *tortellini in brodo* avant de déguster le plat principal – chapon ou dinde rôtie.

Aujourd'hui, les tortellinis sont vendus partout tout au long de l'année.

Il existe beaucoup d'associations de couleurs et les farces peuvent être très sophistiquées. Parmi les nombreux ingrédients utilisés pour aromatiser la pâte, on trouve notamment l'encre de calmar, l'ail, les herbes aromatiques, les olives vertes, les épinards et les tomates séchées au soleil, tandis que pour la farce, on a le choix entre le crabe, le potiron, la ricotta, les asperges, le fromage frais, les oignons caramélisés, les champignons, le thon mariné, les aubergines, les poivrons rouges, les artichauts et les truffes. Il existe même une farce aux quatre fromages.

Autres sortes de pâtes farcies

Des chefs créatifs ont lancé la mode de formes autres que celles issues des traditions régionales. Renseignez-vous sur

les dernières pâtes mises sur le marché – il en sort sans cesse de nouvelles. Parmi celles qui ont le plus de succès, mentionnons notamment les *caramelle* et les *sacchetti.* Les *caramelle* sont bien sûr baptisées en référence aux caramels dont ils imitent la forme. La farce, le plus souvent à base de ricotta, est enfermée dans la partie centrale en forme de trapèze. La pâte peut être nature, aux œufs ou parfumée aux épinards ou à la tomate. Les *sacchetti* ont la forme de petites bourses. La pâte peut être nature ou aromatisée, tandis que la farce est faite avec du fromage ou de la viande hachée. Les *sacchettini* sont une variante de plus petite taille, généralement servie dans les soupes ; ils sont également délicieux accompagnés d'une sauce à la crème.

LES USTENSILES

La préparation des pâtes exige peu de matériel spécifique. Il faut une grande casserole pour les faire cuire et une passoire pour les égoutter. Pour les sauces, vous avez besoin d'une planche à découper et d'un couteau bien aiguisé pour émincer ou hacher les ingrédients, d'une sauteuse pour les faire revenir et mijoter, enfin d'un grand récipient, de cuillères et de fourchettes pour mélanger et servir. Il existe cependant certains ustensiles qui peuvent vous faciliter la tâche si vous faites souvent des pâtes. Vous les trouverez dans les magasins spécialisés dans la vente d'ustensiles de cuisine.

USTENSILES COURANTS

Ces ustensiles de base sont sans doute déjà présents dans votre cuisine pour la plupart.

23 à 30 cm de diamètre et de 5 à 8 cm de profondeur. Si vous cuisinez souvent pour un grand nombre de personnes, achetez deux poêlons de tailles différentes, dont au moins un revêtu d'un fond antiadhésif.

Cuiseur

Cet ustensile à bords droits en acier inoxydable possède deux courtes poignées et un panier percé interne lui-même équipé de poignées. Il existe en différentes tailles ; choisissez celle qui répond le mieux à vos besoins. Si vous cuisinez pour deux à trois personnes, achetez un cuiseur qui peut contenir au moins trois litres d'eau ; pour six à huit personnes, prenez-en un de cinq litres. Les cuiseurs coûtent assez chers, mais ils sont si pratiques que vous ne regretterez pas votre achat. Les pâtes sont bouillies dans le panier percé interne, qu'il suffit de sortir de l'eau dès qu'elles sont *al dente,* ce qui facilite grandement l'égouttage. Cet ustensile a plusieurs fonctions : vous pouvez l'utiliser avec le panier percé pour faire cuire les légumes à la vapeur ou ne vous servir que de la partie externe pour préparer les bouillons, les soupes, les ragoûts ou réchauffer les conserves. Veillez à choisir un cuiseur qui ne soit pas trop lourd.

Ce cuiseur comprend un panier percé interne qui sert à égoutter les pâtes.

Poêlon ou sauteuse

Le poêlon était à l'origine un récipient en terre, qui fut plus tard fabriqué en cuivre à destination des confiseurs. Aux États-Unis, le terme a fini par désigner les poêles. Maintenant, il s'agit d'une sauteuse large et profonde – sorte d'intermédiaire entre le wok et la poêle à frire – équipée d'une longue poignée et d'un couvercle. C'est un ustensile idéal pour faire les sauces. Choisissez une sauteuse de

Un poêlon large et profond ou une poêle à frire sont parfaits pour préparer les sauces, tandis qu'une simple casserole pourra servir de cuiseur si vous n'en possédez pas.

Utilisez une grosse louche pour servir les bouillons et les soupes, et pour verser les sauces sur les pâtes.

Prenez une louche percée (À GAUCHE) ou une écumoire (À DROITE) pour sortir les pâtes courtes de l'eau bouillante.

Cette spatule percée est très utile pour mesurer les portions de spaghettis – chaque trou représente une quantité différente.

Ces pinces à spaghettis servent à sortir les pâtes longues de l'eau bouillante.

Cette fourchette en bois à long manche permet de remuer les pâtes pendant la cuisson pour les empêcher de coller.

Spatule percée

Il n'est pas facile de peser les spaghettis, et les doser par poignées n'est pas très précis. Cette spatule de bois est percée de quatre trous (parfois cinq) contenant des quantités de pâtes différentes. Utilisez l'un ou l'autre suivant le nombre de personnes.

Fourchette en bois

Cette fourchette en bois pourvue d'un long manche permet de remuer les pâtes pendant la cuisson pour les empêcher de coller. Une fourchette est plus pratique qu'une cuillère pour cet usage.

Pince à spaghettis

Rien ne vaut une pince à spaghettis pour sortir les pâtes longues de l'eau

bouillante. Choisissez-en une en acier inoxydable. Il est préférable que la poignée soit longue pour vous éviter de vous brûler, mais l'essentiel est de l'avoir bien en main. Certaines pinces sont pourvues de mécanismes compliqués – ressorts, charnières –, mais les plus simples sont les meilleures. Vous pouvez utiliser cet ustensile aussi bien pour sortir une pâte de l'eau afin de la goûter que pour servir des portions entières.

Écumoire ou louche percée

Pour sortir les pâtes courtes de l'eau bouillante, il vous faut une écumoire ou une louche percée. Choisissez-la grande et profonde, de préférence en acier inoxydable.

Louche

La louche sert à répartir la sauce sur les pâtes et à servir la soupe. Il y a des louches plus ou moins larges et profondes ; d'autres sont équipées d'un bec qui permet de verser plus facilement. Les louches en acier inoxydable sont préférables.

Couteau à parmesan

Ce couteau court et trapu est équipé d'une lame de forme spéciale. Ce n'est pas un ustensile essentiel, mais il est très pratique pour prélever de fins copeaux de parmesan. Il peut aussi être utile pour servir le parmesan sur une planche à fromage.

Il existe différentes sortes de râpes à fromage, de la râpe rotative équipée d'un compartiment à fromage (CI-DESSOUS) à la boîte en forme de trapèze pourvue de quatre râpes différentes, en passant par la traditionnelle râpe à fromage manuelle.

Râpes à parmesan

Il existe toutes sortes de râpes à fromage, depuis la simple râpe manuelle aux appareils électriques. La râpe en forme de boîte trapézoïdale permet de râper le parmesan et d'autres fromages durs tels que le *pecorino,* mais elle peut s'avérer encombrante avec ses quatre plaques hérissées d'aspérités de tailles différentes. On peut acheter des râpes à parmesan spéciales, beaucoup plus petites. Elles consistent en une lame rectangulaire équipée d'un petit manche qui permet de râper le fromage très finement. Cet ustensile est peu ·encombrant et idéal à table. Les moulins à parmesan mécaniques sont également

très pratiques, de même que les râpes équipées d'un réceptacle fermé qui permet de conserver le fromage râpé en attendant de l'utiliser.

N'achetez une râpe électrique que si vous utilisez souvent de grandes quantités de fromage ; sinon, vous pouvez vous contenter d'un hachoir électrique, comme ceux qui servent à hacher les herbes.

MATÉRIEL POUR FABRIQUER DES PÂTES CHEZ SOI

Vous pouvez fabriquer des pâtes à la maison avec des ustensiles courants – une balance, un verre mesureur, une surface de travail et un rouleau à pâtisserie ordinaire, mais il existe des ustensiles spéciaux qui peuvent vous faciliter la tâche. Ils sont disponibles dans les magasins d'ustensiles de cuisine et les grands magasins.

Rouleau à pâtisserie en fuseau

Le rouleau traditionnellement employé en Italie pour étendre la pâte est très long – il mesure presque 80 cm de long. Il fait environ 4 cm d'épaisseur au milieu et à des extrémités effilées. Ce type de rouleau est très facile à utiliser et vaut l'investissement si vous aimez fabriquer vos pâtes vous-même. Vous pouvez aussi utiliser un rouleau à pâtisserie ordinaire, mais il doit être très mince – pas plus de 5 cm de diamètre.

Machine à pâtes mécanique

Dans les cuisines italiennes, on utilise le même type de machine à manivelle depuis très longtemps. Cette machine a passé l'épreuve du temps avec succès et a été peu modifiée depuis son invention. Faite en acier inoxydable, elle est équipée de rouleaux conçus pour étendre la pâte très finement et de lames destinées à créer différentes formes. Les lames standard permettent habituellement de faire des tagliatelles et des *tagliarini,* mais il faut acheter d'autres accessoires pour faire les *pappardelle,* les raviolis,

les cannellonis et autres. La machine se fixe au bord de votre table ou de votre surface de travail, et il suffit d'actionner la manivelle. Si vous fabriquez souvent des pâtes, c'est un bon investissement, car ces machines ne coûtent pas cher et sont faciles et amusantes à utiliser. Elles permettent en outre de faire d'excellentes pâtes en peu de temps. Vous pouvez même acheter un moteur électrique si vous ne voulez pas tourner la manivelle.

Le rouleau à pâtisserie traditionnel italien est très long et légèrement plus épais au milieu qu'aux extrémités.

Les machines à pâte électriques mélangent et pétrissent la pâte, puis l'étendent et l'expulsent à travers des lames, de sorte qu'il n'y a rien d'autre à faire que de mettre les ingrédients dedans et d'appuyer sur un bouton. Ce type d'appareil permet de fabriquer une plus grande variété de pâtes que les machines mécaniques, mais on a moins de contrôle sur la pâte. Seuls les magasins d'ustensiles de cuisine spécialisés vendent des machines à pâtes électriques. Elles coûtent cher, mais l'investissement en vaut la peine si vous fabriquez souvent des pâtes – elles peuvent en faire jusqu'à 1 kg à la fois – et si vous avez suffisamment de place pour les ranger.

La traditionnelle machine à pâtes à manivelle, équipée de rouleaux pour étendre la pâte et de lames pour découper les tagliatelles et les tagliarini, est un ustensile très pratique pour fabriquer les pâtes.

La roulette à pâte en acier inoxydable facilite le découpage des raviolis.

Roulette à pâte

C'est un ustensile très utile pour couper les pâtes telles que les lasagnes et les tagliatelles, et pour découper les pâtes farcies si vous ne possédez pas de machine à pâte. La roulette peut être droite ou dentée, et il existe des roulettes à pâte spéciales qui peuvent couper plusieurs longueurs de nouille à la fois. Vous pouvez vous contenter d'un couteau, mais la roulette permet d'obtenir des formes plus nettes.

Emporte-pièce à raviolis

C'est presque la même chose qu'un emporte-pièce à pâtisserie, sauf que cet ustensile est équipé d'un manche en bois et peut être carré ou rond. Si vous voulez faire des raviolis et des *cappelletti* carrés, vous pouvez utiliser une roulette à pâte plutôt que cet emporte-pièce. Pour les raviolis ronds, les tortellinis et

Cette plaque à pâtes en métal sert à fabriquer de tout petits raviolis.

les *anolini*, vous pouvez vous servir d'un emporte-pièce à pâtisserie. Les tailles les plus pratiques sont 5 cm et 7,5 cm.

Plaque à raviolis

Vous pouvez acheter une plaque en métal spéciale pour confectionner les raviolis. On étend une feuille de pâte sur la plaque, puis on l'enfonce dans les creux. Ensuite, on verse la farce dans ceux-ci et on place une autre feuille de

pâte par-dessus. Pour découper les carrés de raviolis, il suffit de passer un rouleau à pâtisserie sur la surface dentelée. Cette plaque est très pratique pour fabriquer les tout petits raviolis. Elle est parfois vendue avec un petit rouleau à pâtisserie ou comme accessoire de la machine à pâtes.

Cet emporte-pièce à raviolis, qui peut aussi être carré, n'est pas un ustensile essentiel, car de simples emporte-pièce à pâtisserie, dentelés ou non, (A GAUCHE) font aussi bien l'affaire.

CUISINER ET SERVIR LES PÂTES

Les pâtes sont très faciles à préparer, mais si l'on manque d'attention, il est également possible de les rater.

Les indications suivantes vous permettront de réussir vos plats de pâtes à coup sûr, qu'il s'agisse de pâtes sèches ou fraîches.

Faire cuire les pâtes au micro-ondes

En raison de la grande quantité d'eau nécessaire pour faire bouillir les pâtes, vous ne gagnerez pas de temps en les faisant cuire au micro-ondes. Cependant, pour les formes courtes et les quantités inférieures à 225 grammes, cela peut sans doute être plus commode. Les pâtes larges comme les lasagnes ou longues comme les spaghettis doivent être cuites par petites quantités, aussi le micro-ondes n'est-il pas indispensable. Mais il est très pratique pour réchauffer les sauces et les plats déjà prêts comme les lasagnes et les cannellonis, surtout lorsqu'il s'agit de portions individuelles. Le micro-ondes s'avère également très utile pour décongeler et réchauffer les sauces et les plats au four.

Réchauffer les pâtes courtes au micro-ondes

Mettez les pâtes dans un grand récipient adapté à ce type de four, salez et recouvrez d'eau bouillante jusqu'à 2,5 cm au-dessus. Placez dans le four à micro-ondes et faites cuire au maximum de la puissance, 3 à 4 minutes pour les pâtes fraîches et 8 à 10 minutes pour les pâtes sèches, puis laissez reposer 5 minutes avant d'égoutter.

1 Coordonner la cuisson de la sauce et celle des pâtes

Avant de préparer la sauce ou les pâtes, lisez attentivement la recette, afin de savoir ce qui, de la sauce ou des pâtes, exige la cuisson la plus longue. La sauce peut être préparée à l'avance et réchauffée, et il est rare que son temps de cuisson soit crucial ; en revanche, les pâtes sont comme un soufflé – elles ne peuvent pas attendre. C'est particulièrement vrai pour les pâtes fraîches, dont le temps de cuisson ne dépasse pas quelques minutes ; dans ce cas, la sauce doit être prête avant que vous ne jetiez les pâtes dans l'eau bouillante.

3 Utiliser une grande quantité d'eau

La quantité recommandée est de 5 litres d'eau pour 450 grammes de pâtes. Si vous faites moins de pâtes, prévoyez au moins 3 litres d'eau. Si vous ne mettez pas assez d'eau, les pâtes colleront en gonflant et prendront une consistance caoutchouteuse désagréable.

CONSEIL

Ne faites pas cuire plus de 700 grammes de pâtes à la fois, car une fois remplie d'eau, la casserole sera difficile à soulever.

Si vous vous servez du micro-ondes, ne dépassez pas 200 grammes de pâtes. Choisissez un grand récipient adapté à ce type de four et ne le remplissez pas trop ; pour le mettre dans le four à micro-ondes, mettez des gants résistant à la chaleur.

2 Choisir un grand cuiseur ou une grande casserole

Les pâtes nécessitent beaucoup de place pour cuire, aussi est-il essentiel d'utiliser un grand récipient. Le mieux est d'acheter un grand cuiseur à bords droits, haut, en acier inoxydable, équipé d'un panier percé interne. Les deux récipients doivent être pourvus de poignées pour pouvoir les soulever facilement. Si vous êtes très amateur de pâtes, n'hésitez pas à investir dans un cuiseur ; sinon, prenez votre plus grande casserole ainsi qu'une passoire en acier inoxydable, de préférence pourvue de pieds pour plus de stabilité lors de l'égouttage.

4 Porter l'eau à ébullition

L'eau doit bouillir à gros bouillons avant de jeter les pâtes dans le cuiseur. Le mieux est de faire bouillir l'eau dans une bouilloire, puis de la verser dans le cuiseur. Il vous faudra peut-être répéter l'opération ; augmentez le feu afin que l'eau continue de frémir dans le cuiseur pendant que vous remettez la bouilloire en marche.

5 Saler suffisamment

Les pâtes cuites sans sel sont complètement insipides et, s'il n'y a pas assez de sel, cela ne vaut guère mieux. La quantité recommandée est d'environ 2 cuillerées à soupe pour 500 grammes de pâtes. Il n'est pas indispensable d'utiliser du sel de mer. Salez l'eau lorsqu'elle commence à bouillir à gros bouillons, juste avant d'y jeter les pâtes.

6 Jeter les pâtes d'un seul coup

Jetez les pâtes dans l'eau bouillante d'un seul coup afin qu'elles aient toutes le même temps de cuisson et soient prêtes en même temps. À cet effet, secouez le paquet bien ouvert au-dessus du cuiseur ou de la casserole pour les faire tomber ensemble.

7 Porter de nouveau l'eau à ébullition le plus vite possible

Une fois que les pâtes sont dans l'eau, remuez-les à l'aide d'une fourchette ou d'une cuillère en bois à long manche, puis couvrez à nouveau pour que l'eau se remette à bouillir le plus vite possible. Une fois qu'elle bout, baissez le feu et laissez cuire à feu moyen pendant le temps indiqué sur le paquet.

8 Remuer souvent les pâtes pendant la cuisson

Pour empêcher les pâtes de coller, remuez-les souvent pendant la cuisson. Utilisez une fourchette ou une cuillère en bois à long manche afin d'atteindre le fond de la casserole sans difficulté.

9 Égoutter complètement

Si vous disposez d'un cuiseur équipé d'un panier percé, soulevez celui-ci et sortez-le de l'eau. Secouez-le et remuez bien les pâtes pour en faire sortir toute l'eau. Gardez quelques cuillerées d'eau de cuisson afin de pouvoir éventuellement humecter les pâtes juste avant de les mélanger avec la sauce.

Le temps de cuisson est essentiel pour les pâtes

Le temps de cuisson commence au moment où l'eau se remet à bouillir après y avoir jeté les pâtes. Conformez-vous aux instructions figurant sur le paquet ou, dans le cas des pâtes fraîches maison, au temps indiqué dans la recette. Pour plus de précision, utilisez un minuteur à sonnerie, car même 1 minute de trop suffit à gâcher le plat. Les pâtes sèches supportent mieux d'être trop cuites, aussi commencez par cette sorte de pâtes si vous n'êtes pas sûr de vous.

Pour les pâtes fraîches

En règle générale, les pâtes fraîches fines cuisent en 2 à 3 minutes, les pâtes plus épaisses en 3 à 4 minutes et les pâtes farcies fraîches en 5 à 7 minutes.

Pour les pâtes sèches

Le temps de cuisson des pâtes sèches varie de 8 à 20 minutes suivant les variétés de pâtes et les marques. Vérifiez toujours le temps de cuisson sur le paquet.

Faire cuire les pâtes fraîches

1 Pour les pâtes fraîches mises à sécher sur un torchon, remontez les bords du tissu autour des pâtes de façon à former un cylindre assez lâche.

2 Placez le torchon au-dessus du cuiseur et ouvrez-le de façon à laisser glisser les pâtes dans l'eau d'un seul coup.

Faire cuire les pâtes sèches longues

1 Pour les spaghettis, enroulez les pâtes dans l'eau à mesure qu'elles ramollissent. Prenez-en une poignée à la fois et plongez-les dans l'eau bouillante.

2 À mesure que les spaghettis ramollissent, enroulez-les autour d'une cuillère ou d'une fourchette en bois jusqu'à ce qu'ils soient complètement submergés.

Faire cuire les pâtes farcies

1 Les pâtes farcies doivent être manipulées avec précaution, car sinon elles risquent de s'ouvrir et de laisser échapper la farce dans l'eau ; remuez-les doucement pendant la cuisson.

2 La meilleure méthode pour égoutter les pâtes farcies après la cuisson est de les sortir de l'eau à l'aide d'une écumoire ou d'une cuillère percée.

Quand les pâtes sont-elles *al dente* ?

Le terme italien *al dente* sert à désigner les pâtes cuites à point, c'est-à-dire encore fermes sous la dent. Les pâtes sèches, qui sont fabriquées avec de la semoule de blé dur, sont toujours servies *al dente*. Les pâtes fraîches, faites avec du blé tendre, ne sont jamais aussi fermes que les pâtes sèches. Cependant, elles ne doivent pas être trop molles non plus. Les pâtes trop cuites n'ont aucun goût, et aucun cuisinier italien qui se respecte n'oserait les servir.

Pour vérifier si vos pâtes sont prêtes, goûtez-les souvent lorsque vous approchez du temps de cuisson indiqué sur le paquet en soulevant une nouille ou deux de l'eau à l'aide d'une écumoire ou d'une cuillère percée et en mordant dedans. Arrêtez la cuisson dès qu'elles sont à votre goût.

Quantités

Les quantités indiquées ici peuvent varier légèrement selon que vous servez des pâtes fraîches ou des pâtes sèches. Prévoyez des quantités un peu plus importantes pour les pâtes fraîches, mais la différence reste négligeable. Ce qui compte, c'est de savoir si la sauce sera légère ou substantielle.

Pour une entrée à l'italienne (*primo piatto*) destinée à 4 ou 6 personnes, ou pour un plat principal destiné à 2 ou 3 personnes :
3 l d'eau
1 cuil. à soupe de sel
250 à 350 g de pâtes fraîches ou sèches

Pour une entrée destinée à 6 ou 8 personnes, ou pour un plat principal destiné à 4 ou 6 personnes :
5 l d'eau
2 cuil. à soupe de sel
300 à 450 g de pâtes fraîches ou sèches

CONSEIL

Si vous utilisez une casserole ordinaire pour faire cuire les pâtes, préparez dans l'évier la passoire pour les égoutter. Versez le contenu de la casserole dans la passoire, puis secouez-la et remuez les pâtes pour en faire sortir toute l'eau.

La façon de mélanger la sauce et les pâtes varie selon les recettes. La plupart du temps, il faut verser la sauce sur les pâtes, mais il arrive que ce soit le contraire. Si vous voulez verser la sauce sur les pâtes égouttées, prévoyez un récipient préchauffé au four à portée de main. Choisissez un récipient suffisamment large pour pouvoir bien mélanger la sauce et les pâtes.

1 Après avoir égoutté les pâtes, mettez-les immédiatement dans le récipient préchauffé au four, puis versez la sauce par-dessus et mélangez rapidement.

2 Si les pâtes sont trop sèches, versez un peu d'eau de cuisson dessus. Certaines recettes recommandent d'ajouter du beurre ou de l'huile à cette étape, d'autres conseillent de mélanger du parmesan ou du *pecorino* râpé en même temps que la sauce.

3 Pour mélanger, utilisez deux grandes cuillères ou deux grandes fourchettes, ou bien une grande cuillère et une grande fourchette. Soulevez les pâtes, puis tournez-les en allant bien jusqu'au fond du récipient jusqu'à ce que chaque pâte soit complètement enrobée de sauce.

4 Certaines recettes préconisent de remettre les pâtes sur le feu pour les mélanger avec de l'huile ou du beurre et des condiments. Vous pouvez également ajouter la sauce à ce stade mais, en ce cas, évitez de trop faire cuire les pâtes au préalable, car elles deviendraient complètement molles lorsque vous les réchaufferez.

Servir les pâtes

C'est à vos invités d'attendre les pâtes et non le contraire. À l'exception des plats cuits au four, les pâtes devraient toujours être mangées dès qu'elles sont cuites et mélangées avec la sauce. Demandez à vos invités de s'asseoir autour de la table pendant que vous égouttez vos pâtes.

Dans la plupart des cas, on mélange les pâtes et la sauce dans un grand plat creux à la cuisine avant de les apporter à table. Chaque personne est servie directement à partir du plat à moins que l'on ne fasse circuler celui-ci autour de la table.

Vous pouvez râper un peu de parmesan ou de *pecorino* sur les pâtes juste avant de les proposer ou encore les parsemer d'herbes fraîches hachées comme du persil ou du basilic – le choix dépend du plat et des goûts de la personne qui cuisine, mais en règle générale, on n'associe jamais de fromage râpé avec des sauces à base de poisson ou de fruits de mer.

Il arrive que les pâtes soient déposées directement dans les assiettes – c'est le cas notamment dans les restaurants. Ce n'est pas la coutume dans les foyers italiens, mais cela peut parfois permettre de faire le service plus rapidement et de personnaliser la garniture de chaque assiette de pâtes, ce qui peut se produire lorsqu'on reçoit.

Assortir les sauces et les recettes

Certains plats régionaux doivent toujours être préparés avec une variété de pâte spécifique. Ainsi, il est rare de voir les *Bucatini all'amatriciana*, les *Penne all'arrabbiata* et les *Fettuccine all'Alfredo* (trois recettes romaines traditionnelles) avec autre chose que des *bucatini*, des *pennes* et des *fettuccine*. De même pour les tagliatelles à la bolonaise d'Émilie-Romagne et les *Trenette* au *pesto* de Gênes. Cependant, ces classiques sont rares et, avec le nombre croissant de variétés de pâtes qui apparaissent sans cesse sur le marché, il est parfois difficile de s'y retrouver. Heureusement, il n'y a pas de règles strictes et, en général, il suffit de se fier à son bon sens. Les sauces épaisses contenant de gros morceaux se marient mal avec les *spaghettini* ou les *tagliolini*, trop fins pour les retenir. Ces sauces sont toujours servies avec des pâtes larges comme les *pappardelle*, les macaronis et les tagliatelles, ou avec de courtes pâtes de forme tubulaire comme les pennes, les fusillis, les *conchiglie* et les *rigatoni*.

Dans le sud de l'Italie, on fait cuire les aliments plutôt avec de l'huile d'olive : la plupart des sauces sont donc préparées ainsi. Les pâtes longues et fines à base de semoule de blé dur, comme les spaghettis et les vermicelles sont habituellement accompagnées de sauces à base de tomate ou de fruits de mer cuisinés à l'huile d'olive, ou encore de sauces légères aux légumes. Ces pâtes conviennent également pour des sauces basiques comme la sauce romaine

Les plats classiques tels les Bucatini all'amatriciana (CI-CONTRE), les Penne all'arrabbiata (CI-DESSOUS) et les Fettuccine all'Alfredo (CI-DESSUS) sont presque toujours préparés avec ces pâtes.

aglio e olio (ail et huile d'olive). Généralement, on ne met pas de fromage râpé dans ces sauces.

Dans le Nord, on met du beurre et de la crème dans les sauces, et celles-ci s'accommodent bien avec les pâtes aux œufs artisanales très absorbantes propres à ces régions. Le beurre et la crème se marient également bien avec les sauces à la tomate lorsque celles-ci sont servies avec des pâtes courtes

comme les pennes, les *rigatoni*, les farfalles et les fusillis. On mélange souvent du fromage râpé avec les pâtes et la sauce juste avant de servir.

Déguster les pâtes

Faut-il manger les pâtes dans une assiette ou dans un bol ? En fait, il n'y a pas de règles bien établies. Les assiettes creuses semblent un compromis idéal. Pour garder les pâtes au chaud, faites si possible préchauffer les récipients dans lesquels vous les servez.

Si la recette recommande d'ajouter du parmesan ou du *pecorino* râpé sur les portions individuelles, râpez le fromage dans un bol juste avant le repas et proposez-le aux convives. N'oubliez pas de mettre des moulins à poivre et à sel sur la table pour adapter l'assaisonnement au goût de chacun.

On mange généralement les pâtes avec une fourchette, mais on peut parfois s'aider d'une cuillère à soupe, notamment pour les spaghettis et autres pâtes longues qui seront ainsi plus faciles à manger.

LES VINS À SERVIR AVEC LES PÂTES

Il est impossible de recommander un vin particulier pour chaque plat de pâtes, mais vous pouvez tout de même suivre quelques grandes lignes. Si vous connaissez l'origine du plat, recherchez un vin en provenance de la même région. Si un vin rouge ou blanc entre dans la composition d'une sauce, achetez-en un de bonne qualité et servez le reste de la bouteille au cours du repas. Sinon, notez les principaux ingrédients de la sauce et choisissez un vin qui se marie avec. Un bon nombre de ces sauces contiennent de l'ail ou des piments rouges, ou sont servies avec du parmesan ou du *pecorino* et présentent, par conséquent, un goût très prononcé ; pour les accompagner, préférez un vin ayant beaucoup de corps.

Barbaresco

Ce vin rouge du Piémont a du corps et un goût complexe. À déguster avec les sauces à base de volaille et de viande.

Barbera

Ce vin rouge du Piémont est plus léger. Il peut se boire jeune et légèrement pétillant, ou bien plus riche avec un goût plus concentré. Accompagne à merveille les lasagnes à la viande.

Bardolino

Ce vin de Vénétie au goût frais, léger et fruité se sert avec les sauces à base de volaille.

Barolo

Ce vin rouge du Piémont qui a beaucoup de corps est à base de cépages Nebbiolo. À servir avec les sauces à base de viande rouge et de gibier.

Castel del Monte

Ces vins rouges et rosés de la région des Pouilles ont du corps. Servez-les avec les volailles et la viande.

Chianti

Célèbre vin de Toscane. Prenez du Chianti Classico pour les sauces à la viande rouge, à la volaille et au gibier.

Cirò

Vin de Calabre. Le vin blanc est très frais, le rouge a du corps. Buvez le vin blanc avec les sauces au poisson et aux fruits de mer, le rouge avec les sauces à base de viande et de gibier.

Est ! Est !! Est !!!

Vin blanc sec de la région du Latium. Accompagne les sauces à base de poisson et de fruits.

Frascati

Vin blanc vif et fruité de la ville de Frascati, près de Rome. À servir avec une sauce *amatriciana* très relevée.

Lambrusco

Ce vin rouge pétillant d'Émilie-Romagne est excellent avec les sauces à base de porc et de viandes riches.

Orvieto Secco

Vin blanc sec de la ville du même nom en Ombrie. Servez-le avec des sauces à base de poisson, de fruits de mer et de volaille.

Pinot Grigio

Vin blanc sec frais et fruité de Frioul-Vénétie. Se marie avec diverses sauces et tous les plats de pâtes.

Soave

Vin blanc sec léger de Vénétie fait avec des cépages de Garganega. Il accompagne bien tous les plats de pâtes en sauce, et son prix est très raisonnable.

Valpolicella

Vin rouge fruité de Vénétie. Son nom signifie la « vallée aux nombreuses caves ». Il se marie bien avec les sauces à base de viande rouge.

Valtellina

Ce vin rouge parfumé de Lombardie est fait à partir de cépages Nebbiolo. Il accompagne particulièrement bien les sauces à base de viandes riches, de volaille et de gibier.

Verdicchio

Vin blanc sec vif plein de caractère de la région des Marches, au centre de l'Italie. Vendu dans des bouteilles moulées en forme d'amphore romaine, il convient pour toutes sortes de sauces à base de poisson et de fruits de mer.

Vernaccia

Riche vin rouge au goût de noisette en provenance de Sardaigne, qui accompagne les sauces à base de poisson et de fruits de mer.

FABRIQUER DES PÂTES

Les pâtes faites artisanalement ont une texture merveilleusement légère, presque soyeuse, très différente de celle des pâtes fraîches que l'on achète sous emballage dans le commerce. Le fait d'ajouter des œufs au mélange facilite la fabrication, que ce soit à la main ou à la machine. Il faut un peu de patience et d'expérience pour réussir à pétrir, étendre et couper la pâte, mais si vous acquérez une machine à pâtes, la tâche vous semblera beaucoup plus facile.

Pasta all'uovo
PÂTES AUX ŒUFS

La surface la plus adaptée pour mélanger, pétrir et étendre la pâte est une grande table de cuisine en bois. Celle-ci doit être chaude ; le marbre ne convient donc pas.

INGRÉDIENTS
300 g de farine
3 œufs
1 cuil. à café de sel

Ingrédients pour les pâtes aux œufs

Il suffit de trois ingrédients de base très bon marché pour fabriquer des pâtes aux œufs : de la farine, des œufs et du sel. Cependant, la réussite dépend autant de leur qualité que de votre savoir-faire. Certains cuisiniers ajoutent de l'huile d'olive au mélange, mais ce n'est pas indispensable. Cela donne à la pâte une texture plus douce et un goût légèrement différent et peut la rendre plus facile à travailler. Comptez 1 cuillerée à soupe d'huile d'olive par mesure de pâte contenant 3 œufs.

La meilleure farine est la *Farina Bianca* 00 ou *Tipo* 00 ; vous en trouverez dans les épiceries fines italiennes. C'est une farine de blé blanche importée d'Italie très fine et très douce. Si vous prenez de la farine de blé dur ordinaire, vous aurez plus de mal à pétrir et à étendre la pâte, surtout si vous la faites à la main. Si vous ne trouvez pas de farine 00, employez une farine à pain ordinaire.

Il est essentiel d'utiliser **des œufs très frais** ; plus le jaune est foncé, plus la couleur des pâtes sera belle. Achetez des œufs frais et intégrez-les à température ambiante. S'ils sortent du réfrigérateur, laissez-les à température ambiante pendant une heure avant de les utiliser.

Le sel est très important pour le goût.

1 Faites un petit monticule de farine sur une surface de travail propre et creusez un puits au milieu. Celui-ci doit être assez profond pour que les œufs ne débordent pas lorsque vous les mettrez dedans.

2 Cassez les œufs dans le puits, puis ajoutez le sel. Mélangez à l'aide d'un couteau ou d'une fourchette, puis incorporez peu à peu la farine en la faisant tomber des côtés du puits. Travaillez délicatement pour éviter que le mélange ne se répande sur votre surface de travail.

3 Dès que la préparation à base d'œufs commence à épaissir, pétrissez à la main les ingrédients jusqu'à ce qu'ils forment une pâte collante. Raclez toute la pâte qui colle à la surface de travail à l'aide d'un couteau, puis ôtez-la de la lame avec vos doigts. Si elle est trop sèche, ajoutez quelques gouttes d'eau froide ; si elle est trop liquide, saupoudrez un peu de farine dessus.

5 Tournez la pâte d'un quart de tour dans le sens contraire des aiguilles d'une montre, puis continuez à la pétrir en la repliant et en la tournant pendant 5 min si vous l'étendez à l'aide d'une machine à pâte, et pendant 10 min si vous l'étendez à la main. Votre pâte doit être parfaitement lisse et élastique.

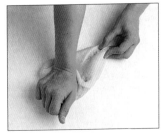

4 Roulez la pâte en boule et pétrissez-la comme si c'était du pain. Étirez-la avec la paume de votre main en la poussant vers l'extérieur, puis repliez l'extrémité vers vous et étirez-la à nouveau. Répétez l'opération en étirant la pâte et en la ramenant un peu plus près de vous à chaque fois jusqu'à ce que toute la boule soit complètement pétrie.

6 Enveloppez la pâte dans du film alimentaire et laissez-la reposer 15 à 20 min à température ambiante. Elle sera alors prête à être étendue.

CONSEIL
Le temps de pétrissage doit être assez long, sinon la pâte ne sera pas aussi légère qu'il est souhaitable.

Si vous possédez un mixer, vous pouvez gagner du temps en vous en servant pour fabriquer votre pâte. Cependant, il ne la pétrira pas aussi bien que si vous le faites à la main.

Utilisez les mêmes ingrédients de base, que vous vous serviez d'un mixer ou non.

1 Versez la farine et le sel dans le bol d'un mixer équipé d'une lame métallique.

2 Incorporez 1 œuf entier et mélangez.

3 Mettez l'appareil à pleine puissance et incorporez le reste des œufs entiers. Laissez tourner le mixer jusqu'à ce que les ingrédients commencent à former une pâte.

4 Transférez la pâte sur une surface de travail. Pétrissez comme lorsque la pâte est faite à la main, puis enveloppez dans du film alimentaire et laissez reposer à température ambiante 15 à 20 min.

FABRIQUER LES PÂTES MANUELLEMENT

Une fois que vous avez confectionné votre pâte et l'avez laissée reposer, vous pouvez l'étendre et la couper. Si vous ne possédez pas de machine, conformez-vous aux instructions suivantes. La technique est assez difficile

et la pâte risque de ne pas être aussi fine que si vous l'étendiez à la machine, mais elle sera tout aussi bonne. Si vous pensez fabriquer de la pâte régulièrement, achetez une machine à pâtes mécanique pour gagner du temps.

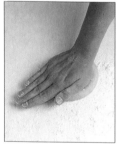

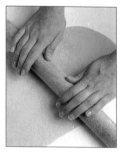

1 Retirez le film alimentaire qui enveloppe la boule de pâte et coupez-la en deux. N'étendez et ne coupez qu'une moitié à la fois en laissant l'autre enveloppée dans le film alimentaire.

2 Farinez une grande surface de travail propre. Posez la pâte dessus, saupoudrez-la de farine et aplatissez-la avec la paume de la main. Retournez-la et répétez l'opération de façon à obtenir un disque de pâte de 13 cm de diamètre.

3 Étendez la pâte à l'aide d'un rouleau à pâtisserie légèrement fariné. Travaillez toujours vers l'extérieur en tournant légèrement la pâte entre chaque passage de rouleau. Si elle devient collante, farinez à nouveau votre rouleau à pâtisserie, votre pâte et votre surface de travail.

4 Continuez à étaler la pâte en la tournant et en l'étirant jusqu'à obtenir une grande forme ovale très fine, si possible de 3 mm d'épaisseur. Veillez à l'égaliser, sinon les pâtes ne cuiront pas de façon homogène. Il n'est pas important que les bords soient nets.

Découper des pâtes en forme de ruban

 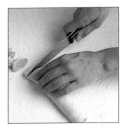  

1 Avant de commencer, farinez plusieurs torchons et gardez-les à portée de main ; vous étalerez les formes dessus après les avoir coupées. Farinez légèrement la feuille de pâte (appelée *sfoglia* en italien). Enroulez la feuille de façon à former un cylindre assez lâche.

2 Découpez le cylindre de pâte en rondelles à l'aide d'un couteau bien aiguisé. Faites des rondelles de 1 cm de large pour les tagliatelles, de 5 mm de large pour les *fettuccine* et des rondelles très minces pour les *tagliarini* ou les cheveux d'ange. Coupez de façon bien nette.

3 Saupoudrez vos doigts de farine, puis déroulez les rondelles sur la surface de travail. Mettez les pâtes ensemble sur les torchons farinés et saupoudrez-les de farine.

4 Enroulez et coupez le reste de la pâte. Laissez les pâtes sécher sur les torchons pendant au moins 15 min avant de les faire cuire. Retournez-les de temps en temps pour les saupoudrer de farine si elles deviennent collantes.

Découper les *pappardelle*

Découper les lasagnes et les cannellonis

1 Découpez la feuille de pâte en longs rubans de 2 à 2,5 cm de large à l'aide d'une roulette à pâte dentée. Essayez de faire des rubans de largeur égale, sinon vos pâtes ne cuiront pas de façon homogène.

2 Étendez les *pappardelle* sur des torchons farinés en les espaçant comme ci-dessus et saupoudrez-les de farine. Laissez-les sécher pendant au moins 15 min avant de les faire cuire.

1 À l'aide d'un couteau bien aiguisé, découpez les feuilles de pâte en rectangles de 15 × 8 cm ou aux dimensions de votre plat.

2 Disposez les rectangles de pâte sur des torchons farinés, saupoudrez-les de farine et laissez-les sécher au moins 15 min avant de les faire cuire. Ces rectangles peuvent servir à faire des lasagnes ou des cannellonis.

CONSEIL

Ne jetez pas les petits morceaux de pâte restant, et mettez-les dans une soupe à la dernière minute. Vous pouvez aussi récupérer les restes de pâte en les pétrissant à nouveau pour leur donner la forme de votre choix, mais il existe deux sortes de pâtes qui conviennent bien aux soupes : les *quadrucci* et les *maltagliati*.

Découper les *quadrucci* (pour les soupes)

1 Placez 2 feuilles de pâte l'une sur l'autre en farinant légèrement l'intérieur. À l'aide d'un couteau bien aiguisé, découpez la pâte diagonalement en bandes de 4 cm de large, puis recoupez celles-ci transversalement de façon à obtenir des carrés de 4 cm.

2 Étalez les carrés sur des torchons farinés et saupoudrez-les de farine. Laissez-les sécher au moins 15 min avant de les faire cuire.

1 Farinez une feuille de pâte. Enroulez-la en forme de cylindre. Aplatissez-le légèrement puis, à l'aide d'un couteau aiguisé, coupez les deux extrémités comme ci-contre de façon à constituer les côtés d'un triangle. Coupez le bas de celui-ci. Répétez l'opération tout au long du cylindre, puis déroulez les *maltagliati*.

2 Étalez les *maltagliati* sur des torchons farinés. Saupoudrez-les de farine et laissez-les sécher au moins 15 min avant de les faire cuire.

CONSEIL

Maltagliati signifie « mal coupé ». Ne vous inquiétez pas si la forme de vos pâtes est imparfaite. Vous pouvez également découper des *quadrucci* et des *maltagliati* dans des rectangles de lasagne frais, mais cela vous demandera un peu plus de temps.

FABRIQUER DES PÂTES COURTES

La plupart des petites pâtes sont longues à faire et exigent un matériel spécial ; laissez-les plutôt aux professionnels. Deux sortes de pâtes font exception : les *garganelli* et les farfalles.

Les *garganelli* sont traditionnellement fabriqués avec un ustensile spécial, *il pettine,* mais vous pouvez vous contenter d'une palette à beurre à l'ancienne et d'un crayon rond.

Fabriquer des *garganelli*

1 Découpez les feuilles de pâte en carrés de 5 cm. Posez la palette à beurre sur la surface de travail, avec les stries tournées vers vous. Posez un carré de pâte sur la partie striée, comme ci-dessus. Placez un crayon en diagonale en travers du coin de pâte le plus proche de vous.

2 Enroulez le carré de pâte autour du crayon en appuyant fort afin que les stries de la palette à beurre s'impriment sur la pâte.

3 Levez le crayon et tapotez l'extrémité sur votre surface de travail de façon à faire glisser le tube de pâte.

4 Étalez les *garganelli* sur des torchons légèrement farinés et laissez-les sécher pendant au moins 15 min avant de les faire cuire.

Fabriquer des farfalles

1 Découpez les feuilles de pâte en rectangles de 4 × 2,5 cm à l'aide d'une roulette à pâte dentée. Pincez le milieu de chaque rectangle entre le doigt et l'index, et appuyez fort pour créer une forme de nœud papillon. Si la pâte se déforme, mouillez vos doigts avec de l'eau et recommencez.

2 Étalez les farfalles sur des torchons farinés, saupoudrez-les de farine et laissez-les sécher au moins 15 min avant de les faire cuire.

FABRIQUER DES PÂTES À L'AIDE D'UNE MACHINE À PÂTES

Étendre la pâte

Une machine permet d'obtenir une pâte lisse, fine et d'épaisseur constante, que l'on peut étendre plus facilement. Certaines pâtes comme les lasagnes doivent être coupées à la main, mais une machine est bien utile pour les pâtes longues.

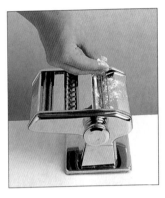

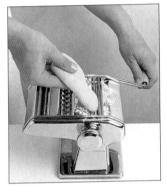

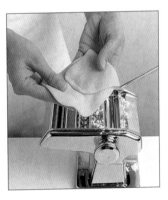

1 Fixez la machine à pâtes sur la surface de travail et insérez la poignée de la manivelle dans la fente des cylindres. Réglez ceux-ci au plus large et saupoudrez-les légèrement de farine. Coupez la boule de pâte en quatre. Ne travaillez qu'1/4 de pâte à la fois en laissant les autres enveloppés de film alimentaire.

2 Saupoudrez vos mains de farine et aplatissez la pâte en lui donnant la forme d'un rectangle un peu plus étroit que les cylindres de votre machine. Introduisez-le entre les cylindres.

3 Pliez la pâte en trois, puis introduisez-la dans le sens de la longueur entre les cylindres. Faites-la passer entre ceux-ci et repliez-la en trois cinq fois de suite.

4 Tournez la manivelle pour régler les cylindres sur un cran. Farinez légèrement la pâte et introduisez-la à nouveau entre eux, mais cette fois sans la replier.

5 Réglez les cylindres sur un autre cran et refaites passer la pâte à l'intérieur sans la plier ; continuez ainsi en changeant de cran à chaque fois et en farinant la pâte entre chaque passage jusqu'à ce que vous arriviez au dernier cran. La pâte deviendra chaque fois plus longue et plus fine. À la fin, elle devrait faire 90 cm à 1 m de long. Une fois que vous avez terminé d'étendre la pâte, vous pouvez la couper selon la forme souhaitée.

CONSEILS

❖ Durant l'opération, la pâte deviendra peut-être difficile à manier en raison de sa longueur. Dans ce cas, coupez-la en deux ou en trois et n'en étendez qu'une partie à la fois. N'oubliez pas de remettre le cran des cylindres au point de départ entre chaque moitié ou chaque tiers de pâte.

❖ Si la pâte est assez fine lorsque vous arrivez à l'avant-dernier cran, arrêtez-vous là. Ce sera le cas si vous faites des *tonnarelli* ou des *spaghettis alla chitarra*.

❖ Farinez légèrement la pâte dès qu'elle devient collante, ainsi que les cylindres de temps en temps.

❖ Tous les restes de pâte peuvent être étendus de nouveau, ce qui permet de fabriquer d'autres pâtes.

❖ Une fois sèches, les pâtes se conservent dans un sac en papier pendant trois à quatre jours ; si vous les mettez au congélateur dans des sacs en plastique, elles se gardent jusqu'à un mois.

C O N S E I L S

❖ Laissez les feuilles de lasagne sécher sur les torchons pendant que vous étendez et coupez les trois autres morceaux de pâte.
❖ Empilez les feuilles de lasagne les unes sur les autres en les séparant avec des torchons saupoudrés de farine.

1 À l'aide d'un couteau bien aiguisé, coupez la bande de pâte en rectangles de 15 × 8 cm ou aux dimensions de votre plat.

2 Étalez les rectangles sur des torchons farinés et saupoudrez-les de farine.

Découper les tagliatelles et les *fettuccine*

1 Insérez la poignée de la manivelle dans la fente correspondant aux lames les plus larges et saupoudrez celles-ci de farine. Coupez la bande de pâte à une longueur de 30 cm et farinez-la légèrement. Introduisez-la entre les lames les plus larges.

2 Continuez à tourner la manivelle lentement et régulièrement en guidant les pâtes avec votre main libre.

3 Posez les tagliatelles ou les *fettuccine* dans la farine, retournez-les et étalez-les sur un torchon fariné. Laissez-les sécher pendant que vous étendez et découpez le reste de la pâte.

Découper les *tonnarelli* et les *spaghettis alla chitarra*

C O N S E I L

Lorsque vous préparez des *spaghettis alla chitarra*, la pâte doit être d'épaisseur et de largeur égales de façon à ce que les nouilles soient carrées. Il vous faudra peut-être faire plusieurs tentatives avant de parvenir à la bonne épaisseur.

V A R I A N T E S

Pour faire des *tagliarini* ou des *spaghettini*, insérez la pâte dans la fente correspondant aux lames les plus étroites et procédez comme pour les *tonnarelli* et les *spaghettis alla chitarra*.

1 Cessez d'étendre la pâte après l'avant-dernier cran, puis insérez la poignée de la manivelle dans la fente correspondant aux lames les plus étroites et introduisez la pâte dans la machine.

2 Comme pour les tagliatelles, tournez la manivelle en guidant les nouilles de votre main libre. Posez les *tonnarelli* ou les spaghettis dans la farine, retournez-les et étalez-les sur des torchons farinés.

Fabriquer des raviolis

1 Coupez la bande de pâte en deux longueurs de 50 cm à l'aide d'un couteau bien aiguisé.

2 En vous servant d'une cuillère à café, disposez 10 à 12 petites noix de farce le long de l'une des bandes de pâte à intervalles réguliers.

3 Badigeonnez un peu d'eau autour des petites noix de farce à l'aide d'un pinceau à pâte.

4 Repliez la bande de pâte en deux par-dessus les noix de farce.

5 En partant du bord plié, appuyez doucement autour de chaque noix de farce en chassant l'air par le côté ouvert. Saupoudrez légèrement de farine.

6 À l'aide d'une roulette à pâte dentée, coupez la bande de pâte entre chaque ravioli de façon à obtenir des petits carrés.

7 Étalez les raviolis sur des torchons farinés, saupoudrez légèrement de farine et laissez sécher pendant que vous préparez les suivants. Une portion de pâte contenant 3 œufs devrait donner 80 à 100 raviolis ou plus avec les chutes.

CONSEILS

❖ Les raviolis de fabrication artisanale ne sont pas parfaitement carrés. Si vous préférez une forme plus régulière, achetez une plaque à raviolis dans un magasin d'ustensiles culinaires. Vous pouvez l'acheter seule ou comme accessoire en même temps qu'une machine à pâtes. Sinon, utilisez un emporte-pièce à raviolis ou un simple emporte-pièce à pâtisserie denté rond ou carré.

❖ Ayez toujours quelques torchons farinés à portée de main avant de commencer à couper les pâtes. Étalez les raviolis sur les torchons en les espaçant bien, afin qu'ils ne collent pas.

❖ Une fois secs, les raviolis se gardent au congélateur un mois, superposés en plusieurs couches séparées par du film alimentaire et enveloppés dans des sacs en plastique.

Farces pour pâtes

Elles varient d'un ou deux ingrédients simples à des recettes traditionnelles spéciales. Les ingrédients sont mélangés et souvent liés avec de l'œuf battu. L'assaisonnement est au goût de chacun.

Farces simples

• épinards, parmesan, ricotta et muscade
• crabe, mascarpone, citron, persil et piments
• *taleggio* et marjolaine fraîche

Spécialités régionales

• viande de porc et de dinde hachée, herbes fraîches, ricotta et parmesan
• herbes fraîches, ricotta, parmesan et ail
• purée de potiron, jambon de Parme, mozzarella et persil

1 Coupez la bande de pâte en deux longueurs de 50 cm à l'aide d'un couteau bien aiguisé.

2 En vous servant d'une cuillère à café, disposez 8 à 10 petites noix de farce le long de l'une des bandes de pâte à intervalles réguliers.

3 Badigeonnez un peu d'eau autour de chaque noix de farce à l'aide d'un pinceau à pâte.

4 Repliez la bande de pâte par-dessus la farce.

5 En commençant par le bord plié, appuyez doucement autour de chaque noix de farce en chassant l'air par le côté ouvert. Farinez légèrement.

6 Avec la moitié d'un emporte-pièce rond et denté de 5 cm de diamètre, coupez autour de chaque noix de farce une forme de demi-lune.

7 Pressez le bout des dents d'une fourchette tout autour des bords coupés des *agnolotti* pour créer un motif décoratif.

8 Étalez les *agnolotti* sur des torchons farinés, saupoudrez-les légèrement de farine et laissez sécher pendant que vous préparez les suivants. Une portion de pâte contenant 3 œufs devrait donner 60 à 80 *agnolotti*, ou plus avec les chutes.

Conseils
❖ Lorsque vous découpez les *agnolotti* à l'emporte-pièce, coupez le côté non plié.
❖ N'étendez pas une deuxième fois les chutes après avoir découpé une bande de pâte, mais attendez de les avoir toutes découpées. S'il ne reste pas de farce pour garnir la pâte restante, vous pouvez l'utiliser pour agrémenter une soupe.

Fabriquer des tortellinis et des *tortelloni*

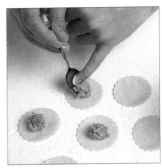

1 Coupez la bande de pâte en deux longueurs de 50 cm à l'aide d'un couteau bien aiguisé.

2 Découpez 8 à 10 rondelles dans une bande de pâte à l'aide d'un emporte-pièce denté de 5 cm de diamètre pour des tortellinis et de 6 cm pour des *tortelloni*.

3 Déposez 1 cuillerée à café de farce au centre de chaque rondelle de pâte.

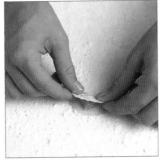

4 Badigeonnez un peu d'eau sur le bord de chaque rondelle à l'aide d'un pinceau à pâte.

5 Repliez la rondelle de pâte par-dessus la farce ; les bords supérieur et inférieur ne doivent pas tout à fait se chevaucher.

6 Enroulez la demi-lune autour de votre index et pincez les bords ensemble pour fermer.

Fabriquer des *pansotti* et des *cappelletti* ou *cappellacci*

Pour faire des *pansotti*, repliez des carrés de pâte de 5 cm sur la farce en formant des triangles. Humectez les bords et pincez-les ensemble pour fermer.

Pour faire des *cappelletti* et des *cappellacci*, enroulez des rondelles de pâte autour de votre index et pincez les bords pour fermer.

7 Étalez les tortellinis ou les *tortelloni* sur des torchons farinés, saupoudrez de farine et laissez sécher pendant que vous préparez les suivants. Une portion de pâte contenant 3 œufs devrait donner 60 à 80 tortellini ou plus avec les chutes.

FABRIQUER DES PÂTES PARFUMÉES ET COLORÉES

Vous pouvez utiliser différents ingrédients pour modifier le goût et la couleur des pâtes, que vous les fabriquiez à la main ou à la machine – vous obtiendrez une couleur plus uniforme si vous vous servez d'une machine. Certains parfums posent beaucoup de problèmes et n'en valent guère la peine. Choisissez de préférence des classiques. Nous présentons ci-dessous ceux qui ont le plus de succès ; les quantités indiquées correspondent à une portion de pâte contenant trois œufs.

Poivre noir

Piment

Champignons sauvages

Tomate

Poivre noir
Mettez 2 cuillerées à soupe de grains de poivre noir dans un mortier et pilez-les grossièrement. Ajoutez-les aux œufs dans un puits avant de commencer à incorporer la farine.

Piments
Ajoutez 1 à 2 cuillerées à café de piments rouges séchés écrasés aux œufs dans le puits, avant de commencer à incorporer la farine.

Champignons sauvages séchés
Faites tremper 15 grammes de champignons sauvages séchés dans 20 cl d'eau chaude. Égouttez-les et pressez-les pour en exprimer toute l'eau. Laissez sécher complètement sur du papier absorbant, puis hachez-les finement et ajoutez-les aux œufs dans le puits avant d'incorporer la farine. La pâte doit être plus collante que d'habitude, aussi devez-vous la fariner souvent pendant que vous la pétrissez, l'étendez et la coupez. Faites cuire les pâtes dans l'eau de trempage des champignons pour renforcer le goût.

Tomate
Ajoutez 2 cuillerées à soupe de purée de tomates aux œufs dans le puits avant de commencer à incorporer la farine. La pâte doit être plus collante que d'habitude, aussi devez-vous la fariner souvent pendant que vous la pétrissez, l'étendez et la coupez.

Épinards
Lavez 150 grammes d'épinards frais et mettez-les dans une grande casserole sans eau. Ajoutez une pincée de sel, couvrez la casserole et laissez cuire à feu moyen 8 minutes. Égouttez les épinards, laissez-les refroidir quelques minutes, puis pressez-les avec vos mains pour en faire sortir toute l'eau. Faites-les sécher sur du papier absorbant, puis hachez-les finement à l'aide d'un couteau bien aiguisé ou d'un mixer, et ajoutez-les aux œufs dans le puits avant d'incorporer la farine. La pâte doit être beaucoup plus collante que d'habitude, aussi devez-vous la fariner souvent pendant que vous la pétrissez, l'étendez et la coupez.

Encre de calmar
Ajoutez deux sachets de 4 grammes d'encre de calmar aux œufs dans le puits avant de commencer à incorporer la farine. La pâte doit être plus collante que d'habitude, aussi devez-vous la fariner souvent pendant que vous la pétrissez, l'étendez et la coupez.

Herbes aromatiques
Lavez et faites sécher trois petites poignées d'herbes aromatiques fraîches – basilic, persil plat, sauge et thym. Hachez-les finement et ajoutez-les aux œufs dans le puits avant de commencer à incorporer la farine. La pâte risque d'être un peu plus collante que d'habitude, aussi devez-vous la fariner légèrement pendant que vous la pétrissez, l'étendez et la coupez.

Safran
Tamisez 3 à 4 sachets de poudre de safran en même temps que la farine avant de commencer à faire la pâte.

Épinards

Encre de calmar

Herbes aromatiques

Safran

FABRIQUER DES PÂTES RAYÉES

Avec différentes couleurs, confectionnez une pâte rayée que vous couperez en rectangles pour des lasagnes et des cannellonis. Pour cette opération assez délicate, il est préférable d'étendre la pâte à la machine. La pâte nature ou jaune safran et la pâte aux épinards vont bien ensemble ; vous pouvez aussi assortir une pâte nature ou jaune safran avec une pâte à la tomate ou à l'encre de calmar. Pour faire une pâte tricolore, mêlez des rubans de pâte à la tomate, à l'encre de calmar ou aux épinards et des rubans de pâte nature. Certains chefs réalisent des motifs en damier, mais cela prend beaucoup de temps.

1 Étendez 2 morceaux de pâte de couleurs différentes à l'aide d'une machine à pâte en les séparant bien et en allant jusqu'à l'avant-dernier cran.

2 À l'aide d'une roulette à pâte dentée, coupez une bande de pâte colorée dans le sens de la longueur en 3 ou 4 rubans. Procédez de même avec les autres couleurs. Choisissez 3 rubans d'une même couleur et 2 rubans d'une autre couleur en mettant le reste de côté pour la prochaine série de pâte rayée.

3 Faites se chevaucher les rubans de pâte en utilisant de l'eau en guise de colle. Humectez d'eau le bord d'un ruban de pâte à l'aide d'un pinceau à pâte, puis placez le bord d'un ruban de couleur différente par-dessus en appuyant pour coller. Répétez l'opération en alternant les couleurs jusqu'à obtenir une pâte avec 3 bandes d'une couleur et 2 de l'autre.

4 Farinez bien la pâte, soulevez-la avec précaution et introduisez-la dans la machine à pâte réglée sur l'avant-dernier cran.

5 Découpez la pâte en rectangles et en carrés pour faire des cannellonis ou des lasagnes, et étalez-les sur des torchons farinés. Saupoudrez-les de farine et laissez-les sécher pendant au moins 15 min avant de les faire cuire.

CONSEILS

❖ Lorsque vous utilisez une machine à pâtes pour couper des tagliatelles ou des *tagliarini*, farinez bien les lames avant de commencer. Les pâtes ont tendance à coller entre elles lorsqu'elles sortent de la machine, aussi devrez-vous peut-être les séparer à la main avant de les étaler sur des torchons farinés ; retournez-les une nouvelle fois dans la farine avant de les laisser sécher.

❖ Quand vous faites cuire des pâtes parfumées, goûtez-les souvent pour voir si elles sont à point. Certains ingrédients rendent la pâte plus humide et plus molle que d'habitude, de sorte qu'elle cuit plus vite.

❖ Vous pouvez utiliser de la pâte rayée pour faire des raviolis : coupez des rubans assez étroits et collez-les bien, faute de quoi les raviolis risquent de s'ouvrir à la cuisson.

FABRIQUER DES PÂTES AVEC DES MOTIFS

Mettez des herbes aromatiques entre des feuilles de pâte pour créer un effet décoratif. La pâte devant être très fine, il est préférable de l'étendre à la machine. N'utilisez que des herbes souples tels le persil, le cerfeuil, le basilic ou la sauge. Ces pâtes peuvent être bouillies et servies avec du beurre fondu et du parmesan râpé, ou cuites dans du bouillon *(in brodo)*.

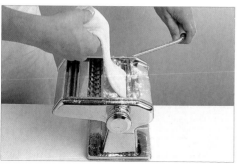

1 Étendez un morceau de pâte sur une machine à pâtes en allant jusqu'au dernier cran. Humectez un côté de la bande de pâte avec de l'eau. Vous pouvez utiliser un pistolet à eau.

Vous pouvez étendre des herbes aromatiques fraîches comme du basilic (EN HAUT A GAUCHE), du persil plat (A GAUCHE) ou de la sauge (A DROITE) entre de fines feuilles de pâte pour confectionner des pâtes décoratives.

2 Disposez les herbes aromatiques à intervalles réguliers sur la partie humectée de la pâte. Repliez la partie sèche par-dessus et appuyez sur les bords pour fermer.

3 Farinez bien la pâte et introduisez-la dans la machine réglée sur l'avant-dernier cran.

4 À l'aide d'une roulette à pâte farinée, coupez la pâte entre les herbes pour faire des raviolis carrés. Étalez ceux-ci sur un torchon fariné. Saupoudrez-les de farine et laissez-les sécher pendant au moins 15 min avant de les faire cuire.

Variante – Si vous voulez faire des raviolis ronds, utilisez un petit emporte-pièce à pâtisserie rond denté à la place de la roulette à pâte.

LES INGRÉDIENTS DES SAUCES

Certains ingrédients reviennent souvent dans les sauces pour pâtes. Quelques-uns se conservent, mais les produits frais doivent être achetés juste avant utilisation ou gardés au réfrigérateur. Herbes et feuilles fraîches, épices, huiles, vinaigres et autres ingrédients moins courants parfument agréablement les pâtes. Il est utile d'avoir des réserves de poissons et de fruits de mer en conserve ou séchés, mais les légumes frais – aubergines, tomates, poivrons et ail – et les légumes séchés au soleil sont essentiels dans les plats de pâtes. Le fromage et la crème s'utilisent dans les sauces, les farces et les plats au four.

HERBES AROMATIQUES FRAÎCHES

On les utilise beaucoup pour parfumer les sauces et les farces, ainsi que pour décorer les plats de pâtes. Les Italiens cultivent souvent des herbes aromatiques sur le rebord de leur fenêtre ou dans leur jardin, et il leur paraît tout naturel de les employer quand ils cuisinent. Les quantités utilisées varient selon les goûts de chacun et sont rarement mesurées.

Marjolaine

Menthe

Menthe

En général, la menthe n'est pas associée à la cuisine italienne, mais on l'utilise souvent dans les plats romains, dans la cuisine du centre de l'Italie et même en Calabre. La *mentuccia* est une variété de menthe sauvage à petites feuilles qui pousse à Rome ; il existe également une autre variété appelée *nepitella*. On ajoute parfois de la menthe dans les soupes aux pâtes et plus rarement dans des sauces.

Basilic

Basilic

La variété connue sous le nom de basilic doux est la plus utilisée dans la cuisine italienne. On s'en sert beaucoup en Ligurie, où le basilic pousse abondamment et où l'on en met de grandes quantités dans le *pesto*. Cet aromate s'accommode avec les tomates et il est souvent présent dans les sauces qui en contiennent. On l'ajoute au dernier moment, déchiré ou coupé en lanières. Ne le hachez pas finement et ne le faites pas cuire longtemps, car cela gâte son goût un peu âcre.

Marjolaine et origan

Bien que de la même famille, ces deux aromates ont un goût très différent. La marjolaine est délicate, tandis que l'origan, une variété de marjolaine qui pousse à l'état sauvage, est une herbe au goût âcre qui doit être employée avec modération. Les deux agrémentent les sauces pour pâtes, en particulier celles à la tomate, mais la marjolaine est plus courante en Ligurie et dans le nord de l'Italie, tandis que l'origan a la faveur du Sud, où on le met dans les pizzas. La marjolaine et l'origan doivent être hachés finement. On les utilise parfois séchés en hiver.

Persil

Les Italiens préfèrent le persil plat. Il ressemble à la coriandre et a un goût plus prononcé que le persil frisé. En général, le persil plat est employé pour sa saveur et le persil frisé pour son aspect décoratif. C'est en grandes quantités que le persil agrémente les sauces ; le plus souvent, on le hache grossièrement et on le fait revenir dans de l'huile d'olive avec un mélange d'oignon et d'ail, en début de préparation.

Laurier

En Italie, les feuilles de laurier fraîches ou séchées parfument les soupes et bouillons, ainsi que les sauces qui cuisent longtemps, en particulier celles à base de viande, de volaille et de gibier. Ôtez les feuilles de la sauce avant de servir.

Laurier

Origan

Persil plat

Roquette

Roquette

La roquette poivrée perd sa saveur piquante à la cuisson, aussi faut-il l'ajouter aux sauces à la toute dernière minute. Vous pouvez aussi en parsemer les plats de pâtes avant de servir. Achetez de la roquette à grosses feuilles chez votre marchand de fruits et légumes – les petits paquets vendus dans les supermarchés coûtent très cher et manquent de goût. Utilisez la roquette très fraîche, car les feuilles fanent vite, surtout par temps chaud.

Trévise

Sauge

Avec le persil, le basilic et le romarin, la sauge est l'un des aromates les plus appréciés en Italie. À Rome, les chefs cuisiniers la font souvent revenir dans du beurre pour accompagner les raviolis. On utilise aussi les feuilles de sauge fraîche dans les sauces à base de viande, de saucisse, de volaille et de gibier, soit coupées en lamelles fines soit hachées, soit par feuilles entières que l'on retire juste avant de servir. Les Italiens préfèrent généralement la sauge fraîche à la sauge séchée, mais, en hiver, celle-ci peut être intégrée dans les sauces qui doivent cuire longtemps.

Sauge

Thym

Cette herbe aromatique au goût très particulier s'utilise fraîche aussi bien que séchée. C'est une plante méditerranéenne qui se marie bien avec les sauces à base de tomate ou de viande et de volaille ; on peut aussi la mélanger avec du romarin et du laurier.

Radicchio di Verona

Trévise
Radicchio

Cette salade à feuilles rouge foncé et blanche est de la famille des chicorées. La variété la plus courante, *radicchio di Verona,* est petite et ronde avec des feuilles enroulées de façon très serrée ; une autre variété, *radicchio di Treviso,* a de longues feuilles effilées rouge foncé veinées de blanc. Les deux variétés ont un goût amer très apprécié et sont utilisées en petites quantités dans les sauces pour pâtes. Les feuilles, coupées en lanières, doivent être ajoutées au dernier moment pour conserver leur couleur.

Romarin

Romarin

Cet aromate âcre très parfumé est consommé dans toute l'Italie. Utilisez-le dans les sauces à base de viande et de tomate, soit haché finement soit en brins – dans ce cas, retirez la tige juste avant de servir. Pendant les mois d'hiver, on se sert parfois de romarin séché.

Thym

ÉPICES ET SEL

En général, on n'associe pas d'ingrédients très épicés à la cuisine italienne et, pourtant, l'utilisation d'épices dans le domaine culinaire remonte au temps des Romains – et même des Étrusques –, qui faisaient grand usage d'épices, souvent de façon excessive. Aujourd'hui, on s'en sert avec plus de modération.

Piments séchés

Piments frais

Piment en poudre

Piments

Les petits piments rouges sont très appréciés dans le sud de l'Italie et en Sardaigne, où on les emploie souvent dans les sauces pour pâtes. Il arrive même que la saveur de certains plats repose essentiellement sur eux, comme dans le cas de la célèbre spécialité romaine *Penne all'arrabbiata*. Le plus souvent, cependant, les piments sont intégrés en petites quantités pour relever les sauces et en intensifier le goût.

Les piments frais sont généralement frits dans de l'huile d'olive avec de l'oignon, de l'ail et du persil, tandis que les piments séchés sont incorporés dans les sauces lorsqu'elles commencent à bouillonner. On ajoute parfois des piments frais ou séchés entiers dans les sauces afin de leur donner une saveur subtile. On les retire avant de servir pour les émincer, les écraser ou les jeter. On peut garder les graines si l'on souhaite que la sauce soit très relevée ou les jeter pour moins de piquant (les graines sont la partie la plus épicée du piment). Les piments rouges séchés écrasés et les piments en poudre vendus en petits bocaux sont très pratiques lorsqu'on a seulement besoin d'une pincée pour une recette.

Cannelle

La cannelle moulue accompagne les farces à base de viande et de fromage. Elle donne un arôme très riche à la farce, qu'elle rend légèrement sucrée, et il faut l'employer avec modération.

Noix de muscade

La noix de muscade entière doit être râpée fraîche juste avant usage. On s'en sert pour parfumer la sauce Béchamel et elle est souvent associée aux épinards et à la ricotta. En Émilie-Romagne, on l'utilise traditionnellement pour parfumer les sauces à base de viande et les farces pour pâtes.

Poivre

Il faut moudre les grains de poivre noir frais juste avant de s'en servir, que ce soit pour cuisiner ou à table. Le poivre noir est présent dans presque toutes les sauces pour pâtes ; on l'utilise aussi pour colorer et parfumer les pâtes artisanales. Si la recette exige des grains écrasés grossièrement, il faut les piler dans un mortier.

Safran

Le safran, l'épice la plus chère du monde, est vendu dans le commerce sous deux formes. Les filaments de safran, qui sont les stigmates du crocus, sont généralement enveloppés dans de la cellophane et vendus en sachets. On peut les incorporer dans une sauce mais, le plus souvent, on les fait tremper dans de l'eau chaude 20 à 30 minutes avant de filtrer l'eau et de l'utiliser pour colorer et parfumer les mets. La poudre de safran est aussi vendue en sachets et peut être intégrée directement aux sauces. Moins chère que les filaments, elle est souvent considérée

comme inférieure, mais elle est pratique. Le safran a un goût délicat, très caractéristique qui convient particulièrement pour les sauces à base de crème et de beurre, ainsi que pour celles à base de poisson et de fruits de mer. Cette épice est également employée pour colorer les pâtes faites artisanalement.

Sel

Le gros sel de mer peut être moulu dans un moulin à sel et utilisé comme assaisonnement à la cuisine comme à table. Il est essentiel de saler l'eau avant d'y mettre les pâtes à bouillir si l'on veut qu'elles aient du goût mais, à cet effet, on peut prendre du sel raffiné plutôt que du gros sel, plus cher. Il faut mettre du sel dans presque toutes les sauces pour pâtes, sauf dans celles qui contiennent des anchois ou de la boutargue (laitance de mulet ou de thon).

Grains de poivre (À GAUCHE) et sel de mer

HUILES ET VINAIGRES

L'huile et le vinaigre sont des ingrédients essentiels dans la cuisine italienne. N'achetez pas de marques bon marché. Une huile d'olive et un vinaigre de vin ou balsamique de bonne qualité rehausseront le goût d'une sauce ou d'une salade, ainsi que celui des autres ingrédients.

Huile d'olive

L'huile d'olive vierge extra est la meilleure et la plus chère des huiles d'olive. C'est l'huile qui est exprimée lorsqu'on presse les olives à froid mécaniquement. Aucun autre processus n'intervient dans la fabrication de cette huile.

Safran

Idéalement, elle devrait avoir une acidité de 1 % mais, cette précision figurant rarement sur l'étiquette, il est difficile de vérifier.

L'huile d'olive vierge extra est utilisée pour les salades, car la cuisson risque de gâter son goût naturel. On s'en sert aussi pour arroser des plats chauds ou pour mélanger avec les pâtes comme dans les spaghettis à l'ail et à l'huile, *Spaghetti aglio e olio,* dont le goût est basé essentiellement sur l'huile d'olive.

Fruitée, souvent poivrée, l'huile toscane est réputée, mais certains cuisiniers préfèrent celles d'Ombrie, de Vénétie ou encore de Ligurie, plus délicates. Les huiles du Sud ont un goût beaucoup plus prononcé qui peut également séduire. Les huiles sont très différentes suivant les marques, aussi devrez-vous les tester pour trouver celles qui vous plaisent le plus.

Pour cuisiner ou réchauffer les plats, il faut utiliser de l'huile d'olive vierge. Elle coûte moins cher que l'huile vierge extra parce qu'elle a un taux d'acidité

plus élevé (jusqu'à 4 %), mais, pressée à froid et non raffinée, elle garde un goût excellent. Pour de nombreuses sauces, on fait revenir des condiments tels des oignons, de l'ail, du céleri, du persil, du piment et des carottes. Si ces ingrédients sont frits dans une huile de bonne qualité, la sauce aura une base dont le goût imprégnera les autres ingrédients à la cuisson.

Vinaigre

On ajoute parfois un filet de vinaigre de vin rouge ou blanc à une sauce, mais il est plus souvent utilisé dans les assaisonnements pour salades. Choisissez parmi les vinaigres de vin rouges et blancs celui dont le goût et la couleur correspondent le mieux aux ingrédients de la salade.

Le vinaigre balsamique *(aceto balsamico)* de Modène, en Émilie-Romagne, est très différent. C'est un vinaigre sirupeux, très foncé, vieilli dans des fûts de bois pendant de nombreuses années. Le meilleur *aceto balsamico* doit avoir vieilli dans des fûts de différents bois pendant quarante ou cinquante ans. Étiqueté *traditizionale di Modena,* il ne s'utilise qu'à raison de quelques gouttes, habituellement au moment de servir, sur les poissons et les viandes, les salades et même les fraises fraîches. Pour les sauces et assaisonnements, un vinaigre balsamique meilleur marché de cinq à dix ans d'âge conviendra. Ce vinaigre ne saurait se

comparer au produit authentique, mais son goût musqué et légèrement sucré est néanmoins délicieux.

CONDIMENTS

Quelques ingrédients spécifiques sont utilisés dans différentes régions d'Italie, et vous en aurez besoin pour certaines sauces.

Câpres salées

Câpres conservées dans la saumure

Câpres

Les câpres sont le fruit d'un buisson à fleurs qui pousse dans le Midi. On les vend sous différentes formes. Les meilleures sont les grosses câpres vendues en bocaux dans les épiceries fines italiennes. Vérifiez que le sel est bien blanc. Un sel jaunâtre est le signe que les câpres ont perdu leur fraîcheur et qu'elles risquent d'avoir un goût âcre. Les câpres salées doivent être mises à tremper dans plusieurs bains d'eau successifs pendant 10 à 15 minutes, puis égouttées, rincées à l'eau claire et séchées avant d'être utilisées. Après cette préparation initiale, elles sont délicieuses. Hachées, elles donnent du piquant à une sauce – elles figurent souvent dans les recettes du sud de l'Italie, de Sicile et de Sardaigne.

On trouve aussi de minuscules câpres en petits bocaux de saumure ou de vinaigre. Ayant un goût très fort, elles doivent être bien rincées avant utilisation. Elles garderont néanmoins un goût âcre et vinaigré et doivent être hachées finement et employées modérément.

Huile d'olive vierge (A GAUCHE), huile d'olive vierge extra (AU CENTRE) et vinaigre balsamique (A DROITE).

Olives

On peut se servir d'olives noires ou vertes indifféremment pour préparer les sauces et les salades, mais les premières ont un goût plus prononcé. Les meilleures variétés pour les sauces sont les petites olives noires de Ligurie. Prenez des olives noires ordinaires pour cuisiner et gardez celles qui sont macérées dans des herbes, de l'ail, des piments et autres épices pour les hors-d'œuvre. Les olives doivent être ajoutées à la sauce en fin de cuisson. Il faut juste les réchauffer et, si vous les mettez trop tôt, elles risquent de donner un goût amer à votre sauce. Lorsque vous utilisez des olives dans une sauce ou un assaisonnement, n'oubliez pas de les dénoyauter.

Olives

Pancetta

C'est de la poitrine de porc salée, roulée et séchée – l'équivalent italien du bacon –, qui a un goût à la fois doux et relevé. Dans les épiceries fines italiennes, on trouve de la *pancetta* roulée non fumée appelée *pancetta arrotolata* ou *pancetta coppata*. On utilise une machine pour la trancher très finement et on peut la manger telle quelle en hors-d'œuvre ou la couper en lanières ou en dés à des fins culinaires. La *pancetta affumicata* est fumée et se vend en tranches minces avec la couenne, comme le bacon.

Pancetta fumée (À GAUCHE) et pancetta non fumée

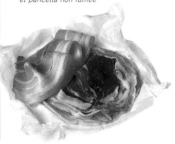

Il existe une variété longue et plate, la *pancetta stesa*. La *pancetta* fumée est coupée en lanières ou en dés et employée comme base pour le *ragù* et pour beaucoup d'autres sauces pour pâtes, dont la plus connue est la carbonara. Dans certains supermarchés, on trouve des paquets de *pancetta* déjà coupée en dés. La qualité et le goût en sont satisfaisants, aussi pouvez-vous l'acheter pour des raisons de commodité. Si vous ne trouvez pas de *pancetta*, prenez du bacon, fumé ou non suivant vos préférences.

Pignons

Surtout connus pour leur utilisation dans le *pesto*, les pignons ont une couleur crème, une texture ferme et un goût de résine. Parsemés sur des salades de pâtes, ils l'agrémentent et donnent du croquant. On les fait parfois griller avant de les utiliser pour rehausser leur goût. Ne les achetez pas en grandes quantités, car ils ne se conservent pas longtemps et tendent à rancir. On les trouve en petits paquets dans les supermarchés et les épiceries fines.

Pignons

POISSONS ET COQUILLAGES

Les sauces à base de poissons ou de coquillages sont rapides à faire et délicieuses. Les fruits de mer frais en sont généralement le principal ingrédient, mais il existe d'autres produits dérivés que l'on utilise souvent.

Anchois

Les meilleurs anchois sont les anchois salés, conservés en baril. Dans les épiceries fines italiennes, ils sont vendus à la livre ou au kilo. Il faut les rincer, retirer leur peau et les découper en filets avant de les utiliser, mais ils sont plus gras et ont plus de goût que les

filets vendus en bocaux ou en boîtes. On met des anchois dans les sauces pour pâtes dans toute l'Italie, mais surtout dans le Sud, en Sicile et en Sardaigne, où l'on apprécie les saveurs fortes et salées. Émincés et réchauffés à feu doux dans un filet d'huile d'olive, les anchois se transforment en une pâte crémeuse qui a beaucoup de goût, aussi faut-il les utiliser en petites

Anchois conservés dans la saumure (À GAUCHE) et anchois salés

quantités. Si vous ne trouvez pas d'anchois salés, prenez des filets d'anchois mis en bocaux dans l'huile d'olive. Ils sont meilleurs que ceux vendus en boîte avec de l'huile végétale.

Boutargue

C'est de la laitance de mulet ou de thon salée et séchée à l'air. La meilleure est la boutargue de mulet, *bottarga di muggine*. C'est une véritable gourmandise en Sardaigne, en Sicile et en Vénétie, où on la déguste râpée sur les pâtes, ou en tranches fines arrosées de jus de citron et d'huile d'olive comme hors-d'œuvre. La boutargue se vend dans les épiceries fines italiennes, conservée dans des emballages sous vide au réfrigérateur. La boutargue de mulet est délicate, moelleuse et dorée, plus claire que la laitance de morue fumée, et a peu de points communs avec la laitance de thon, qui est vendue en gros blocs foncés. Pour râper la

Boutargue de thon

Boutargue râpée

Boutargue de mulet

tendre et un goût sucré qui en font un ingrédient idéal pour les sauces. Ne vous laissez pas tenter par les grosses palourdes. Certains poissonniers vendent de petites palourdes congelées qui peuvent se substituer aux fraîches. Vous pouvez aussi acheter des palourdes décoquillées, vendues en bocal dans leur jus. Évitez les palourdes conservées dans la saumure ou macérées au vinaigre : elles sont préparées pour être servies en hors-d'œuvre, et leur goût trop piquant gâterait votre sauce. On trouve enfin des palourdes en bocal avec leurs coquilles. Elles sont conservées dans l'huile et, bien qu'elles soient essentiellement destinées à être proposées en hors-d'œuvre, elles peuvent être utilisées comme garniture pour une sauce à la palourde.

Encre de calmar

Si vous voulez colorer des pâtes artisanales en noir, achetez des petits sachets d'encre de calmar chez le poissonnier ou dans une épicerie fine italienne. Chaque sachet contient en général 4 grammes d'encre et les sachets sont vendus par deux, ce qui suffit pour colorer une portion de pâte contenant trois œufs.

Thon

Pour les sauces, n'utilisez que du thon en boîte à l'huile d'olive de la meilleure qualité. Si vous ne trouvez pas la qualité souhaitée dans les supermarchés, essayez les épiceries fines italiennes. Le thon en boîte de bonne qualité est moelleux et a une consistance charnue. Le prix d'une bonne boîte de thon est généralement inférieur à celui du thon frais, aussi les pâtes à la sauce au thon font-elles un repas bon marché.

boutargue sur les pâtes, une petite quantité suffit, le reste se conservera au réfrigérateur (vérifiez la date limite de consommation). Vous pouvez aussi acheter de petits bocaux de boutargue déjà râpée, mais ce produit a une consistance sèche et un goût incomparable à celui de la boutargue fraîchement râpée.

Palourdes

Sur la côte italienne, en Sicile et en Sardaigne, on incorpore souvent de petites palourdes fraîches dans les sauces, mais ces coquillages ne sont pas toujours faciles à trouver dans les autres parties du pays ou dans les terres. Les noms varient d'une région à l'autre, mais c'est surtout la taille qui compte.

Les petites palourdes cuisent rapidement ; elles ont une consistance

Thon en boîte

Légumes

Les tomates ne sont pas le seul légume employé pour faire les sauces destinées aux pâtes. Beaucoup d'autres les accommodent également. Les légumes séchés comme les champignons sauvages, les poivrons et les tomates, très appréciés en raison du goût intense qu'ils donnent aux sauces et aux soupes, sont utilisés aussi souvent que les légumes frais.

Aubergines séchées grillées au feu de bois

Aubergines

Les aubergines fraîches sont le principal ingrédient de nombreuses sauces pour pâtes, en particulier dans le sud de l'Italie, la Sicile et la Sardaigne. On leur ajoute souvent des aubergines séchées en raison de leur légère acidité et de leur consistance charnue. Séchées au soleil, elles sont vendues sous cellophane et peuvent être gardées quelques mois à l'abri de la lumière. Avant de les utiliser, il faut les réhydrater dans de l'eau bouillante additionnée d'un filet de vinaigre de vin blanc pendant 2 minutes, puis les égoutter et les sécher. Vous pouvez les couper en lanières et les intégrer directement à une sauce en cours de préparation ou les faire d'abord revenir dans de l'huile d'olive.

Palourdes fraîches (A GAUCHE) et palourdes en boîte

Ail

On met de l'ail écrasé, émincé ou haché dans de nombreuses sauces, en particulier dans le sud de l'Italie ; parfois, on fait frire les gousses d'ail entières en début de cuisson, puis on les retire pour avoir une base de sauce subtilement parfumée. Il existe même un célèbre plat romain, *Spaghetti aglio e olio,* qui ne contient que de l'ail et de l'huile d'olive – et, à Rome, on affirme que l'ail est le meilleur remède pour les lendemains d'ivresse. Le meilleur ail a de grosses gousses pleines teintées de rose ou de violet. Vous pouvez l'acheter frais dans les magasins de fruits et légumes, sur les marchés et dans les épiceries fines italiennes au printemps et au début de l'été.

Ail

L'ail fraîchement cueilli est doux et parfumé. En séchant, il prend un goût plus piquant, aussi faut-il adapter les quantités en conséquence. Achetez l'ail par petites quantités pour éviter qu'il ne fasse des pousses vertes ou ne devienne sec et parcheminé.

Champignons sauvages

Les champignons sauvages séchés *(boletus edulis)* donnent un goût intense et musqué aux sauces et aux soupes. Les Italiens s'en servent tout au long de l'année comme ingrédient à part entière. Les champignons frais ordinaires prennent parfois le goût de champignons sauvages lorsqu'on les mélange avec certains d'entre eux. N'achetez pas de champignons sauvages bon marché, mais recherchez les paquets contenant de gros morceaux de couleur claire. Même s'ils vous semblent onéreux, il en faut très peu pour parfumer un plat – 15 à 25 grammes suffisent pour une recette de 4 à 6 personnes. Avant de les utiliser,

Champignons sauvages séchés

mettez-les à tremper dans l'eau pendant 15 à 20 minutes. Égouttez-les, rincez-les et pressez-les entre vos mains pour en exprimer l'eau, puis coupez-les en tranches ou hachez-les suivant le cas. Filtrez l'eau de trempage pour en retirer le sable et versez-la dans une soupe ou un bouillon, ou ajoutez-la à l'eau de cuisson des pâtes afin de leur donner un goût de champignon – cela donne des résultats particulièrement savoureux avec les pâtes fraîches.

Poivrons

Les poivrons rouges séchés au soleil se vendent sous cellophane. Ils ressemblent à des tomates séchées au soleil, mais leur goût est plus poivré et plus piquant.

Poivrons grillés en conserve

On les utilise de la même façon que les tomates pour donner un peu plus de consistance aux sauces et aux soupes à base de légumes. Rincez-les sous le robinet d'eau froide, égouttez-les et coupez-les en fines lanières ou hachez-les. Les poivrons grillés se vendent en vrac ou en bocal, conservés dans l'huile d'olive ou dans la saumure. Même s'ils sont très faciles à faire griller, il est toujours pratique d'avoir un bocal de poivrons tout prêts au réfrigérateur. Un seul morceau de poivron grillé, coupé en tranches ou haché, suffit pour donner un merveilleux goût de fumé aux sauces, aux salades de pâtes et aux soupes. Les meilleurs sont ceux que l'on fait griller au feu de bois et que l'on vend en vrac dans de l'huile d'olive vierge extra dans les épiceries fines italiennes.

Poivrons séchés

Tomates

En été, les olivettes mûres pleines de saveur font de délicieuses sauces à la tomate ; pendant les autres périodes de l'année, vous obtiendrez de meilleurs résultats avec des tomates en conserve. Il en existe de très bonnes, dont la plupart viennent du sud de l'Italie, où l'ensoleillement intense leur donne une saveur incomparable. Les olivettes en conserve sont vendues pelées *(pomodori pelati),* entières ou en morceaux. Évitez les marques bon marché, mais choisissez les meilleures marques italiennes, en particulier celles dont l'étiquette précise San Marzano. Renseignez-vous dans les magasins de spécialités

Tomates concassées en conserve

Olivettes
conservées au naturel
dans de l'eau salée

Les tomates concassées sont commercialisées sous différentes formes et sont très pratiques pour préparer les sauces, car elles sont prêtes à l'emploi. Ce sont des tomates de premier choix qui ont été pelées et concassées mécaniquement, puis égrenées à l'aide d'un tamis. Vous pouvez choisir entre la *passata*, qui est très lisse, et la *polpa* ou la *sugocasa*, qui contiennent des morceaux. Il est préférable de les acheter en bocaux car on voit ce qu'il y a à l'intérieur. Les briques de *passata* prennent moins de place et sont plus faciles à transporter ; en Italie, on les utilise souvent pour faire des sauces presque instantanées.

Les tomates séchées au soleil (*pomodori secchi*) sont vendues sous deux formes différentes – sèches ou à l'huile. Les deux sortes ont un goût piquant, mais les morceaux secs ont une consistance plus charnue. Les tomates séchées se vendent sous cellophane et on peut les incorporer directement dans une sauce pour en intensifier le parfum mais, généralement, il vaut mieux les faire ramollir dans de l'eau bouillante 2 à 3 heures avant. Les tomates séchées au soleil se vendent en bocaux ou en vrac dans les épiceries fines. Celles qui macèrent dans l'huile d'olive ont meilleur goût. Elles sont moelleuses et juteuses et peuvent être employées telles quelles, en tranches ou en morceaux, dans les sauces et les salades.

La pâte de tomates est un mélange consistant de tomates séchées au soleil et d'huile d'olive. Elle peut être utilisée seule ou ajoutée aux sauces à la tomate pour les colorer et en intensifier le goût. Bien qu'elle ait une consistance très épaisse, elle a une saveur plus douce et une couleur plus claire que la purée de tomates.

La purée ou concentré de tomates (*concentrato di pomodoro*) est une pâte épaisse à l'arôme très

Tomates séchées au soleil
conservées dans de l'huile
(EN HAUT) et vendues en vrac.

fort fabriquée industriellement avec des tomates, du sel et de l'acide citrique. Elle se vend en tubes, en bocaux ou en boîtes ; son goût varie selon les fabricants.

DANS LE SENS
DES AIGUILLES
D'UNE MONTRE :
sugocasa, polpa
et passata.

italiennes. Les tomates coupées sont pratiques, mais elles coûtent un peu plus cher. Les tomates étiquetées *polpa di pomodoro* sont finement hachées ou même écrasées. Les condiments tels que l'ail et les aromates doivent être ajoutés frais : évitez d'acheter des tomates en boîte qui en contiennent déjà.

Les *filetti di pomodoro* sont vendus en bocaux dans les épiceries fines italiennes et les magasins d'alimentation spécialisés. Ce sont des olivettes de premier choix coupées en deux ou en quatre et conservées au naturel dans de l'eau salée. Elles ressemblent beaucoup aux conserves de tomates artisanales que l'on prépare l'été en prévision de l'hiver.

Pâte de tomates séchées
au soleil (A GAUCHE) et
concentré de tomates.

Essayez les différentes marques : le goût trop amer de certaines peut masquer celui des autres ingrédients de la sauce. N'utilisez la purée de tomates qu'en petites quantités pour éviter de rendre vos plats acides. Un morceau de sucre atténue l'acidité.

FROMAGES ET CRÈME FRAÎCHE

Les fromages italiens sont réputés dans le monde entier à la fois comme fromages de table et pour leur usage culinaire. Beaucoup sont utilisés dans les sauces et farces, ou dans les plats au four.

Mascarpone

Fontina

Ce fromage de montagne du Val d'Aoste, dans le nord-ouest de l'Italie, est employé dans les plats au four comme les lasagnes. Il est merveilleusement fondant et a un délicieux goût de noisette, légèrement sucré. On en trouve dans certains grands supermarchés ; sinon, achetez-le dans une épicerie fine italienne ou chez votre fromager.

Gorgonzola

Ce fromage veiné de bleu est originaire de Lombardie. Bien qu'il s'agisse d'un fromage de table, il est excellent dans les sauces et les pâtes farcies, et son goût très prononcé se marie bien avec la crème et les légumes verts tels que

Fontina

Gorgonzola

les épinards, l'oseille et les herbes. Le gorgonzola *piccante* est très fort, tandis que le *dolcelatte* a un goût plus doux qui rappelle celui du beurre.

Mascarpone

C'est un fromage crémeux à 85 % de matière grasse, à la consistance douce et onctueuse, qui remplace souvent la crème dans les sauces. Il fond sans cailler et a un goût légèrement piquant. Il se vend en pots dans les supermarchés et les épiceries fines.

Mozzarella

Fromage blanc moelleux que l'on utilise dans les salades et pour cuisiner. La mozzarella fond rapidement dans les sauces chaudes, mais il ne faut pas la laisser cuire trop longtemps, car elle devient filandreuse. Égouttez le petit-lait avant d'utiliser le

Mozzarella

fromage. Traditionnellement, la mozzarella était à base de lait de buffle. Aujourd'hui, on la fabrique plutôt avec du lait de vache ou de brebis. N'achetez que de la mozzarella en sacs avec son petit-lait – celle vendue en blocs est caoutchouteuse et sans goût. La *mozzarella di bufala* a la meilleure consistance et le plus de goût, mais elle coûte plus cher que la mozzarella de vache ou de brebis et est moins facile à trouver.

Parmesan

On peut saupoudrer le parmesan râpé sur les pâtes, à table, le mélanger avec elles après les avoir égouttées ou encore l'ajouter aux sauces en fin de cuisson. Le véritable *parmigiano reggiano* a son nom imprimé sur sa croûte et vient de la région située entre Parme, Modène, Émilie-Romagne, Bologne et Mantoue.

Il doit avoir au moins deux ans d'âge, l'une des raisons de son prix élevé. Le *grana padano* est un fromage similaire moins cher qui s'utilise de la même façon que le *parmigiano reggiano*. Les deux sont très fondants, mais le *reggiano*,

Pecorino (A GAUCHE) et parmigiano reggiano

moins salé et plus doux, a une consistance plus feuilletée. Plutôt que d'acheter ces fromages déjà râpés, prenez un morceau que vous râpez juste avant utilisation. Vous pouvez aussi en détacher des lamelles avec un épluche-légumes.

Pecorino

Ce fromage de brebis dur et salé est appelé *pecorino romano* lorsqu'il vient du Latium et *pecorino sardo* lorsqu'il vient de Sardaigne. On l'emploie râpé comme le parmesan, mais en raison de son goût plus prononcé, on le réserve aux sauces très relevées associées à la cuisine du sud de l'Italie et de la Sardaigne.

Ricotta salata (A DROITE) et ricotta

ENRICHIR LES SAUCES TOUTES PRÊTES

On vend beaucoup de sauces en bouteille toutes prêtes, depuis les *sugocasa* aux *vongole, arrabbiata* et carbonara, en passant par des associations d'ingrédients inhabituelles, proposées par certains fabricants. En règle générale, il vaut mieux s'en tenir aux marques italiennes vendues dans les épiceries fines et les supermarchés. Vous pouvez les utiliser telles quelles ou bien les agrémenter d'ingrédients frais pour leur donner une note personnelle.

Pesto

Le *pesto* au basilic classique et le *pesto* rouge, fait avec des tomates séchées au

soleil, se vendent en bocaux, et il est toujours utile d'en garder en réserve. Râpez un peu de parmesan frais sur les pâtes avant de les mélanger avec le *pesto* et ajoutez 1 à 2 cuillerées d'huile

d'olive vierge extra pour donner un goût plus fruité. Pour une sauce au *pesto* plus riche, ajoutez 1 à 2 cuillerées de mascarpone ou de crème fraîche *(ci-dessous à gauche)* ; juste avant de servir, parsemez les pâtes de parmesan fraîchement râpé, de pignons grillés ou de feuilles de basilic.

Sugocasa

Ajoutez un peu de pâte de tomates séchées au soleil et/ou un filet de vinaigre de vin rouge ou blanc lorsque vous réchauffez la *sugocasa*, puis salez et poivrez généreusement. Si vous préférez une sauce tomate crémeuse, incorporez 15 cl de *panna da cucina* ou de crème fraîche. Pour un parfum plus épicé, saupoudrez de piments rouges séchés écrasés. Pour terminer, ajoutez une petite poignée de feuilles de basilic fraîches

déchirées ou 1 à 2 cuillerées à soupe de marjolaine ou d'origan frais hachés.

Arrabbiata

Éparpillez une généreuse poignée de feuilles de roquette hachées sur les pâtes mélangées avec la sauce juste avant de servir.

Carbonara

Incorporez quelques cuillerées de crème fraîche dans la sauce pendant que vous la réchauffez, puis ajoutez un peu de parmesan râpé après l'avoir mélangée avec les pâtes.

Vongole

Ajoutez un filet de vin, du persil haché et de l'ail. Mélangez ces ingrédients ou n'en choisissez qu'un ou deux. Quelques olives noires coupées en petits morceaux parfumeront votre sauce.

Ricotta

La ricotta fraîche est un fromage blanc très doux vendu en vrac dans les épiceries fines italiennes. Fondante, on l'utilise dans les farces et les plats au four ; on peut aussi la mélanger avec des légumes frais crus tels que les tomates, les épinards et la roquette dans des sauces qui n'ont pas besoin de cuire. Avec un faible pourcentage de matière grasse, la ricotta a un goût neutre qui convient bien aux ingrédients très parfumés comme l'ail et les herbes. La ricotta fraîche se garde peu de temps : vérifiez qu'elle est bien blanche avant de l'acheter. Sinon, la ricotta est vendue en pot au supermarché.

La ricotta *salata* est une version dure et salée du même fromage, coupée directement dans le morceau. Très blanche, elle contient peu de matières grasses. La ricotta *salata* s'utilise râpée ou émiettée sur les soupes et les pâtes. Elle est plus salée que le parmesan, le *grana padano* ou le *pecorino*, et de petites quantités suffisent.

Crème fraîche

Pour les sauces crémeuses, les Italiens prennent de la *panna da cucina* (crème pour la cuisine). Elle est souvent vendue par deux petits pots de 10 cl chacun, ce qui suffit pour 4 personnes. La *panna da cucina* est un produit de

Panna da cucina

longue conservation, aussi pouvez-vous en garder dans votre placard pour préparer des sauces au dernier moment. Vous en trouverez sans difficulté dans les épiceries fines italiennes.

Recettes

Les pâtes se prêtent à toutes sortes de préparations culinaires, comme vous le constaterez dans cette deuxième partie de l'ouvrage. Vous y trouverez 150 recettes, ainsi que de nombreuses variantes. Il n'y a pas de règles strictes en ce qui concerne les sauces, vous pouvez donc les adapter à votre gré, et même en inventer d'autres. Les recettes du chapitre des bouillons et soupes proposent des bouillons clairs contenant quelques pâtes délicates et des soupes substantielles qui constituent de véritables repas. Les sauces à la tomate peuvent être légères et parfumées, ou au contraire épicées et épaisses, tandis que les sauces à la crème sont délicieusement riches et onctueuses. Les préparations à base de poissons et de fruits de mer sont savoureuses, certaines étant très relevées. Elles constituent de bonnes entrées ou des soupers légers. Avec les sauces accommodant les viandes et volailles, vous découvrirez des recettes traditionnelles et régionales. Certaines recettes du chapitre légumes et plats végétariens sont des classiques, mais la plupart sont nouvelles. Rapides et faciles à réaliser, elles sont colorées, légères et étonnamment savoureuses. Dans le chapitre des pâtes au four, vous trouverez à la fois des recettes familiales et des préparations plus élaborées pour les repas de fête. Apprenez enfin, dans le chapitre consacré aux pâtes farcies, à confectionner votre propre pâte. Vous serez surpris de voir à quel point c'est facile, et le résultat vous enchantera. Les deux derniers chapitres vous convaincront que les pâtes ne sont pas seulement délicieuses mais qu'elles constituent un aliment complet et précieux sur le plan nutritif. Bref, tout pour vous inciter à mettre la main à la pâte !

BOUILLONS
ET SOUPES

Il existe un large choix de soupes agrémentées de pâtes : des légers bouillons additionnés de *pastina* aux potages complets contenant des pâtes et des morceaux de légumes, de viande ou de poisson. Le bouillon, appelé *brodo* en italien, est généralement proposé en entrée, ou *primo piatto*, au repas du soir. Il sert également de remontant si vous vous sentez fatigué ou malade. Les soupes plus consistantes constituent souvent de véritables repas, surtout si elles sont accompagnées de pain. Découvrez une sélection de recettes traditionnelles, régionales ainsi que des préparations moins connues mais tout aussi savoureuses, tels le *Minestrone à la génoise* et la *Soupe aux pâtes, aux haricots et aux légumes*. N'hésitez pas à utiliser d'autres pâtes que celles mentionnées dans la recette et variez les quantités indiquées au gré de vos envies et des goûts de vos convives.

Cappelletti in brodo

BOUILLON AUX CAPPELLETTI

On sert cette soupe dans le nord de l'Italie le jour de la Saint-Stéphane et le premier de l'an. Elle change des mets trop riches de la période des fêtes. En Italie, le bouillon est traditionnellement fait avec les os du chapon dégusté à Noël.

INGRÉDIENTS

Pour 4 personnes

100 g de *cappelletti*
1,2 l de bouillon de poulet
2 cuil. à soupe de vin blanc sec
   (facultatif)
1 cuil. à soupe de persil plat
   finement haché (facultatif)
sel et poivre noir moulu
2 cuil. à soupe de parmesan
   fraîchement râpé,
   pour l'accompagnement
persil plat haché, pour la décoration

1 Versez le bouillon de poulet dans une grande casserole et portez à ébullition. Salez et poivrez à votre goût, puis ajoutez les pâtes.

2 Remuez bien et portez à ébullition de nouveau. Baissez le feu et laissez mijoter pendant la durée indiquée sur le paquet ou jusqu'à ce que les pâtes soient *al dente*. Tournez souvent pendant la cuisson pour vous assurer que les pâtes cuisent de façon homogène.

3 Ajoutez le vin et le persil, goûtez et assaisonnez. Répartissez entre quatre assiettes creuses préalablement chauffées, puis parsemez de parmesan râpé et de persil plat finement haché. Servez immédiatement.

CONSEIL

Les *cappelletti*, identiques aux tortellinis, sont originaires de Romagne. Vous pouvez les acheter tout prêts ou les fabriquer vous-même.

Pastina in brodo

BOUILLON AUX PETITES PÂTES

En Italie, cette soupe est souvent servie avec du pain en guise de repas du soir.

INGRÉDIENTS

Pour 4 personnes

75 g de petites pâtes à potage,
   par exemple des *funghetti*
1,2 l de bouillon de bœuf
2 morceaux de poivron rouge séché
   et grillé en bocal
sel et poivre noir moulu
copeaux de parmesan,
   pour l'accompagnement

CONSEIL

Les bouillons cubes ne conviennent pas pour ce genre de recette où le goût du bouillon est très important. Si vous n'avez pas le temps de le préparer vous-même, utilisez 2 boîtes de consommé de bœuf de 300 g en ajoutant la quantité d'eau indiquée sur les étiquettes.

1 Portez à ébullition le bouillon dans une grande casserole. Salez et poivrez à votre goût, puis ajoutez les pâtes. Remuez, puis portez de nouveau à ébullition.

2 Baissez le feu et laissez mijoter jusqu'à ce que les pâtes soient *al dente*. Tournez souvent pendant la cuisson pour empêcher les pâtes de coller.

3 Égouttez les morceaux de poivron grillé et coupez-les en dés. Mettez-les au fond de 4 assiettes creuses préchauffées. Goûtez la soupe et assaisonnez. Versez-la dans les assiettes et servez aussitôt, en présentant les copeaux de parmesan dans un bol séparé.

VARIANTE

Vous pouvez utiliser d'autres pâtes que les *funghetti* à condition qu'elles soient très petites.

Minestrone alla genovese

MINESTRONE À LA GÉNOISE

À Gênes, on prépare souvent le minestrone comme nous l'indiquons ici, en incorporant le pesto en fin de cuisson. Cette délicieuse soupe de légumes constitue un excellent plat végétarien lorsqu'on la sert avec du pain. Le pesto contient déjà du parmesan, aussi n'est-il pas utile d'en rajouter.

INGRÉDIENTS

Pour 4 à 6 personnes

100 g de spaghettis
ou de vermicelles
1 oignon
2 branches de céleri
1 grosse carotte
3 cuil. à soupe d'huile d'olive
150 g de haricots verts coupés
en morceaux de 5 cm
1 courgette coupée en rondelles
fines
1 pomme de terre coupée en dés
1/4 de chou frisé de Milan émincé
1 petite aubergine coupée en dés
1 boîte de 200 g de haricots blancs,
égouttés et rincés
2 olivettes coupées en morceaux
1,2 l de bouillon de légumes
sel et poivre noir moulu

Pour le pesto
20 feuilles de basilic frais
1 gousse d'ail
2 cuil. à café de pignons
1 cuil. à soupe de parmesan râpé
1 cuil. à soupe de *pecorino* râpé
2 cuil. à soupe d'huile d'olive

1 Coupez finement l'oignon, le céleri et la carotte soit avec un couteau bien aiguisé, soit en vous servant d'un mixer. Chauffez l'huile dans une grande sauteuse, versez le mélange de légumes coupés et faites revenir·à feu doux 5 à 7 min en remuant souvent.

2 Ajoutez les haricots verts, la courgette, la pomme de terre et le chou. Faites frire à feu moyen 3 min en remuant. Incorporez l'aubergine, les haricots blancs et les tomates, et faites revenir 2 à 3 min, en tournant toujours. Versez le bouillon salé et poivré. Portez à ébullition. Mélangez bien, couvrez et baissez le feu. Laissez mijoter 40 min, en remuant de temps en temps.

3 Pendant ce temps, broyez tous les ingrédients du *pesto* à l'aide d'un mixer jusqu'à ce que le mélange forme une sauce lisse, en ajoutant 1 à 3 cuillerées à soupe d'eau si nécessaire.

4 Cassez les pâtes en petits morceaux et jetez-les dans la soupe. Laissez mijoter en remuant souvent pendant 5 min. Incorporez le *pesto*, puis laissez cuire 2 à 3 min de plus, jusqu'à ce que les pâtes soient *al dente*. Goûtez et assaisonnez. Servez très chaud dans des assiettes creuses passées au four.

CONSEIL

Si vous n'avez pas le temps de préparer le *pesto* vous-même, achetez-le tout prêt – prenez plutôt le *pesto* vert au basilic traditionnel que le *pesto* rouge à base de tomates séchées au soleil. Il vous en faudra environ 3 cuillerées à soupe.

Minestrone ricco

MINESTRONE RICHE

*Il s'agit là d'un minestrone spécial
préparé avec du poulet. Servi avec
du pain italien croustillant,
il constitue un repas substantiel.*

INGRÉDIENTS

Pour 4 à 6 personnes

100 g de *stellette* ou autres petites
    pâtes à potage
3 tranches de bacon coupées en dés
1 cuil. à soupe d'huile d'olive
2 cuisses de poulet
1 oignon finement haché
quelques feuilles de basilic hachées
quelques feuilles de romarin hachées
1 cuil. à soupe de persil plat
    frais haché
2 pommes de terre coupées en dés
1 grosse carotte coupée en dés
2 petites courgettes coupées en dés
1 à 2 branches de céleri coupées
    en morceaux
1 l de bouillon de poulet
200 g de petits pois surgelés
sel et poivre noir moulu
copeaux de parmesan râpé,
    pour l'accompagnement
feuilles de basilic frais,
    pour la décoration

1 Chauffez l'huile dans une grande
poêle, ajoutez les cuisses de poulet et
faites frire 5 min de chaque côté. Retirez à l'aide d'une écumoire et réservez.

2 Baissez le feu, ajoutez le bacon, l'oignon et les herbes et mélangez bien.
Faites cuire à feu doux sans cesser
de tourner pendant 5 min. Incorporez
tous les légumes coupés en dés sauf
les pois surgelés et laissez mijoter
encore 5 à 7 min en remuant souvent.

3 Remettez les cuisses de poulet dans
la poêle, versez le bouillon et portez à
ébullition. Couvrez et laissez mijoter à
feu doux 35 à 40 min, en remuant la
soupe de temps en temps.

4 Retirez les cuisses de poulet et posez-
les sur une planche. Incorporez les
petits pois et les pâtes dans la soupe,
et portez de nouveau à ébullition. Laissez
mijoter en remuant souvent jusqu'à ce
que les pâtes soient *al dente* (7 à 8 min
ou selon les instructions du paquet).

5 Retirez la peau du poulet, désossez-
le et coupez la chair en dés d'1 cm.
Remettez la volaille à chauffer dans la
soupe. Goûtez et assaisonnez. Servez
très chaud dans des assiettes creuses ;
parsemez de copeaux de parmesan et
décorez d'1 à 2 feuilles de basilic.

CONSEIL
Ajoutez de la croûte de parmesan
dans la soupe pendant qu'elle mijote
pour en intensifier le goût.

Millecosedde

SOUPE DE PÂTES AUX LÉGUMES

Cette soupe est une spécialité de Calabre. Son nom d'origine, millecosedde, *vient de l'italien* millecose *qui signifie « mille choses ». On peut mettre absolument tout ce que l'on désire dans ce potage. En Calabre, on inclut un haricot appelé* cicerchia, *qui est propre à la région.*

INGRÉDIENTS

Pour 4 à 6 personnes

125 g de petites pâtes – *rigatoni,* pennes ou *penne rigate*, par exemple
75 g de lentilles brunes
15 g de champignons séchés
1 carotte coupée en dés
1 branche de céleri coupée en morceaux
1 boîte de 200 g de haricots rouges, 1 boîte de 200 g de haricots blancs et 1 boîte de 200 g de pois chiches, rincés et égouttés
1,5 l de bouillon de légumes
4 cuil. à soupe d'huile d'olive
1 oignon finement haché
1 gousse d'ail finement hachée
persil plat haché
1 bonne pincée de piments rouges écrasés (facultatif)
sel et poivre noir moulu
pecorino râpé, pour l'accompagnement
persil plat haché, pour la décoration

1 Mettez les lentilles dans une casserole de taille moyenne, ajoutez 50 cl d'eau et portez à ébullition. Baissez le feu et laissez mijoter à feu doux 15 à 20 min, en remuant de temps en temps. Simultanément, faites tremper les champignons séchés dans 20 cl d'eau chaude pendant 15 à 20 min.

2 Tranférez les lentilles dans une passoire, puis rincez-les à l'eau froide. Égouttez les champignons et réservez l'eau de trempage. Coupez-les en tranches fines et réservez.

3 Faites chauffer l'huile dans une grande casserole et ajoutez les carottes, le céleri, l'oignon, l'ail, le persil et les piments. Faites cuire à feu doux 5 à 7 min en remuant constamment.

4 Ajoutez le bouillon, puis les champignons et leur eau de trempage. Portez à ébullition, puis incorporez les haricots rouges et blancs, les pois chiches et les lentilles, salez et poivrez. Couvrez et laissez mijoter 20 min.

5 Jetez les pâtes dans la soupe et portez-la à ébullition de nouveau en remuant. Laissez cuire 7 à 8 min ou selon les instructions figurant sur le paquet. Assaisonnez, puis servez dans des assiettes creuses chaudes avec du *pecorino* râpé et du persil haché.

CONSEIL

Si vous le souhaitez, vous pouvez congeler la soupe à la fin de l'étape 4. Pour servir, décongelez et portez à ébullition, puis ajoutez les pâtes et laissez mijoter jusqu'à ce qu'elles soient *al dente.*

Zuppa di vongole e pastina

SOUPE AUX PÂTES ET AUX PALOURDES

*Délicatement parfumée et épicée,
cette soupe est assez substantielle
pour tenir lieu de déjeuner ou de
dîner. Servez-la avec un pain italien
croustillant comme le pugliese.*

INGRÉDIENTS

Pour 4 à 6 personnes

75 g de petites pâtes de type
   chifferini
225 g de palourdes congelées
   décortiquées
2 cuil. à soupe d'huile d'olive
1 oignon finement haché
1 brin de thym frais ou séché,
   haché, plus un peu,
   pour la décoration
2 gousses d'ail écrasées
5 à 6 feuilles de basilic frais, plus
   quelques-unes, pour la décoration
1/2 cuil. à café de piments rouges
   écrasés
1 l de fumet de poisson
35 cl de *passata*
1 cuil. à café de sucre
100 g de petits pois surgelés
sel et poivre noir moulu

1 Chauffez l'huile dans une grande
casserole, ajoutez l'oignon et laissez
fondre à feu doux 5 min. Ajoutez le
thym, puis l'ail, les feuilles de basilic et
les piments rouges.

2 Versez le fumet, la *passata* et le
sucre dans la casserole, salez et poivrez à votre goût. Portez à ébullition,
puis baissez le feu et laissez mijoter
à feu doux, en remuant de temps
en temps, pendant 15 min. Ajoutez les
petits pois et laissez cuire encore 5 min.

3 Jetez les pâtes dans la soupe et portez à ébullition en remuant. Baissez le
feu et laissez mijoter en tournant souvent, jusqu'à ce que les pâtes soient
al dente : environ 5 min ou selon les
instructions figurant sur le paquet.

4 Baissez le feu, ajoutez les palourdes
et laissez mijoter 2 à 3 min. Goûtez et
assaisonnez. Servez dans des bols
chauds et garnissez avec du thym et
des feuilles de basilic.

CONSEIL

On trouve des palourdes décortiquées
et congelées chez certains poissonniers
et dans quelques supermarchés. À défaut,
utilisez des palourdes en bocaux ou
en boîte conservées dans leur jus (et non
dans du vinaigre). On vend des palourdes
en bocal avec leurs coquilles dans
les épiceries fines italiennes. Elles sont
délicieuses et ne coûtent pas cher.

Minestrone con acciughe e broccoli

SOUPE AUX ANCHOIS ET AUX BROCOLIS

*Cette soupe vient de la région
des Pouilles, dans le sud de l'Italie,
où l'on associe souvent
les brocolis et les anchois.*

INGRÉDIENTS

Pour 4 personnes

200 g d'*orecchiette*
2 anchois en boîte égouttés
300 g de bouquets de brocolis
2 cuil. à soupe d'huile d'olive
1 petit oignon finement haché
1 gousse d'ail finement hachée
1/3 de piment rouge frais, épépiné
    et finement émincé
20 cl de *passata*
3 cuil. à soupe de vin blanc sec
1,2 l de bouillon de légumes
sel et poivre noir moulu
pecorino râpé, pour
    l'accompagnement

1 Faites chauffer l'huile dans une grande casserole. Ajoutez l'oignon, l'ail, le piment et les anchois et faites revenir à feu doux 5 à 6 min, en remuant sans cesse.

2 Incorporez la *passata* et le vin, salez et poivrez à votre goût. Portez à ébullition, couvrez, puis laissez mijoter à feu doux 12 à 15 min, en remuant de temps en temps.

3 Versez le bouillon. Portez de nouveau à ébullition, puis ajoutez les brocolis et laissez cuire 5 min. Incorporez les pâtes et portez à ébullition de nouveau en mélangeant. Laissez mijoter en remuant souvent, jusqu'à ce que les pâtes soient *al dente* : 7 à 8 min ou selon les instructions du paquet. Goûtez et assaisonnez. Servez très chaud dans des assiettes creuses préalablement chauffées au four. Servez le *pecorino* râpé séparément.

Brodo di quadrucci e piselli

BOUILLON DE PÂTES AUX PETITS POIS

*Cette soupe épaisse du Latium est
traditionnellement préparée avec des
pâtes maison et des petits pois du
jardin. Dans cette variante actuelle,
les pâtes industrielles et les petits pois
surgelés permettent de gagner du temps.*

INGRÉDIENTS

Pour 4 à 6 personnes

300 g de feuilles de lasagnes fraîches
400 g de petits pois surgelés
25 g de beurre
50 g de *pancetta* ou de bacon
    coupé(e) en dés
1 petit oignon finement haché
1 branche de céleri coupée
    en petits morceaux
1 cuil. à café de purée de tomates
2 cuil. à café de persil plat
    finement haché
1 l de bouillon de volaille
environ 50 g de jambon de Parme
    coupé en dés
sel et poivre noir moulu
parmesan râpé, pour l'accompagnement

1 Chauffez le beurre dans une grande casserole et mettez la *pancetta* ou le bacon, l'oignon et le céleri à revenir à feu doux en remuant, pendant 5 min.

2 Incorporez les petits pois et laissez cuire 3 à 4 min. Ajoutez la purée de tomates et le persil, puis versez le bouillon de volaille, salez et poivrez à votre goût. Portez à ébullition. Couvrez, baissez le feu et laissez mijoter 10 min. Pendant ce temps, coupez les feuilles de lasagne en carrés de 2 cm.

3 Goûtez le bouillon et assaisonnez. Jetez les pâtes dans le bouillon, remuez et portez à ébullition. Laissez mijoter 2 à 3 min, jusqu'à ce que les pâtes soient *al dente*, puis ajoutez le jambon de Parme. Servez très chaud dans des assiettes creuses préchauffées et accompagnez de parmesan râpé.

CONSEIL

Lorsque vous salez, n'oubliez pas
que la *pancetta* et le jambon de Parme
sont naturellement très salés.

Zuppa di fagioli con la pasta

SOUPE AUX PÂTES ET AUX FLAGEOLETS

Cette soupe consistante qui tient lieu de plat principal s'appelle parfois Pasta e fagioli, *tandis que d'autres la nomment* Minestrone di pasta e pagioli. *Les recettes campagnardes traditionnelles utilisent des haricots secs et un os de jambon, et exigent un temps de cuisson très long.*

INGRÉDIENTS

Pour 4 à 6 personnes

100 g de petites pâtes de type
   conchiglie ou *corallini*
1 boîte de 400 g de flageolets,
   rincés et égouttés
1 oignon
1 carotte
1 branche de céleri
2 cuil. à soupe d'huile d'olive
125 g de *pancetta* ou de bacon
   coupé(e) en dés
2 l de bouillon de bœuf
1 bâton de cannelle ou 1 pincée de
   cannelle moulue
1 tranche épaisse de jambon cuit
   de 225 g, coupée en dés
sel et poivre noir moulu
copeaux de parmesan,
   pour l'accompagnement

1 Coupez les légumes. Chauffez l'huile dans une grande casserole, ajoutez la *pancetta* ou le bacon et faites revenir en remuant jusqu'à ce que l'ensemble commence à dorer. Ajoutez les légumes coupés et laissez mijoter 10 min en remuant souvent. Versez le bouillon, ajoutez la cannelle, salez et poivrez et portez à ébullition. Couvrez et laissez cuire 15 à 20 min.

2 Ajoutez les pâtes. Portez à ébullition de nouveau en remuant tout le temps. Baissez le feu et laissez mijoter 5 min. Incorporez les flageolets et le jambon coupé en dés et laissez cuire jusqu'à ce que les pâtes soient *al dente* : 2 à 3 min ou selon les instructions figurant sur le paquet.

3 Goûtez la soupe et assaisonnez. Servez chaud dans des bols préalablement chauffés au four. Parsemez de copeaux de parmesan.

VARIANTES

❖ Utilisez des spaghettis ou des tagliatelles, à la place des petites pâtes en les cassant en petits morceaux.
❖ Remplacez les flageolets par des haricots blancs. Sinon, prenez des haricots secs préalablement trempés, égouttés et bouillis pendant 1 h. Versez-les dans la casserole après le bouillon dans l'étape I.
❖ Vous pouvez aussi ajouter I cuillerée à soupe de *passata* ou de purée de tomates, ou encore I grosse tomate mûre pelée et coupée en morceaux en même temps que les flageolets et le jambon coupé en dés.

Minestrone di pasta e ceci

SOUPE AUX PÂTES ET AUX POIS CHICHES

Cette soupe paysanne traditionnelle est toute simple. La forme des pâtes et celle des haricots se marient bien ensemble.

INGRÉDIENTS

Pour 4 à 6 personnes

200 g de *conchiglie* secs
1 boîte de 400 g de pois chiches, rincés et égouttés
1 oignon
2 carottes
2 branches de céleri
4 cuil. à soupe d'huile d'olive
1 boîte de 200 g de haricots blancs, rincés et égouttés
15 cl de *passata*
12 cl d'eau
1,5 l de bouillon de légumes ou de poulet
2 brins de romarin frais ou séché
sel et poivre noir moulu
parmesan râpé, pour l'accompagnement

1 Coupez l'oignon, les carottes et le céleri en petits morceaux avec un couteau ou à l'aide d'un mixer.

2 Faites chauffer l'huile dans une grande casserole, ajoutez les légumes coupés et faites revenir à feu doux 5 à 7 min, en remuant souvent.

3 Incorporez les pois chiches et les haricots blancs, mélangez bien, puis laissez mijoter 5 min. Ajoutez la *passata* et l'eau. Laissez cuire 2 à 3 min.

4 Ajoutez 50 cl de bouillon, 1 brin de romarin, salez et poivrez. Portez à ébullition, couvrez et laissez mijoter 1 h, en remuant de temps en temps.

5 Versez le reste du bouillon, jetez les pâtes dedans et portez à ébullition. Baissez le feu et laissez mijoter en tournant souvent jusqu'à ce que les pâtes soient *al dente* : 7 à 8 min ou selon les instructions du paquet. Goûtez et assaisonnez. Retirez le brin de romarin, parsemez de parmesan râpé et de quelques feuilles de romarin, et servez la soupe très chaude.

VARIANTES

❖ Vous pouvez utiliser d'autres pâtes, mais les *conchiglie* sont idéales parce que leur forme sert de coque aux pois chiches et aux haricots blancs.
❖ Vous pouvez écraser 1 à 2 gousses d'ail et les faire revenir avec les légumes.

Minestrone alla pugliese

MINESTRONE À LA MODE DES POUILLES

Cette soupe succulente permet d'utiliser la carcasse d'un poulet rôti dominical. Le fait d'ajouter de la ricotta salata râpée est typique de la cuisine de la région des Pouilles.

INGRÉDIENTS

Pour 4 personnes

50 g de *tubetti*
1 carcasse de poulet rôti
1 oignon coupé en quatre
1 carotte coupée en dés
1 branche de céleri coupée
   en morceaux
quelques grains de poivre noir
1 petite poignée d'herbes fraîches
   mélangées (persil et thym,
   par exemple)
1 bouillon cube de poulet
sel et poivre noir moulu
50 g de ricotta *salata* râpée et 2 cuil.
   à soupe de feuilles de menthe
   fraîche, pour l'accompagnement

1 Cassez la carcasse de poulet en morceaux et mettez-les dans une grande casserole. Ajoutez l'oignon, la carotte, le céleri, les grains de poivre, les herbes et 1 bonne pincée de sel, puis émiettez le bouillon cube. Recouvrez le poulet d'eau froide (environ 1,5 l) et portez à ébullition.

2 Baissez le feu, couvrez à moitié et laissez mijoter à feu doux 1 h. Retirez la casserole du feu et laissez refroidir, puis filtrez le bouillon à travers une passoire posée sur une autre grande casserole.

3 Détachez la viande des os, coupez-la en petits morceaux et réservez. Jetez la carcasse et les condiments.

4 Portez le bouillon à ébullition, versez les pâtes dedans et laissez-les mijoter en remuant souvent jusqu'à ce qu'elles soient à peine *al dente* : 5 à 6 min ou selon les instructions du paquet.

5 Ajoutez les morceaux de poulet et laissez chauffer quelques minutes, le temps que les pâtes soient prêtes. Goûtez et assaisonnez. Servez très chaud dans des bols préalablement chauffés au four en parsemant de ricotta *salata* râpée et de feuilles de menthe.

CONSEILS

❖ Utilisez des petites pâtes creuses comme les *chifferini* ou les *pennette*.

❖ La ricotta *salata* est une sorte de ricotta salée et séchée. Plus ferme que la ricotta blanche traditionnelle, elle peut être coupée en dés, émiettée ou même râpée. On en trouve dans certaines épiceries fines, chez les fromagers et dans les grands supermarchés. À défaut, vous pouvez la remplacer par de la feta.

Zuppa di lenticchie e pastina

SOUPE DE PÂTES AUX LENTILLES

Cette soupe de céréales rustique fait un bon repas d'hiver. Accompagnez-la, de préférence, de pain italien croustillant ou de pain complet.

INGRÉDIENTS

Pour 4 à 6 personnes

50 g de petites pâtes de type *tubetti*
175 g de lentilles brunes
3 gousses d'ail
1 l d'eau
3 cuil. à soupe d'huile d'olive
25 g de beurre
1 oignon finement haché
2 branches de céleri coupées
    en petits morceaux
2 cuil. à soupe de pâte de tomates
    séchées au soleil
2 l de bouillon de légumes
quelques feuilles de marjolaine fraîche
quelques feuilles de basilic frais
1 branche de thym effeuillée
sel et poivre noir moulu
petites feuilles d'herbes aromatiques
    fraîches, pour la décoration

CONSEIL

À la place des lentilles brunes, vous pouvez utiliser des lentilles vertes ou orange, mais cette dernière variété tend à se ramollir.

1 Mettez les lentilles dans une grande casserole. Écrasez 1 gousse d'ail (sans l'éplucher) et ajoutez-la aux lentilles. Versez l'eau et portez à ébullition. Baissez le feu et laissez mijoter 20 min en remuant de temps en temps. Transférez les lentilles dans une passoire, retirez l'ail et réservez-le. Rincez les lentilles à l'eau froide et laissez-les égoutter.

2 Faites chauffer 2 cuillerées à soupe d'huile avec la moitié du beurre dans une grande casserole. Ajoutez l'oignon et le céleri, et faites revenir à feu doux 5 à 7 min, en remuant souvent.

3 Hachez le reste de l'ail. Épluchez et écrasez l'ail réservé. Ajoutez-le aux légumes avec le reste de l'huile, la pâte de tomates et les lentilles. Mélangez, puis ajoutez le bouillon et les herbes fraîches. Salez et poivrez. Portez à ébullition et laissez mijoter 30 min, en remuant de temps en temps.

4 Jetez les pâtes dans la soupe et portez de nouveau à ébullition. Laissez mijoter en remuant souvent jusqu'à ce que les pâtes soient *al dente* : 7 à 8 min ou selon les instructions du paquet. Incorporez le reste du beurre et assaisonnez. Servez dans des assiettes creuses préchauffées et parsemez d'herbes.

Zuppa casalinga

SOUPE FERMIÈRE

*Des légumes-racines constituent
la base de cette soupe substantielle,
se rapprochant du minestrone, qui
peut faire un repas complet. Variez
les légumes suivant la saison.*

INGRÉDIENTS

Pour 4 personnes

50 g de petits macaronis
    ou de *conchiglie*
2 cuil. à soupe d'huile d'olive
1 oignon émincé
3 carottes coupées en morceaux
200 g de navets coupés en morceaux
200 g de rutabaga coupé
    en morceaux
1 boîte de 400 g de tomates pelées,
    concassées
1 cuil. à soupe de purée de tomates
1 cuil. à café d'herbes aromatiques
    séchées, mélangées
1 cuil. à café d'origan séché
50 g de poivrons séchés, lavés
    et émincés (facultatif)
1,5 l de bouillon de légumes ou d'eau
1 boîte de 400 g de haricots rouges,
    rincés et égouttés
2 cuil. à soupe de persil plat
    frais haché
sel et poivre noir moulu
parmesan râpé,
    pour l'accompagnement

1 Chauffez l'huile dans une grande casserole, ajoutez l'oignon et faites fondre à feu doux 5 min. Ajoutez les légumes frais, les tomates, la purée de tomates, les herbes et les poivrons séchés. Salez et poivrez. Versez le bouillon ou l'eau et portez à ébullition. Remuez bien, couvrez, baissez le feu et laissez mijoter 30 min, en tournant de temps en temps.

2 Jetez les pâtes dans la soupe et portez à ébullition. Baissez le feu et laissez mijoter sans couvrir jusqu'à ce que les pâtes soient à peine *al dente* : environ 5 min ou selon les instructions du paquet. Remuez souvent.

3 Ajoutez les haricots rouges. Portez sur le feu 2 à 3 min, puis retirez et incorporez le persil. Goûtez et assaisonnez. Servez dans des assiettes creuses préalablement chauffées au four avec du parmesan râpé.

CONSEIL

On trouve des paquets de poivrons séchés italiens dans les supermarchés et les épiceries fines. Ils sont piquants et fermes, avec une texture charnue qui permet de donner plus de consistance aux soupes de légumes.

SOUPE DE PÂTES AUX TOMATES RÔTIES

Pour cette recette, il est possible d'utiliser des tomates tout juste mûres. Le fait de les rôtir compense le manque de saveur, et la soupe prend un délicieux goût de fumé.

INGRÉDIENTS

Pour 4 personnes

100 g de petites pâtes du type
   tubetti ou petits macaronis
450 g d'olivettes coupées en deux
   dans le sens de la longueur
1 gros poivron rouge coupé en quatre
   et épépiné
1 gros oignon rouge coupé en quatre
2 gousses d'ail non épluchées
1 cuil. à soupe d'huile d'olive
1,2 l de bouillon de légumes
   ou d'eau
1 pincée de sucre
sel et poivre noir moulu
feuilles de basilic frais,
   pour la décoration

3 Incorporez le reste du bouillon ou d'eau, le sucre, le sel et le poivre. Portez à ébullition en remuant.

4 Jetez les pâtes dans la soupe et laissez mijoter en remuant souvent jusqu'à ce qu'elles soient *al dente* : 7 à 8 min ou selon les instructions du paquet. Goûtez et assaisonnez. Servez brûlant dans des bols préchauffés au four, en décorant de feuilles de basilic frais.

CONSEILS

❖ Vous pouvez faire rôtir les légumes à l'avance et les laisser refroidir, puis les garder dans un récipient fermé une nuit au réfrigérateur, avant de les réduire en purée.
❖ La soupe peut être congelée sans les pâtes. Décongelez et portez à ébullition avant d'ajouter celles-ci.

1 Préchauffez le four à 190 °C. Étalez les tomates, le poivron rouge, l'oignon et l'ail dans un plat à four et arrosez de quelques gouttes d'huile d'olive. Faites rôtir 30 à 40 min, jusqu'à ce que les légumes soient tendres et dorés sur les bords, en les retournant en milieu de cuisson.

2 Mettez les légumes dans un mixer, ajoutez 25 cl de bouillon ou d'eau et réduisez-les en purée. Versez celle-ci dans une passoire posée sur une grande casserole et pressez-la pour la faire passer.

Pasta in brodo con piselli e fegatini

SOUPE DE PÂTES AUX FOIES DE VOLAILLE

Cette soupe peut être servie en entrée ou comme plat principal. Les fegatini *sautés sont tellement délicieux que même si vous n'aimez pas les foies de volaille, vous adorerez cette préparation.*

INGRÉDIENTS

Pour 4 à 6 personnes

50 g de farfalles
125 g de foies de volaille, décongelés si nécessaire
1 brin de chacune de ces herbes fraîches : marjolaine, sauge et persil
1 brin de thym effeuillé
5 à 6 feuilles de basilic frais
1 cuil. à soupe d'huile d'olive
1 noix de beurre
4 gousses d'ail écrasées
2 cuil. à soupe de vin blanc sec
2 boîtes de 300 g de consommé de volaille
225 g de petits pois surgelés
3 ciboules coupées en diagonale
sel et poivre noir moulu

1 Coupez les foies de volaille en petits morceaux. Hachez les herbes. Faites chauffer l'huile et le beurre dans une poêle, ajoutez l'ail et les herbes, salez et poivrez et faites revenir à feu doux quelques minutes. Incorporez les foies de volaille, augmentez le feu et faites revenir en remuant quelques minutes afin que les morceaux de foie brunissent. Versez le vin et laissez cuire jusqu'à ce que celui-ci s'évapore, puis retirez les foies du feu, goûtez et assaisonnez.

2 Versez les 2 boîtes de consommé de volaille dans une grande casserole et ajoutez l'eau selon les instructions figurant sur l'étiquette. Ajoutez l'équivalent d'1 boîte d'eau, puis salez et poivrez et portez à ébullition.

3 Incorporez les petits pois surgelés et laissez mijoter 5 min, puis jetez les pâtes dans la soupe et portez le tout à ébullition en remuant. Laissez mijoter jusqu'à ce que les pâtes soient à peine *al dente* : environ 5 min ou selon les instructions figurant sur le paquet.

4 Ajoutez les foies de volaille frits et les ciboules, et laissez cuire 2 à 3 min. Goûtez et assaisonnez. Servez très chaud dans des bols préalablement chauffés au four.

SOUPE DE PÂTES AUX BOULETTES DE BŒUF

Même si cette soupe vient d'un pays ensoleillé comme la Sicile, elle est suffisamment consistante pour tenir lieu de souper les soirs d'hiver.

INGRÉDIENTS

Pour 4 personnes

100 g de pâtes très fines de type
  fidelini ou *spaghettini*
2 boîtes de 300 g de consommé
  de bœuf
parmesan râpé, pour
  l'accompagnement
persil plat frais, pour la décoration

Pour les boulettes de bœuf
225 g de viande de bœuf hachée
1 tranche de pain blanc très épaisse,
  sans la croûte
2 cuil. à soupe de lait
1 gousse d'ail écrasée
2 cuil. à soupe de parmesan râpé
3 cuil. à soupe de persil plat haché
1 œuf
noix de muscade
sel et poivre noir moulu

1 Préparez les boulettes de viande. Coupez le pain dans un bol, ajoutez le lait et laissez tremper. Mélangez le bœuf haché, l'ail, le parmesan, le persil et l'œuf dans une jatte. Râpez de la noix de muscade fraîche par-dessus, salez et poivrez à votre goût.

2 Écrasez le pain entre vos mains pour en exprimer le plus de lait possible, puis ajoutez-le au mélange à base de viande et malaxez bien avec vos doigts. Rincez-vous les mains à l'eau froide, puis pétrissez l'ensemble de façon à former de petites boulettes de la taille d'une bille.

3 Versez les 2 boîtes de consommé dans une grande casserole, ajoutez l'eau selon les instructions des étiquettes, plus 1 boîte d'eau supplémentaire. Salez et poivrez, puis portez à ébullition.

4 Ajoutez les boulettes de viande, puis cassez les pâtes en petits morceaux et jetez-les dans la soupe. Portez à ébullition celle-ci. Laissez mijoter en remuant souvent jusqu'à ce que les pâtes soient *al dente* : 7 à 8 min ou selon les instructions du paquet. Goûtez et assaisonnez. Servez très chaud dans des bols préchauffés au four en parsemant de persil et de parmesan râpé.

PÂTES ET SAUCES À LA TOMATE

Ce sont les Napolitains qui ont découvert les délices des pâtes à la sauce tomate. Les tomates sont originaires du Nouveau Monde. Lorsqu'elles ont été importées en Italie, elles étaient jaunes, d'où leur nom italien de « pommes d'or », *pomodori*. À l'origine, on les utilisait comme plantes ornementales. Elles s'acclimatèrent rapidement, et dès le XVIIIe siècle, on les mangea en salade. Bientôt, on les associa aux pâtes sous forme de sauces — ainsi commença l'un des mariages culinaires les plus heureux de l'histoire. Les sauces à la tomate, crues ou mijotées, sont typiques du sud de l'Italie. Elles se marient particulièrement bien avec les pâtes industrielles appréciées dans le Sud et sont délicieuses mélangées avec d'autres ingrédients méridionaux tels que le basilic, l'ail et l'huile d'olive. La plupart des recettes de ce chapitre vous indiquent quelle variété de pâtes il convient de servir avec telle ou telle sauce mais, dans certains cas, les pâtes sont incluses dans la sauce même. Les spaghettis sont, sans doute, les pâtes le plus souvent préparées avec les sauces à base de tomate mais vous pouvez expérimenter toutes sortes de variétés.

Spaghetti al pommarola

SPAGHETTIS À LA SAUCE TOMATE FRAÎCHE

On prépare cette célèbre sauce napolitaine en été, lorsque les tomates sont très mûres. Elle est extrêmement simple, de sorte que rien ne distrait le palais de la saveur des tomates. Ici, elle est associée à des spaghettis, conformément à la tradition.

INGRÉDIENTS

Pour 4 personnes

350 g de spaghettis
700 g d'olivettes bien mûres
4 cuil. à soupe d'huile d'olive
1 oignon finement haché
1 petite poignée de feuilles
    de basilic frais
sel et poivre noir moulu
copeaux de parmesan,
    pour l'accompagnement

3 Simultanément, faites cuire les pâtes selon les instructions du paquet. Coupez les feuilles de basilic en fines lanières.

4 Retirez la sauce du feu, ajoutez le basilic, goûtez et assaisonnez. Égouttez les pâtes, mettez-les dans un plat préchauffé, versez la sauce par-dessus et mélangez. Servez aussitôt avec les copeaux de parmesan râpé à part.

CONSEILS

❖ Les olivettes italiennes appelées San Marzano sont les meilleures. Lorsqu'elles sont bien mûres, leur peau fine est facile à enlever.

❖ En Italie, les cuisiniers préparent souvent cette sauce à l'avance en grande quantité pendant les mois d'été et la congèlent. Laissez-la refroidir, puis congelez-la par petites quantités dans des récipients aux parois rigides. Décongelez avant de réchauffer.

VARIANTES

Certains cuisiniers napolitains mettent un peu d'ail écrasé avec l'oignon ; d'autres mélangent de l'origan ou du persil plat frais haché avec le basilic.

1 À l'aide d'un couteau bien aiguisé, faites une croix à la base de chaque tomate. Versez de l'eau dans une casserole de taille moyenne, portez à ébullition et retirez du feu. Plongez quelques tomates dans l'eau, laissez-les pendant 30 s, puis sortez-les à l'aide d'une écumoire. Faites de même avec les autres tomates, puis pelez-les et coupez-les en morceaux.

2 Chauffez l'huile dans une grande casserole, ajoutez l'oignon et faites fondre à feu doux 5 min, en remuant souvent. Ajoutez les tomates, salez et poivrez, faites frémir, puis baissez le feu et couvrez. Laissez cuire à feu doux 30 à 40 min, en remuant de temps en temps pour réduire la sauce.

Rigatoni con sugo di pomodoro

RIGATONI À LA SAUCE TOMATE

Les Italiens préparent cette sauce en hiver, lorsque les tomates fraîches ont peu de goût. Mélangées avec le soffritto *(oignon, carottes, céleri et ail coupés en petits morceaux et frits à la poêle) et des herbes aromatiques, les tomates en boîte donnent une meilleure saveur à la sauce que les tomates fraîches.*

INGRÉDIENTS

Pour 6 à 8 personnes

350 g de *rigatoni*
1 oignon
1 carotte
1 branche de céleri
4 cuil. à soupe d'huile d'olive
1 gousse d'ail finement hachée
quelques feuilles de basilic, de thym
    et d'origan ou de marjolaine
2 boîtes d'olivettes concassées
1 cuil. à soupe de pâte de tomates
1 cuil. à café de sucre
6 cuil. à soupe de vin rouge
    ou blanc sec (facultatif)
sel et poivre noir moulu
copeaux de parmesan râpé,
    pour l'accompagnement

1 Coupez l'oignon, la carotte et le céleri en petits morceaux à la main ou à l'aide d'un mixer.

2 Chauffez l'huile d'olive dans une casserole de taille moyenne, ajoutez l'ail et laissez mijoter à feu très doux 1 à 2 min en remuant.

3 Incorporez les légumes coupés et les herbes fraîches. Laissez cuire à feu doux 5 à 7 min en remuant souvent jusqu'à ce que les légumes deviennent plus tendres et commencent à dorer.

4 Ajoutez les tomates, la pâte de tomates et le sucre, puis versez le vin. Salez et poivrez. Portez à ébullition, puis baissez le feu. Laissez mijoter sans couvrir 45 min, en remuant de temps en temps.

5 Faites cuire les pâtes selon les instructions figurant sur le paquet. Égouttez et versez dans un plat préalablement chauffé. Goûtez la sauce et assaisonnez, versez-la sur les pâtes et mélangez. Servez sans délai avec les copeaux de parmesan râpé. Parsemez d'herbes hachées pour décorer.

Spaghetti al rancetto

SPAGHETTIS À LA PANCETTA

Cette sauce légère est une spécialité de la ville de Spolète, en Ombrie. Les tomates étant peu cuites, cette recette convient mieux pour les repas d'été, lorsqu'elles sont bien mûres et ont beaucoup de saveur.

INGRÉDIENTS

Pour 4 personnes

350 g de spaghettis
150 g de *pancetta* ou de bacon coupé(e) en dés
350 g d'olivettes bien mûres
2 cuil. à soupe d'huile d'olive
1 oignon finement haché
3 brins de marjolaine fraîche effeuillés
sel et poivre noir moulu
pecorino râpé, pour l'accompagnement
basilic frais, pour la décoration

1 À l'aide d'un couteau bien aiguisé, faites une croix à la base de chaque olivette. Versez de l'eau dans une casserole de taille moyenne, portez à ébullition et retirez du feu. Plongez quelques tomates dans l'eau 30 s, retirez-les à l'aide d'une écumoire et réservez. Faites de même avec le reste des tomates, puis pelez-les et coupez-les en petits morceaux.

CONSEIL

Utilisez de préférence de la *pancetta* – vous pouvez la remplacer par du bacon, mais la sauce n'aura pas tout à fait le même goût. Vous devriez pouvoir trouver de la *pancetta* coupée en dés dans les supermarchés. À défaut, achetez de la *pancetta* en tranches et coupez-la en dés vous-même.

2 Mettez la *pancetta* ou le bacon dans une casserole avec l'huile. Chauffez à feu doux en remuant jusqu'à ce que la graisse fonde. Ajoutez l'oignon et faites revenir à feu doux 10 min en remuant.

3 Incorporez les tomates, salez et poivrez. Remuez bien et laissez cuire sans couvrir 10 min. Pendant ce temps, préparez les pâtes selon les instructions figurant sur le paquet.

4 Retirez la sauce du feu, ajoutez la marjolaine, goûtez et assaisonnez. Égouttez les pâtes et transférez-les dans un plat préalablement chauffé. Versez la sauce sur les pâtes et mélangez. Parsemez de basilic et servez sans attendre avec le *pecorino* râpé.

Penne all'arrabbiata

PENNES À LA SAUCE TOMATE AUX PIMENTS

C'est l'un des plats de pâtes romains les plus réputés — des pennes mélangées avec de la sauce tomate parfumée aux piments. Littéralement, arrabbiata signifie « enragé » ou « furieux » mais, dans ce contexte, il faut comprendre « très relevé ». Épicez la sauce selon votre goût en mettant plus ou moins de piment.

INGRÉDIENTS
Pour 4 personnes

350 g de pennes
8 olivettes bien mûres, pelées
    et concassées
1 à 2 piments rouges séchés
25 g de champignons sauvages
    séchés *(porcini)*
90 g de beurre
150 g de *pancetta* ou de bacon
    coupé(e) en dés
2 gousses d'ail écrasées
quelques feuilles de basilic frais
    déchirées
50 g de parmesan râpé
25 g de *pecorino* râpé
sel

1 Faites tremper les champignons séchés dans de l'eau chaude pendant 15 à 20 min. Égouttez, puis comprimez avec les mains pour faire sortir l'eau. Coupez les champignons très finement.

3 Mettez les champignons dans la casserole et faites cuire de la même façon. Retirez-les et réservez avec la *pancetta* ou le bacon. Émiettez 1 piment séché dans la casserole, ajoutez l'ail et faites cuire en remuant quelques minutes, jusqu'à ce que l'ail commence à dorer.

5 Ajoutez la *pancetta* ou le bacon et les champignons à la sauce tomate. Goûtez et assaisonnez en ajoutant des piments si vous le souhaitez. Si la sauce est trop sèche, versez un peu d'eau de cuisson des pâtes.

2 Faites fondre 4 cuillerées à soupe de beurre dans une casserole. Mettez les dés de *pancetta* ou de bacon à dorer à feu moyen en remuant, jusqu'à ce qu'ils deviennent croustillants. Retirez à l'aide d'une écumoire et réservez.

4 Incorporez les tomates et le basilic, et salez. Laissez mijoter à feu doux 10 à 15 min en remuant de temps en temps. Pendant ce temps, faites cuire les pennes dans de l'eau bouillante salée, selon les instructions du paquet.

6 Égouttez les pâtes et versez-les dans un plat préchauffé. Coupez le reste du beurre en dés, intégrez-le aux pâtes ainsi que les fromages râpés. Déposez la sauce tomate sur les pâtes, mélangez bien, décorez de quelques feuilles de basilic et servez aussitôt.

Spaghetti alla puttanesca

SPAGHETTIS, SAUCE AUX ANCHOIS, AUX OLIVES ET AUX CÂPRES

Cette spécialité de Campanie, au sud de l'Italie, a un goût très prononcé.

INGRÉDIENTS

Pour 4 personnes

350 g de spaghettis
4 anchois en boîte, égouttés
50 g d'olives noires dénoyautées
    et émincées
1 cuil. à soupe de câpres
2 cuil. à soupe d'huile d'olive
1 petit oignon finement haché
1 gousse d'ail finement hachée
400 g d'olivettes coupées en morceaux
3 cuil. à soupe d'eau
1 cuil. à soupe de persil plat
    frais haché
sel et poivre noir moulu

1 Chauffez l'huile dans une casserole de taille moyenne et ajoutez l'oignon, l'ail et les anchois égouttés. Faites cuire à feu doux 5 à 7 min, jusqu'à ce que les anchois forment une sorte de bouillie. Ajoutez les olives noires et les câpres et faites frire pendant 1 min.

2 Incorporez les tomates, l'eau et la moitié du persil, puis salez et poivrez à votre goût. Mélangez bien et portez à ébullition, puis baissez le feu et couvrez la casserole. Laissez mijoter à feu doux 30 min, en remuant de temps en temps. Dans l'intervalle, faites cuire les pâtes selon les instructions du paquet.

3 Égouttez les pâtes et transférez-les dans un plat préalablement chauffé. Goûtez la sauce, puis assaisonnez, versez-la sur les pâtes et mélangez. Parsemez le reste du persil par-dessus et servez sans attendre.

CONSEIL

Utilisez des olives noires de bonne qualité. Les olives Gaeta de Ligurie sont très bonnes.

Bucatini all'amatriciana

BUCATINI À LA SAUCE TOMATE AUX PIMENTS

La sauce amatriciana *est une sauce tomate classique qui emprunte son nom à la ville d'Amatrice, dans le Latium. À Rome, de nombreux restaurants la servent aussi avec des spaghettis.*

INGRÉDIENTS

Pour 4 personnes

350 g de *bucatini*
1 boîte de 400 g d'olivettes
    concassées
1 piment rouge frais épépiné
    et émincé
1 cuil. à soupe d'huile d'olive
1 petit oignon finement haché
125 g de *pancetta* fumée
    ou de bacon coupé(e) en dés
3 cuil. à soupe de vin blanc sec
    ou d'eau
3 cuil. à soupe de *pecorino* râpé
sel et poivre noir moulu

1 Chauffez l'huile dans une casserole et faites revenir l'oignon, la *pancetta* et le piment à feu doux 5 à 7 min en remuant. Ajoutez les tomates et le vin ou l'eau, salez et poivrez. Portez à ébullition en remuant, puis couvrez et laissez mijoter 15 à 20 min en tournant de temps en temps. Si la sauce est sèche, ajoutez de l'eau de cuisson des pâtes.

2 Pendant ce temps, faites cuire les pâtes dans de l'eau bouillante salée, selon les instructions du paquet.

3 Égouttez les pâtes et transférez-les dans un plat préalablement chauffé. Goûtez la sauce et assaisonnez, versez-la sur les pâtes et ajoutez le *pecorino* râpé. Mélangez et servez sans attendre.

CONSEIL

Soyez toujours prudent lorsque vous touchez des piments. Ils contiennent une substance appelée capsaïcine qui risque d'irriter les peaux délicates. Par mesure de précaution, portez des gants de caoutchouc.

Fusilli con salsa di pomodori all'aceto balsamico

FUSILLIS À LA SAUCE TOMATE ET AU VINAIGRE BALSAMIQUE

Voici une association de recettes italienne et californienne. Le goût aigre-doux du vinaigre balsamique donne une note acidulée à cette sauce faite avec des tomates en boîte.

INGRÉDIENTS

Pour 6 à 8 personnes

350 g de fusillis
2 boîtes d'olivettes concassées
2 morceaux de tomate séchée
   au soleil macérée dans l'huile
   d'olive, émincés
3 cuil. à soupe de vinaigre
   balsamique
2 gousses d'ail écrasées
3 cuil. à soupe d'huile d'olive
1 cuil. à café de sucre
sel et poivre noir moulu
copeaux de *pecorino* et roquette,
   pour l'accompagnement

1 Mettez les tomates et les morceaux de tomate séchée dans une casserole avec l'ail, l'huile d'olive et le sucre. Salez et poivrez. Portez à ébullition en remuant. Baissez le feu et laissez mijoter 30 min, pour réduire la sauce.

2 Pendant ce temps, faites cuire les pâtes dans de l'eau bouillante salée, selon les instructions du paquet.

3 Ajoutez le vinaigre balsamique à la sauce et mélangez. Faites cuire 1 à 2 min, puis retirez du feu, goûtez et assaisonnez.

4 Égouttez les pâtes et transférez-les dans un plat creux préalablement chauffé. Versez la sauce dessus et mélangez. Servez sans attendre avec la roquette et le *pecorino* râpé à part.

Linguine con pesto di pomodori secchi

LINGUINE AU PESTO DE TOMATES SÉCHÉES

Autrefois très rare, le pesto de tomates est de plus en plus apprécié aujourd'hui. Pour le préparer, on utilise des tomates séchées au soleil à la place du basilic. Le résultat est absolument délicieux.

INGRÉDIENTS

Pour 4 personnes

350 g de *linguine*
50 g de tomates séchées au soleil
  macérées dans l'huile d'olive
25 g de pignons
25 g de parmesan râpé
1 gousse d'ail finement hachée
4 cuil. à soupe d'huile d'olive
poivre noir moulu
parmesan râpé, pour
  l'accompagnement
feuilles de basilic, pour la décoration

3 Tout en laissant l'appareil en marche, versez progressivement l'huile d'olive, jusqu'à ce que tous les ingrédients forment une pâte lisse.

4 Faites cuire les pâtes selon les instructions du paquet. Égouttez-les et réservez un peu d'eau de cuisson. Versez-les dans un plat creux préchauffé, ajoutez le *pesto* et quelques cuillerées d'eau de cuisson. Mélangez bien. Garnissez de feuilles de basilic et servez aussitôt avec du parmesan râpé.

1 Mettez les pignons dans une petite poêle à frire antiadhésive et faites-les revenir à feu moyen 1 à 2 min, jusqu'à ce qu'elles commencent à dorer.

2 Versez les pignons dans un mixer. Ajoutez le parmesan, les tomates séchées et l'ail. Poivrez à volonté, puis mixez.

CONSEIL

Vous pouvez préparer ce *pesto* deux jours à l'avance et le conserver dans un récipient au réfrigérateur, en attendant de l'utiliser.
Versez un léger filet d'huile d'olive par-dessus, puis couvrez avec du film alimentaire afin d'éviter que les autres aliments contenus dans le réfrigérateur ne prennent le goût du *pesto*.

Cappelletti con pomodoro e panna

CAPPELLETTI À LA SAUCE TOMATE CRÉMEUSE

*La passata, la crème et le basilic
frais se marient à merveille dans
cette recette facile et rapide, où la
sauce enrobe les petits chapeaux
de pâte farcis au fromage pour faire
un repas végétarien très consistant.
Si vous préférez un plat plus léger,
vous pouvez utiliser des pâtes
non farcies. Choisissez des variétés
assez petites comme les pennes,
les farfalles ou les conchiglie.*

INGRÉDIENTS

Pour 4 à 6 personnes

225 g de *cappelletti* frais
40 cl de *passata*
6 cuil. à soupe de vin blanc sec
15 cl de crème fraîche épaisse
1 petite poignée de feuilles
    de basilic frais
4 cuil. à soupe de parmesan râpé
sel et poivre noir moulu

1 Versez la *passata* et le vin dans une
casserole de taille moyenne et mélangez. Portez à ébullition, puis ajoutez la
crème et tournez jusqu'à ce que le
mélange bout de nouveau. Baissez le
feu et laissez mijoter doucement.

2 Faites cuire les pâtes jusqu'à ce
qu'elles soient *al dente* : 5 à 7 min ou
selon les instructions du paquet. Pendant ce temps, déchirez finement la plus
grande partie des feuilles de basilic et
réservez-les avec les feuilles entières.

3 Égouttez les pâtes, remettez-les dans
la casserole et mélangez-les avec le
parmesan râpé. Goûtez la sauce et
assaisonnez. Versez-la sur les pâtes et
mélangez. Parsemez de feuilles de
basilic entières et de feuilles déchirées
et servez immédiatement.

CONSEILS

❖ On trouve des *cappelletti* farcis avec
différents ingrédients dans les supermarchés
et les épiceries fines italiennes.

❖ Vous pouvez utiliser d'autres pâtes
farcies, telles que les tortellinis, les raviolis
ou les *sacchettini* («petites bourses»)
avec cette sauce.

❖ Vous pouvez aussi préparer votre
sauce tomate la veille et la conserver
au réfrigérateur, en attendant de l'utiliser.
Réchauffez-la à feu doux dans une
casserole à fond épais pendant que
les pâtes cuisent.

La crudaiola

SAUCE AUX TOMATES FRAÎCHES

*Cette sauce toute simple, préparée
avec des tomates fraîches, se marie
bien avec différentes sortes de pâtes,
longues ou courtes. Préparez-la
en été, lorsque les olivettes sont
bien mûres et pleines de soleil.*

INGRÉDIENTS

Pour 4 personnes

500 g d'olivettes bien mûres
1 grosse poignée de feuilles
    de basilic frais
5 cuil. à soupe d'huile olive vierge
    extra
125 g de ricotta *salata* coupée
    en dés
1 gousse d'ail écrasée
sel et poivre noir moulu
copeaux de *pecorino* râpé,
    pour l'accompagnement

1 Coupez les olivettes en enlevant
le cœur et les graines. Déchirez les
feuilles de basilic avec vos doigts.

2 Mettez tous les ingrédients (sauf
le fromage) dans un récipient, salez,
poivrez et mélangez. Couvrez et laissez
reposer à température ambiante 1 à
2 h, pour permettre aux saveurs de
s'imprégner les unes les autres.

3 Goûtez la sauce pour vérifier l'assaisonnement avant de la mélanger avec
des pâtes cuites de votre choix. Servez
sans attendre avec les copeaux de
pecorino.

CONSEILS

❖ La ricotta *salata* est une variété de
ricotta salée et séchée. Plus dure que
la ricotta molle et blanche traditionnelle,
elle est facile à couper, à émietter ou
à râper. On la trouve dans certaines
épiceries fines. À défaut, vous pouvez
la remplacer par de la feta.

❖ Cette sauce se marie bien avec les
pâtes longues, en particulier les *bucatini*
ou les spaghettis, mais vous pouvez
aussi utiliser des pâtes courtes comme
les fusillis ou les *orecchiette*.

Sugo finto

SAUCE À LA TOMATE ET À LA COUENNE

Le mot finto *signifie « feint », et le nom de cette sauce remonte à l'époque où la viande étant rare et chère, les cuisiniers mettaient un peu de graisse dans la sauce tomate pour lui donner un goût de viande. Parfois, on utilisait même du bouillon de viande.*

INGRÉDIENTS

Pour 4 personnes

500 g d'olivettes bien mûres
   concassées
1 petit oignon
1 petite carotte
2 branches de céleri
2 gousses d'ail
1 petite poignée de feuilles
   de persil frais
50 g de couenne de jambon ou de
   bacon coupé(e) en petits morceaux
6 cuil. à soupe de vin blanc sec
sel et poivre noir moulu

1 Hachez l'oignon, la carotte et le céleri à l'aide d'un mixer. Ajoutez les gousses d'ail et le persil, et hachez finement. Si vous n'avez pas de mixer, hachez tous les ingrédients à la main.

2 Placez les légumes hachés dans une casserole de taille moyenne peu profonde, ajoutez la couenne de jambon ou le bacon et faites cuire à feu doux 5 min en remuant. Versez le vin, salez, poivrez et laissez mijoter 5 min, puis incorporez les tomates. Faites cuire 40 min, en remuant de temps en temps et en allongeant la sauce avec un peu d'eau chaude si nécessaire.

3 Placez une passoire au-dessus d'un grand récipient creux. Versez la sauce dedans et pressez avec le dos d'une cuillère en métal pour la faire passer. Éliminez les peaux des tomates et les morceaux de légumes ligneux qui restent dans la passoire.

4 Remettez la sauce dans la casserole et réchauffez-la en l'allongeant avec un peu de vin ou d'eau chaude si elle est trop épaisse. Goûtez et assaisonnez, puis mélangez avec les pâtes cuites de votre choix.

VARIANTES

❖ On sert traditionnellement des cheveux d'ange avec la sauce *sugo finto*, mais vous pouvez utiliser des *tagliolini* ou des *tagliarini* à la place si vous préférez.
❖ Vous pouvez aussi ajouter 7 g de champignons sauvages séchés, mis à tremper et égouttés lorsque vous cuisez les légumes.

FARFALLES, SAUCE TOMATE AUX PETITS POIS

Cette sauce doit être servie avec des pâtes à base de semoule de blé dur nature afin que le rouge des tomates, le vert des petits pois et le blanc des pâtes rappellent les couleurs du drapeau italien. Ici, on a utilisé des farfalles, mais on peut choisir d'autres variétés de pâtes.

INGRÉDIENTS

Pour 4 personnes

350 g de farfalles
1 boîte de 400 g d'olivettes
    concassées
225 g de petits pois surgelés
1 cuil. à soupe d'huile d'olive
6 tranches de bacon coupées
    en petites lanières
4 cuil. à soupe d'eau
4 cuil. à soupe de mascarpone
quelques feuilles de basilic frais
    déchirées
sel et poivre noir moulu
parmesan râpé, pour l'accompagnement
feuilles de basilic entières,
    pour la décoration

1 Faites chauffer l'huile dans une casserole de taille moyenne et ajoutez le bacon. Faites cuire à feu doux 5 à 7 min, en remuant souvent.

2 Ajoutez les tomates et l'eau, salez et poivrez. Portez à ébullition. Baissez le feu, couvrez et laissez mijoter 15 min, en remuant de temps en temps.

3 Simultanément, faites cuire les pâtes dans l'eau bouillante salée selon les instructions figurant sur le paquet.

4 Versez les petits pois dans la sauce tomate, mélangez et portez à ébullition. Couvrez et laissez cuire 5 à 8 min, jusqu'à ce que les petits pois soient tendres et que la sauce épaississe. Goûtez et assaisonnez.

5 Éteignez le feu et incorporez le mascarpone et le basilic. Couvrez et laissez reposer 1 à 2 min. Égouttez les pâtes et mettez-les dans un plat préalablement chauffé. Versez la sauce et mélangez. Garnissez avec des feuilles de basilic et servez sans attendre, accompagné de parmesan râpé.

PÂTES ET SAUCES À LA CRÈME

Les Italiens du Nord apprécient beaucoup les sauces à la crème. Leur consistance onctueuse se marie bien avec les pâtes aux œufs fraîches. La crème utilisée en Italie est différente de notre crème fraîche. Appelée *panna da cucina* (crème pour la cuisine), elle est très liquide et à un goût fort, légèrement piquant. On peut l'acheter fraîche en Italie mais, ailleurs, vous la trouverez en pots longue conservation, dans les épiceries fines italiennes et les magasins spécialisés. Paradoxalement, la plus célèbre des sauces à la crème n'est pas une spécialité du nord de l'Italie, mais de Rome. Les *Fettuccine d'Alfredo* – un simple plat de *fettuccine* fraîches mélangées avec de la crème, du beurre et du parmesan râpé – sont l'un des meilleurs plats de pâtes qui existent. Le choix est vaste, depuis les classiques *Spaghettis à la carbonara* et les *Vermicelles au citron* jusqu'aux recettes basées sur des légumes de saison comme les asperges, les champignons sauvages ou la trévise. Les pâtes à la sauce à la crème peuvent être servies en entrée d'un dîner, mais prévoyez de petites portions, car elles sont généralement très riches.

Spaghetti alla carbonara

SPAGHETTIS À LA CARBONARA

Ce grand classique se passe de présentation. Ici, nous proposons une variante qui privilégie la pancetta ou le bacon et n'est pas trop crémeuse, mais vous pouvez modifier les quantités à votre gré.

INGRÉDIENTS

Pour 4 personnes

350 g de spaghettis
2 cuil. à soupe d'huile d'olive
1 petit oignon finement haché
8 tranches de *pancetta* ou de bacon
  coupées en lanières
4 œufs
4 cuil. à soupe de crème fraîche
4 cuil. à soupe de parmesan râpé
sel et poivre noir moulu

1 Chauffez l'huile dans une grande casserole ou dans un poêlon. Mettez l'oignon haché à fondre à feu doux 5 min, en remuant souvent.

2 Incorporez les lanières de *pancetta* ou de bacon et laissez cuire 10 min en tournant presque continuellement. Dans le même temps, faites cuire les pâtes dans une casserole d'eau bouillante salée, selon les instructions figurant sur le paquet.

3 Mettez les œufs, la crème fraîche et le parmesan râpé dans un récipient. Poivrez, puis battez.

4 Égouttez les pâtes, transférez-les dans la casserole. Ajoutez la *pancetta* ou le bacon et mélangez. Éteignez le feu. Incorporez le mélange à base d'œufs et remuez énergiquement de façon à ce qu'il cuise légèrement, tout en enrobant les pâtes.

5 Goûtez et assaisonnez, puis répartissez entre 4 assiettes creuses préalablement chauffées et saupoudrez de poivre noir moulu. Servez sans attendre en présentant le parmesan râpé comme accompagnement.

Fusilli di bosco

FUSILLIS AUX CHAMPIGNONS SAUVAGES

Cette spécialité très parfumée,
aux saveurs forestières, contient
beaucoup d'ail. Elle constitue
un plat principal idéal pour
les végétariens. Accompagnez-le
d'une salade verte croquante.

INGRÉDIENTS

Pour 4 personnes

350 g de fusillis
1/2 bocal de champignons sauvages
   à l'huile d'olive
25 g de beurre
225 g de champignons sauvages
   frais, émincés
1 cuil. à café de feuilles
   de thym frais
1 cuil. à café de marjolaine ou
   d'origan frais haché, plus quelques
   feuilles entières, pour la décoration
4 gousses d'ail écrasées
20 cl de *panna da cucina*
   ou de crème fraîche épaisse
sel et poivre noir moulu

1 Égouttez environ 1 cuillerée à soupe
de l'huile des champignons dans une
casserole moyenne. Si nécessaire, coupez les champignons en morceaux.

2 Ajoutez le beurre à l'huile dans la
casserole et chauffez à feu doux, jusqu'à ce que le mélange commence
à grésiller. Incorporez tous les champignons, les herbes hachées et l'ail,
salez et poivrez. Laissez mijoter à feu
moyen 10 min en remuant souvent.
Pendant ce temps, faites cuire les
pâtes dans l'eau bouillante salée selon
les instructions du paquet.

3 Dès que les champignons sont cuits,
augmentez le feu et remuez le mélange
à l'aide d'une cuillère en bois pour faire
évaporer le jus. Incorporez la crème
fraîche et portez à ébullition en tournant. Goûtez, ajoutez du sel et du
poivre si nécessaire.

4 Égouttez les pâtes et transférez-les
dans un plat préalablement chauffé.
Versez la sauce sur les pâtes et mélangez. Parsemez d'herbes fraîches.

Farfalle verdi e rosa

FARFALLES ROSES ET VERTES

Dans cette recette, les crevettes roses et les courgettes se combinent délicatement avec la crème et les pâtes en forme de papillons pour faire un plat principal consistant. Servez accompagné de petits pains italiens croustillants ou de tranches de ciabatta chaudes.

INGRÉDIENTS

Pour 4 personnes

300 g de farfalles
350 g de courgettes finement
   tranchées en diagonale
225 g de crevettes décortiquées
   cuites, décongelées si besoin
50 g de beurre
2 à 3 ciboules émincées
   en diagonale
4 cuil. à soupe de vin blanc sec
5 cuil. à soupe de crème fraîche
1 cuil. à soupe de marjolaine fraîche
   et de persil plat frais
sel et poivre noir moulu

1 Faites fondre le beurre dans une grande casserole, ajoutez les ciboules et faites revenir à feu doux 5 min, en remuant souvent. Ajoutez les courgettes, salez et poivrez, et faites revenir 5 min. Versez le vin, portez à ébullition, puis couvrez et laissez mijoter 10 min.

VARIANTES

Vous pouvez utiliser des pennes à la place des farfalles et des pointes d'asperges à la place des courgettes.

2 Faites cuire les pâtes dans une casserole d'eau bouillante salée selon les instructions figurant sur le paquet. Pendant ce temps, incorporez la crème fraîche au mélange à base de courgettes et laissez réduire 10 min.

3 Incorporez les crevettes au mélange à base de courgettes, laissez chauffer à feu doux, goûtez et assaisonnez. Égouttez les pâtes et transférez-les dans un plat préalablement chauffé. Ajoutez la sauce et les herbes hachées et mélangez. Servez sans attendre.

Penne ai gamberetti con pastis

PENNES AUX CREVETTES ET AU PASTIS

Voici une recette originale, que l'on peut trouver au menu des restaurants italiens qui innovent. Le pastis et l'aneth se marient bien, mais vous pouvez les remplacer par du basilic et du vin blanc.

INGRÉDIENTS

Pour 4 personnes

350 g de pennes
225 g de crevettes cuites décortiquées,
   décongelées si besoin
3 cuil. à soupe de pastis
20 cl de *panna da cucina*
   ou de crème fraîche épaisse
25 cl de fumet de poisson
2 cuil. à soupe d'aneth haché
sel et poivre noir moulu

1 Versez la crème et le fumet de poisson dans une casserole moyenne et portez à ébullition. Baissez le feu et laissez réduire 10 à 15 min, en remuant de temps en temps. Pendant ce temps, faites cuire les pâtes dans une casserole d'eau bouillante salée selon les instructions du paquet.

2 Versez le pastis et les crevettes dans la sauce à la crème, salez et poivrez. Laissez cuire les crevettes tout doucement. Égouttez les pâtes et mettez-les dans un plat préalablement chauffé. Versez la sauce sur les pâtes, ajoutez l'aneth et mélangez. Parsemez d'aneth haché et servez sans attendre.

Pipe rigate ai piselli e prosciutto

PIPE RIGATE AU JAMBON ET AUX PETITS POIS

3 Incorporez la moitié de la crème fraîche, puis portez à ébullition en tournant constamment jusqu'à ce qu'elle commence à épaissir. Retirez du feu, ajoutez le jambon de Parme, goûtez et assaisonnez.

4 Faites cuire les pâtes selon les instructions du paquet. Mettez-les dans une passoire et égouttez.

Joliment moucheté de rose et de vert, ce plat est idéal pour un dîner printanier ou estival.

INGRÉDIENTS

Pour 4 personnes

350 g de *pipe rigate*
125 g de jambon de Parme
   coupé en lamelles
150 à 175 g de petits pois surgelés
   décongelés
25 g de beurre
1 cuil. à soupe d'huile d'olive
1 gousse d'ail écrasée
15 cl de bouillon de volaille,
   de vin blanc sec ou d'eau
2 cuil. à soupe de persil plat
   frais haché
20 cl de *panna da cucina*
   ou de crème fraîche épaisse
sel et poivre noir moulu
herbes fraîches hachées,
   pour la décoration

1 Faites fondre la moitié du beurre et l'huile d'olive dans une casserole de taille moyenne. Ajoutez les petits pois décongelés et l'ail écrasé, puis le bouillon de volaille (ou le vin ou l'eau).

2 Ajoutez le persil haché, salez et poivrez. Faites cuire à feu moyen 5 à 8 min en remuant souvent, jusqu'à ce que tout le liquide ait été absorbé.

5 Faites fondre le reste du beurre avec la crème dans la casserole où vous avez fait cuire les pâtes. Ajoutez celles-ci et tournez sur feu moyen, jusqu'à ce qu'elles soient bien enrobées de beurre et de crème fondus. Versez la sauce, mélangez et réchauffez doucement. Garnissez avec des herbes fraîches et servez sans attendre.

CONSEILS

❖ Le jambon de Parme coûte cher, mais il est délicieux avec ce plat. Pour limiter les dépenses, vous pouvez utiliser du jambon cuit ordinaire ou de la *pancetta*.

❖ Si vous ne trouvez pas de *pipe rigate*, remplacez-les par des *conchiglie* ou des *orecchiette*.

Fettuccine all'Alfredo

FETTUCCINE D'ALFREDO

Ce plat tout simple a été inventé par un restaurateur romain appelé Alfredo qui s'est rendu célèbre en le servant avec une fourchette et une cuillère en or.

INGRÉDIENTS

Pour 4 personnes

350 g de *fettucine* fraîches
50 g de beurre
20 cl de *panna da cucina*
   ou de crème fraîche épaisse
50 g de parmesan râpé
sel et poivre noir moulu

1 Faites fondre le beurre dans une grande casserole ou dans un poêlon. Ajoutez la crème et portez à ébullition. Laissez mijoter 5 min en remuant, puis ajoutez le parmesan, salez, poivrez et éteignez le feu.

2 Portez à ébullition une grande casserole d'eau. Mettez les pâtes et faites bouillir, en remuant de temps en temps. Laissez cuire jusqu'à ce que les pâtes soient *al dente* : 2 à 3 min ou selon les instructions du paquet. Égouttez.

3 Rallumez le feu sous la casserole contenant la crème, incorporez les pâtes et mélangez-les sur feu doux, jusqu'à ce qu'elles soient bien imprégnées de sauce. Goûtez et assaisonnez. Accompagnez de parmesan râpé.

CONSEILS

❖ Cette recette repose sur l'emploi de produits de grande qualité. Achetez du beurre doux et du parmesan de première qualité. Le meilleur parmesan est le *parmigiano reggiano*, dont le nom est imprimé sur la croûte, et qui est vendu dans les épiceries fines italiennes. Râpez-le juste avant de l'utiliser.

❖ Les *fettuccine* se mangent traditionnellement fraîches – fabriquez-les vous-même ou achetez-les dans un magasin de produits italiens. Si vous n'en trouvez pas, remplacez-les par des tagliatelles.

Linguine al prosciutto e mascarpone

LINGUINE AU JAMBON ET AU MASCARPONE

Dans cette recette, le mascarpone remplace la crème. Sa consistance épaisse et onctueuse en fait un ingrédient idéal pour les sauces. Faites bouillir l'eau des pâtes avant de commencer à préparer la sauce car celle-ci cuit très vite.

INGRÉDIENTS

Pour 6 personnes

500 g de *linguine* fraîches
100 g de jambon de Parme coupé
  en fines lamelles
150 g de mascarpone
25 g de beurre
2 cuil. à soupe de lait
3 cuil. à soupe de parmesan râpé
sel et poivre noir moulu

1 Faites fondre le beurre dans une casserole de taille moyenne, ajoutez le mascarpone, le jambon et le lait et tournez sur feu doux jusqu'à ce que le mascarpone ait fondu. Versez 1 cuillerée à soupe de parmesan râpé, poivrez généreusement et mélangez.

2 Faites cuire les pâtes dans une grande casserole d'eau bouillante salée 2 à 3 min, jusqu'à ce qu'elles soient juste *al dente*.

3 Égouttez les pâtes cuites et mettez-les dans un plat préalablement chauffé. Nappez avec la sauce, ajoutez le reste du parmesan et mélangez.

4 Goûtez et assaisonnez. Servez aussitôt et accompagnez de parmesan râpé. Poivrez à nouveau avant de déguster.

Farfalle alla crema di gorgonzola

FARFALLES À LA CRÈME DE GORGONZOLA

Cette sauce simple à réaliser a un léger goût de noisette dû au gorgonzola. Combinée ici avec des farfalles, elle se marie aussi avec des pâtes longues comme les spaghettis ou les trenette.

INGRÉDIENTS

Pour 4 personnes

350 g de farfalles
175 g de gorgonzola sans la croûte,
  coupé en dés
15 cl de *panna da cucina*
  ou de crème fraîche épaisse
1 pincée de sucre
2 cuil. à café de sauge fraîche
  hachée, plus quelques feuilles
  entières, pour la décoration
sel et poivre noir moulu

1 Faites cuire les pâtes *al dente* : 8 à 10 min, ou selon les instructions figurant sur le paquet.

2 Pendant ce temps, mettez le gorgonzola et la crème dans une casserole de taille moyenne. Ajoutez le sucre et beaucoup de poivre noir moulu, et faites chauffer à feu doux en remuant souvent, jusqu'à ce que le fromage ait fondu. Retirez la casserole du feu.

3 Égouttez les pâtes, puis remettez-les dans la casserole. Versez la sauce dessus.

4 Incorporez la sauge hachée et tournez sur feu moyen jusqu'à ce que les pâtes soient bien enrobées de sauce. Goûtez et assaisonnez, puis répartissez entre 4 assiettes creuses préalablement chauffées. Parsemez chaque portion de feuilles de sauge, puis servez sans attendre.

Vermicelli al limone

VERMICELLES AU CITRON

Ce plat acidulé constitue une entrée originale pour un dîner. En outre, vous pouvez le servir tout au long de l'année. Cette recette est également très pratique lorsque vous êtes pressé, car la sauce peut être préparée rapidement pendant que vous faites cuire les pâtes.

INGRÉDIENTS

Pour 4 personnes

350 g de vermicelles
le jus de 2 gros citrons
50 g de beurre
20 cl de *panna da cucina*
   ou de crème fraîche épaisse
125 g de parmesan râpé
sel et poivre noir moulu

1 Faites cuire les pâtes dans de l'eau bouillante salée selon les instructions figurant sur le paquet.

2 Pendant ce temps, versez le jus des citrons dans une casserole de taille moyenne. Ajoutez le beurre et la crème, puis salez et poivrez.

3 Portez à ébullition, puis baissez le feu et laissez réduire 5 min, en remuant de temps en temps.

4 Égouttez les pâtes et remettez-les dans la casserole. Ajoutez le parmesan râpé, goûtez la sauce et assaisonnez. Versez celle-ci sur les pâtes et mélangez sur feu moyen, jusqu'à ce qu'elles soient bien enrobées. Répartissez dans des assiettes creuses chaudes et servez sans attendre.

CONSEIL

Les citrons contiennent une quantité de jus très variable. En moyenne, 1 gros citron frais donne 4 à 6 cuillerées à soupe de jus. Ce plat a un fort goût citronné – vous pouvez mettre moins de jus si vous le préférez.

VARIANTES

❖ Vous pouvez également utiliser des *spaghettini* ou des spaghettis, ou encore des petites pâtes telles que les fusillis, les farfalles ou les *orecchiette*.
❖ Pour un goût citronné encore plus prononcé, ajoutez un peu de zeste de citron râpé à la sauce en même temps que le beurre et la crème (étape 2).

SPAGHETTIS AU SAFRAN

*Ce plat facile et rapide à préparer
constitue un délicieux dîner.
Les ingrédients principaux étant
des produits de base que vous
avez certainement déjà dans votre
réfrigérateur, cette recette est
parfaite pour les repas à l'improviste.*

INGRÉDIENTS

Pour 4 personnes

350 g de spaghettis
quelques filaments de safran
2 cuil. à soupe d'eau
150 g de jambon cuit coupé
    en allumettes
20 cl de *panna da cucina*
    ou de crème fraîche épaisse
50 g de parmesan râpé
2 jaunes d'œufs
sel et poivre noir moulu

3 Déposez les allumettes de jambon cuit dans la casserole contenant le safran. Ajoutez la crème et le parmesan, salez et poivrez. Faites chauffer à feu doux en remuant continuellement. Quand la crème commence à bouillonner sur les bords, retirez la sauce du feu et ajoutez les jaunes d'œufs. Mélangez bien, goûtez et assaisonnez.

4 Égouttez les pâtes et transférez-les dans un plat préalablement chauffé. Nappez avec la sauce et mélangez. Servez immédiatement et accompagnez de parmesan râpé.

CONSEILS

❖ Dans les épiceries fines et certains supermarchés, on trouve des sachets de poudre de safran qui suffisent pour 4 portions. Vous pouvez remplacer les filaments de safran par un sachet de safran en poudre. Ajoutez-le en même temps que le sel et le poivre (étape 3).

❖ Utilisez une poêle à fond épais pour réchauffer la crème afin d'éviter qu'elle ne colle. Battez la sauce dès que vous ajoutez les jaunes d'œufs.

1 Faites cuire les pâtes dans une casserole d'eau bouillante salée selon les instructions figurant sur le paquet.

2 Pendant ce temps, mettez les filaments de safran dans une casserole, versez l'eau, puis portez à ébullition. Retirez la casserole du feu et laissez reposer.

Garganelli agli asparagi e panna

GARGANELLI AUX ASPERGES ET À LA CRÈME

*Une délicieuse recette pour
le printemps, lorsqu'on trouve
des bottes d'asperges fraîches
sur les étals des marchés.*

INGRÉDIENTS

Pour 4 personnes

350 g de *garganelli*
1 botte d'asperges fraîches
    d'environ 300 g
20 cl de *panna da cucina*
    ou de crème fraîche épaisse
25 g de beurre
2 cuil. à soupe de vin blanc sec
100 g de parmesan râpé
2 cuil. à soupe d'herbes fraîches
    (basilic, persil plat, cerfeuil,
    marjolaine et origan), hachées
sel et poivre noir moulu

3 Faites cuire les pâtes selon les instructions figurant sur le paquet. Pendant ce temps, mettez le beurre et la crème dans une casserole de taille moyenne, salez, poivrez et portez à ébullition. Laissez réduire quelques minutes, puis ajoutez les asperges, le vin et la moitié du parmesan râpé. Goûtez et assaisonnez. Laissez cuire à feu doux.

4 Égouttez les pâtes et transférez-les dans un plat préalablement chauffé. Versez la sauce dessus, parsemez d'herbes fraîches et mélangez. Servez immédiatement avec un peu de parmesan râpé.

CONSEILS

❖ Lorsque vous achetez des asperges, choisissez celles qui ont des tiges minces : elles seront plus tendres. Évitez les asperges aux tiges épaisses ou trop ligneuses.
❖ Les *garganelli* aux œufs conviennent très bien pour ce plat. Elles sont vendues dans les épiceries fines italiennes.
❖ On peut utiliser des pennes ou des *penne rigate* à la place des *garganelli*, car elles ont à peu près la même forme et la même taille.

1 Coupez et jetez la partie ligneuse des tiges d'asperges – il devrait vous rester environ 200 g d'asperges. Détaillez celles-ci en biais, en morceaux approximativement de la même longueur que les *garganelli*.

2 Blanchissez les tiges dans de l'eau bouillante salée pendant 2 min et les pointes pendant 1 min. Égouttez aussitôt, rincez à l'eau froide et réservez.

Tagliatelle al radicchio con panna

TAGLIATELLES À LA TRÉVISE ET À LA CRÈME

3 Ajoutez le beurre, l'oignon et l'ail, et faites revenir en remuant encore 5 min. Mettez la trévise, puis laissez réduire 1 à 2 min.

4 Incorporez la crème fraîche et le parmesan râpé. Salez et poivrez. Remuez pendant 1 à 2 min, jusqu'à ce que la crème commence à bouillonner et que les ingrédients soient parfaitement liés. Goûtez et assaisonnez.

5 Égouttez les pâtes et transférez-les dans un plat chaud. Versez la sauce dessus et mélangez. Servez aussitôt.

Cette recette actuelle est très facile à préparer. Délicieusement onctueux, ce plat peut être servi en entrée d'un dîner.

1 Faites cuire les pâtes selon les instructions figurant sur le paquet.

2 Pendant ce temps, mettez la *pancetta* ou le bacon dans une casserole de taille moyenne et chauffez à feu doux jusqu'à ce que la graisse commence à fondre. Augmentez légèrement le feu et faites frire 5 min en remuant.

INGRÉDIENTS

Pour 4 personnes

225 g de tagliatelles
1 trévise coupée en lanières
15 cl de *panna da cucina*
  ou de crème fraîche épaisse
75 à 100 g de *pancetta*
  ou de bacon coupé(e) en dés
25 g de beurre
1 oignon finement haché
1 gousse d'ail écrasée
50 g de parmesan râpé
sel et poivre noir moulu

CONSEIL
La variété de trévise utilisée
par les cuisiniers italiens, appelée
radicchio di Treviso, possède de longues
feuilles rayées rouges et blanches.
Certains supermarchés et marchands
de fruits et légumes spécialisés en vendent.
À défaut, prenez de la trévise ronde,
beaucoup plus facile à trouver.

POISSONS ET FRUITS DE MER

Il n'est guère surprenant que l'on serve souvent des sauces aux fruits de mer avec les pâtes, le long de la côte italienne et dans les îles siciliennes et sardes, mais on les apprécie également à l'intérieur des terres. Les palourdes, les moules, le thon, les crevettes, les anchois, le saumon, les pétoncles et le calmar sont les fruits de mer le plus souvent utilisés mais, dans les régions côtières, les cuisiniers préparent également des plats régionaux à base de produits locaux qui sont difficiles à trouver ailleurs. Les fruits de mer sont souvent associés à des tomates ou à des sauces à la crème, de sorte que l'aspect et le goût des pâtes aux fruits de mer varient considérablement d'un plat à l'autre. Certaines recettes siciliennes telles que les *Spaghettis aux anchois et aux olives* et les *Spaghettis à la boutargue* se caractérisent par un goût intense, tandis que les classiques *Pennes à la crème et au saumon fumé* offrent une saveur douce et crémeuse. Les *Spaghettis au thon, aux anchois et aux olives*, une spécialité de l'île de Capri, sont légers, avec un goût frais. Traditionnellement, les spaghettis accompagnent les sauces aux fruits de mer, mais on peut également choisir d'autres pâtes.

Vermicelli alla napoletana

VERMICELLES À LA NAPOLITAINE

*Cette recette fait référence
à la ville de Naples, où l'on sert
traditionnellement de la sauce tomate
fraîche et des fruits de mer avec
les vermicelles. Ce plat savoureux
est une association des deux.*

INGRÉDIENTS

Pour 4 personnes

350 g de vermicelles
1 kg de palourdes fraîches
25 cl de vin blanc sec
2 gousses d'ail écrasées
1 grosse poignée de persil plat frais
2 cuil. à soupe d'huile d'olive
1 petit oignon finement haché
8 olivettes mûres pelées, épépinées
et concassées
1 piment rouge frais épépiné
et émincé
sel et poivre noir moulu

1 Nettoyez les palourdes sous le robinet d'eau froide et jetez celles qui sont
ouvertes ou qui ne se ferment pas
lorsque vous les tapez avec un couteau.

2 Versez le vin dans une grande
casserole, ajoutez les gousses d'ail et
la moitié du persil, puis les palourdes.
Couvrez et portez à ébullition. Laissez
cuire 5 min en remuant souvent, jusqu'à
ce que les palourdes soient ouvertes.

3 Transférez les palourdes dans une
grande passoire posée sur un récipient
et laissez le jus s'égoutter. Attendez
qu'elles aient un peu refroidi, puis
décortiquez les 2/3 en versant le jus
dans le récipient contenant le liquide
de cuisson. Jetez celles qui ne sont pas
ouvertes. Réservez toutes les palourdes
en plaçant celles qui ont été décortiquées dans un récipient couvert afin
qu'elles restent chaudes.

4 Chauffez l'huile dans une casserole,
mettez l'oignon et laissez-le fondre à
feu doux 5 min, en remuant souvent.
Ajoutez les tomates, puis incorporez
le jus de cuisson des palourdes en
le filtrant à travers une passoire.
Incorporez le piment, salez et poivrez
selon votre goût.

5 Portez à ébullition, couvrez partielle-
ment la casserole et laissez mijoter à
feu doux 15 à 20 min. Faites cuire les
pâtes selon les instructions du paquet.
Hachez finement le reste du persil.

6 Incorporez les palourdes décortiquées dans la sauce tomate, remuez et
chauffez 2 à 3 min.

7 Égouttez les pâtes et transférez-les
dans un plat préalablement chauffé.
Goûtez et assaisonnez, puis ajoutez la
sauce et mélangez. Garnissez avec les
palourdes réservées, parsemez de persil haché et servez sans attendre.

Conchiglie di mare

CONCHIGLIE AUX NOIX DE SAINT-JACQUES

Cette recette est originale : une salade chaude de noix de Saint-Jacques, de pâtes et de roquette fraîche, parfumée aux poivrons grillés, au piment et au vinaigre balsamique. Elle peut être servie en hors-d'œuvre pour un dîner ou en plat principal pour un déjeuner léger.

INGRÉDIENTS

Pour 4 personnes

300 g de *conchiglie*
8 belles noix de Saint-Jacques fraîches
1 cuil. à soupe d'huile d'olive
15 g de beurre
10 cl de vin blanc sec
100 g de feuilles de roquette
sel et poivre noir moulu

Pour la vinaigrette

4 cuil. à soupe d'huile d'olive
   vierge extra
1 cuil. à soupe de vinaigre balsamique
1 morceau de poivron grillé en bocal,
   égoutté et finement haché
1 à 2 piments rouges frais épépinés
   et émincés
1 gousse d'ail écrasée
2 cuil. à café de miel liquide

1 Coupez les noix de Saint-Jacques en 2 à 3 morceaux. Détachez les coraux et coupez-les en deux. Salez et poivrez le tout.

2 Pour préparer la vinaigrette, mettez l'huile, le vinaigre, le poivron haché et les piments dans un pot en même temps que l'ail et le miel et fouettez.

3 Faites cuire les pâtes selon les instructions figurant sur le paquet.

4 Pendant ce temps, chauffez l'huile et le beurre dans une poêle antiadhésive jusqu'à ce qu'ils grésillent. Ajoutez la moitié des noix de Saint-Jacques et faites-les frire 2 min à feu vif, en remuant. Retirez-les à l'aide d'une écumoire et gardez-les au chaud. Faites cuire le reste des noix de la même façon.

5 Ajoutez le vin au jus des noix restées dans la poêle et faites réduire à quelques cuillerées de liquide. Retirez du feu et gardez au chaud.

6 Égouttez les pâtes et transférez-les dans un plat préalablement chauffé. Ajoutez la roquette, les noix de Saint-Jacques, leur jus de cuisson et la vinaigrette et mélangez bien. Servez sans attendre.

C O N S E I L S

❖ N'utilisez que des noix de Saint-Jacques fraîches pour ce plat – on en trouve tout au long de l'année chez les poissonniers. Les noix congelées contiennent trop d'eau, manquent de goût et prennent une consistance caoutchouteuse à la cuisson.
❖ Pour une présentation plus classique, disposez les feuilles de roquette en cercle autour de chaque assiette. Mélangez les pâtes, les noix de Saint-Jacques, les jus de cuisson et la vinaigrette, et répartissez-les au milieu des feuilles de roquette.

Spaghetti alla siracusana

SPAGHETTIS À LA SICILIENNE

*Les saveurs parfumées de ce plat
sont typiques de la cuisine sicilienne.*

INGRÉDIENTS

Pour 4 personnes

300 g de spaghettis
50 g d'anchois en boîte, coupés
   en morceaux, plus quelques
   anchois entiers, pour la décoration
12 olives noires dénoyautées
3 cuil. à soupe d'huile d'olive
1 gros poivron rouge épépiné et haché
1 petite aubergine coupée en dés
1 oignon finement haché
8 olivettes bien mûres pelées,
   épépinées et concassées
2 gousses d'ail finement hachées
10 cl de vin rouge ou blanc sec
10 cl d'eau
1 poignée d'herbes fraîches (basilic,
   persil plat et romarin,
   par exemple)
2 cuil. à soupe de câpres
sel et poivre noir moulu

1 Chauffez l'huile dans une casserole et mettez tous les légumes coupés et l'ail. Faites cuire à feu doux 10 à 15 min, en remuant souvent. Versez le vin et l'eau, ajoutez les herbes fraîches et le poivre et portez à ébullition. Baissez le feu, puis laissez mijoter 10 à 15 min, en tournant de temps en temps. Pendant ce temps, faites cuire les pâtes dans une grande casserole d'eau bouillante salée selon les instructions figurant sur le paquet.

2 Mettez les anchois coupés, les olives et les câpres dans la sauce, portez à feu doux quelques minutes, goûtez et assaisonnez. Égouttez les pâtes et transférez-les dans un plat préalablement chauffé. Versez la sauce dessus, mélangez et servez immédiatement.

CONSEIL

Si vous décidez de ne pas mettre d'anchois,
ce plat convient pour les végétariens.

Spaghetti alla caprese

SPAGHETTIS AU THON,
AUX ANCHOIS ET AUX OLIVES

*Cette spécialité de Capri est légère et
pleine de saveur. Servez aussitôt prêt
pour ne rien perdre des parfums.*

INGRÉDIENTS

Pour 4 personnes

300 g de spaghettis
1 boîte de 200 g de thon à l'huile
   d'olive, égoutté
50 g d'anchois à l'huile d'olive
   en bocal, égouttés
50 g d'olives noires dénoyautées
   et coupées en quatre
2 cuil. à soupe d'huile d'olive
6 olivettes coupées en morceaux
1 cuil. à café de sucre
4 cuil. à soupe de vin blanc sec
125 g de mozzarella coupée en dés
sel et poivre noir moulu
feuilles de basilic fraîches,
   pour la garniture

1 Faites cuire les pâtes selon les instructions du paquet. Chauffez l'huile dans une casserole. Mettez les tomates, le sucre et le poivre à cuire à feu doux en remuant, quelques minutes, jusqu'à ce que les tomates ramollissent et commencent à perdre leur jus. Coupez quelques anchois à l'aide de ciseaux de cuisine et ajoutez-les aux tomates.

2 Incorporez le vin, le thon et les olives et mélangez. Ajoutez la mozzarella et portez à feu doux. Goûtez et rectifiez l'assaisonnement. Égouttez les pâtes et transférez-les dans un plat chaud. Versez la sauce dessus, mélangez, garnissez avec quelques feuilles de basilic entières et servez.

Orecchiette con broccoli

ORECCHIETTE AUX BROCOLIS

Avec ses saveurs parfumées, ce plat est typique de la cuisine du sud de l'Italie et de la Sicile. Les anchois, les pignons, l'ail et le pecorino sont des ingrédients très appréciés. Servez avec un pain italien croustillant pour un déjeuner léger ou un dîner.

INGRÉDIENTS

Pour 4 personnes

350 g d'*orecchiette*
300 g de bouquets de brocolis
40 g de pignons
4 cuil. à soupe d'huile d'olive
1 petit oignon rouge finement haché
50 g d'anchois à l'huile d'olive
1 gousse d'ail écrasée
50 g de *pecorino* râpé
sel et poivre noir moulu

CONSEIL

Les *orecchiette* (« petites oreilles ») des Pouilles sont une variété de pâtes particulières à la consistance un peu caoutchouteuse. Si vous n'en trouvez pas dans les épiceries italiennes, remplacez-les par des *conchiglie.*

1 Détaillez les bouquets de brocolis en petits morceaux et coupez les tiges. Si celles-ci sont grosses, émincez-les en tranches. Faites cuire les fleurs et les tiges dans une casserole d'eau bouillante salée pendant 2 min, puis égouttez et passez sous l'eau froide. Séchez-les sur du papier absorbant.

2 Mettez les pignons dans une poêle à fond antiadhésif et faites griller 1 à 2 min à feu doux, jusqu'à ce que les pignons commencent à dorer. Retirez-les du feu et réservez.

3 Faites cuire les pâtes selon les instructions figurant sur le paquet.

4 Pendant ce temps, chauffez l'huile dans un poêlon, ajoutez l'oignon rouge et faire fondre 5 min à feu doux, en remuant souvent. Incorporez les anchois avec leur huile, puis l'ail, et faites revenir 1 à 2 min à feu moyen, en tournant, jusqu'à ce que les anchois commencent à former une pâte. Ajoutez les brocolis, poivrez abondamment et laissez cuire 1 à 2 min. Goûtez et assaisonnez.

5 Égouttez les pâtes et transférez-les dans un plat chaud. Ajoutez la préparation à base de brocolis et le *pecorino* râpé et mélangez. Garnissez avec des pignons et servez immédiatement.

Trenette ai frutti di mare

TRENETTE AUX FRUITS DE MER

Cette spécialité génoise colorée et savoureuse est idéale pour un dîner entre amis. La sauce étant très liquide, il est conseillé de manger ce plat avec du pain et des cuillères.

INGRÉDIENTS

Pour 4 personnes

400 g de *trenette*
400 g de palourdes fraîches
400 g de moules fraîches
100 g de crevettes cuites
   décortiquées, décongelées
   et séchées si besoin
3 cuil. à soupe d'huile d'olive
1 petit oignon finement haché
1 gousse d'ail écrasée
1/2 piment rouge frais épépiné
   et haché
1 boîte de 200 g d'olivettes
   concassées
2 cuil. à soupe de persil plat haché
4 cuil. à soupe de vin blanc sec
quelques feuilles de basilic frais
sel et poivre noir moulu
herbes fraîches hachées,
   pour la garniture

1 Faites chauffer 2 cuillerées à soupe d'huile dans un poêlon ou une casserole de taille moyenne. Ajoutez l'oignon, l'ail et le piment et faites revenir à feu moyen pendant 1 à 2 min, en remuant continuellement. Incorporez les tomates et la moitié du persil, et poivrez. Portez à ébullition, baissez le feu, couvrez et laissez mijoter 15 min.

2 Nettoyez les palourdes et les moules sous le robinet d'eau froide. Jetez celles qui ne se ferment pas lorsque vous les tapez avec un couteau.

3 Chauffez le reste de l'huile dans une grande casserole. Ajoutez les palourdes et les moules avec le reste du persil, augmentez le feu et secouez quelques secondes. Versez le vin et couvrez. Laissez cuire 5 min, en remuant souvent la casserole, jusqu'à ce que les palourdes et les moules soient ouvertes.

4 Retirez la casserole du feu et transférez les palourdes et les moules dans un récipient à l'aide d'une écumoire en jetant tous les coquillages qui ne sont pas ouverts.

5 Versez le jus de cuisson dans un verre mesureur et réservez. Réservez 8 palourdes et 4 moules dans leur coquille pour la garniture, puis décortiquez le reste des coquillages.

6 Faites cuire les pâtes selon les instructions du paquet. Pendant ce temps, incorporez 10 cl du jus de cuisson des coquillages que vous avez réservé, à la sauce tomate. Portez à ébullition en remuant. Baissez le feu, mettez les feuilles de basilic et les crevettes ainsi que les palourdes et les moules décortiquées. Mélangez et assaisonnez.

7 Égouttez les pâtes et transférez-les dans un plat préchauffé. Versez la sauce aux fruits de mer dessus et mélangez. Servez dans des assiettes individuelles en parsemant d'herbes aromatiques ; garnissez chaque portion avec 2 palourdes et 1 moule réservées dans leurs coquilles.

Spaghetti alle vongole

SPAGHETTIS AUX PALOURDES

Voici l'une des spécialités italiennes les plus réputées. On la baptise parfois Spaghettis à la sauce blanche et aux palourdes *pour la distinguer d'un autre grand classique : la sauce tomate aux palourdes.*

INGRÉDIENTS

Pour 4 personnes

350 g de spaghettis
1 kg de palourdes fraîches
4 cuil. à soupe d'huile d'olive
3 cuil. à soupe de persil plat haché
10 cl de vin blanc sec
2 gousses d'ail
sel et poivre noir moulu

1 Nettoyez les palourdes sous le robinet d'eau froide, en jetant toutes celles qui sont ouvertes ou ne se ferment pas lorsque vous les tapez avec un couteau.

2 Faites chauffer la moitié de l'huile dans une grande casserole, ajoutez les palourdes et 1 cuillerée à soupe de persil, et portez à feu vif quelques secondes. Versez le vin, puis couvrez. Laissez cuire 5 min en secouant souvent la casserole jusqu'à ce que les palourdes soient ouvertes. Pendant ce temps, faites cuire les pâtes dans de l'eau bouillante salée selon les instructions figurant sur le paquet.

3 À l'aide d'une écumoire, transférez les palourdes dans un récipient en jetant celles qui ne sont pas ouvertes. Réservez le jus et 8 palourdes dans leur coquille pour la garniture. Décortiquez le reste des coquillages.

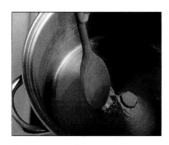

4 Chauffez le reste de l'huile dans une autre casserole. Faites revenir les gousses d'ail entières à feu moyen, jusqu'à ce qu'elles commencent à dorer. Retirez l'ail à l'aide d'une écumoire et jetez-le.

5 Mettez les palourdes décortiquées dans l'huile restée au fond de la casserole, incorporez le jus de cuisson des palourdes et poivrez généreusement. Faites cuire 1 à 2 min en versant progressivement le liquide à mesure que la sauce réduit. Ajoutez le reste du persil et faites cuire 1 à 2 min.

6 Égouttez les pâtes, placez-les dans la casserole, puis mélangez. Servez dans des assiettes en répartissant les palourdes décortiquées au-dessus de chaque part. Garnissez avec les palourdes réservées dans leur coquille et servez sans attendre.

Penne ai gamberi e carciofi

PENNES AUX CREVETTES ET AUX ARTICHAUTS

Préparez ce plat vers la fin du printemps ou au début de l'été, lorsque les petits artichauts violets apparaissent sur les étals des marchés.

INGRÉDIENTS

Pour 4 personnes

350 g de pennes
4 petits artichauts
jus d'1/2 citron
6 cuil. à soupe d'huile d'olive
2 gousses d'ail écrasées
2 cuil. à soupe de menthe fraîche
    hachée
2 cuil. à soupe de persil plat haché
8 à 12 grosses crevettes roses
    décortiquées et coupées
    en 2 à 3 morceaux
25 g de beurre
sel et poivre noir moulu

1 Versez le jus de citron dans un récipient d'eau froide. Pour préparer les artichauts, enlevez les tiges et coupez la pointe des feuilles. Ôtez les feuilles extérieures.

2 Coupez les artichauts en quatre dans le sens de la longueur et retirez le foin. Émincez les quartiers d'artichauts en tranches de 5 mm. Déposez-les dans le récipient d'eau citronnée.

3 Égouttez les tranches d'artichauts et séchez-les avec du papier absorbant. Faites chauffer l'huile d'olive dans une poêle à fond antiadhésif et ajoutez les artichauts, l'ail écrasé et la moitié de la menthe et du persil.

4 Salez et poivrez généreusement. Portez à feu doux 10 min en remuant souvent, jusqu'à ce que les artichauts soient tendres.

5 Dans le même temps, faites cuire les pâtes dans une grande casserole d'eau bouillante salée selon les instructions figurant sur le paquet.

6 Incorporez les crevettes, mélangez et laissez mijoter 1 à 2 min à feu doux.

7 Égouttez les pâtes et transférez-les dans un plat préalablement chauffé. Ajoutez le beurre et remuez pour le faire fondre. Versez le mélange à base d'artichauts sur les pâtes et mélangez. Parsemez du reste des herbes et servez immédiatement.

Pesce con fregola

POISSONS AUX FREGOLA

Cette spécialité sarde est un compromis entre la soupe et le ragoût. Servez-la avec un pain de campagne italien bien croustillant.

INGRÉDIENTS

Pour 4 à 6 personnes

175 g de *fregola*
1 saint-pierre de 450 g vidé,
   sans la tête ni la queue
1 mulet ou 1 rouget de 500 g,
   sans la tête ni la queue
350 à 450 g de filet de cabillaud
   épais
5 cuil. à soupe d'huile d'olive
4 gousses d'ail finement hachées
1/2 piment rouge séché, épépiné
   et finement haché
1 grosse poignée de persil plat
   frais haché
1 boîte de 400 g d'olivettes
   concassées
sel et poivre noir moulu

1 Faites chauffer 2 cuillerées à soupe d'huile d'olive dans une grande casserole. Ajoutez l'ail et le piment, ainsi que la moitié du persil frais. Faites revenir 5 min à feu moyen, en remuant de temps en temps.

2 Coupez les poissons en gros morceaux – en gardant la peau et les arêtes du saint-pierre et du mulet – et mettez-les dans la casserole. Arrosez de 2 cuillerées à soupe d'huile d'olive et faites frire quelques minutes.

3 Ajoutez les tomates, puis remplissez la boîte vide d'eau froide et versez celle-ci dans la casserole. Portez à ébullition. Salez et poivrez, baissez le feu et laissez cuire 10 min, en remuant de temps en temps.

4 Jetez les *fregola* dans la sauce et laissez mijoter 5 min, puis ajoutez 25 cl d'eau ainsi que le reste de l'huile. Faites cuire pendant 15 min jusqu'à ce que les *fregola* soient *al dente*.

5 Si la sauce épaissit trop, versez encore de l'eau. Goûtez et assaisonnez. Servez dans des assiettes creuses chaudes en répartissant le reste du persil.

CONSEILS

❖ Vous pouvez préparer la sauce plusieurs heures à l'avance ou même la veille. Portez-la à ébullition et versez-la sur les *fregola* juste avant de servir.

❖ Les *fregola* sont des petites pâtes sardes. Si vous n'en trouvez pas, utilisez de minuscules pâtes à potage comme les *corallini* ou les *semi de melone*.

Farfalle al sugo di tonno

FARFALLES AU THON

*Ce plat facile et rapide à préparer
peut constituer un excellent
dîner improvisé en semaine
si vous disposez de boîtes de tomates
et de thon en réserve.*

INGRÉDIENTS

Pour 4 personnes

400 g de farfalles
1 boîte de 200 g de thon à l'huile
2 cuil. à soupe d'huile d'olive
1 petit oignon finement haché
1 gousse d'ail finement hachée
1 boîte de 400 g d'olivettes
concassées
3 cuil. à soupe de vin blanc sec
8 à 10 olives noires dénoyautées
coupées en rondelles
2 cuil. à café d'origan frais
ou 1 cuil. à café d'origan séché
sel et poivre noir moulu

1 Chauffez l'huile d'olive dans un poêlon ou une casserole de taille moyenne, ajoutez l'oignon et l'ail et faites revenir à feu doux 2 à 3 min.

2 Incorporez les olivettes et portez à ébullition, puis versez le vin blanc et laissez mijoter 1 min. Mettez les olives et l'origan, salez et poivrez, puis couvrez et laissez cuire 20 à 25 min, en remuant de temps en temps.

3 Pendant ce temps, faites cuire les pâtes dans une grande casserole d'eau bouillante salée selon les instructions figurant sur le paquet.

4 Égouttez le thon et émiettez-le à l'aide d'une fourchette. Incorporez-le à la sauce avec 4 cuillerées à soupe de l'eau de cuisson des pâtes. Goûtez et rectifiez l'assaisonnement.

5 Égouttez les pâtes et transférez-les dans un grand plat préalablement chauffé. Nappez de sauce au thon et mélangez. Garnissez avec des brins d'origan et servez sans attendre.

Paglia e fieno con salsa di gamberi e vodka

PAGLIA ET FIENO AUX CREVETTES

Le mélange de crevettes, de vodka et de pâtes est une recette classique, toujours en vogue aujourd'hui en Italie. La sauce se marie aussi avec des pâtes courtes comme les pennes, les rigatoni et les farfalles.

INGRÉDIENTS

Pour 4 personnes

350 g de tagliatelles *paglia e fieno*
  (« paille et foin »)
12 grosses crevettes roses crues
  décortiquées et coupées en morceaux
2 cuil. à soupe de vodka
2 cuil. à soupe d'huile d'olive
1/4 d'oignon finement haché
1 gousse d'ail écrasée
2 cuil. à soupe de pâte de tomates
  séchées au soleil
20 cl de *panna da cucina*
  ou de crème fraîche épaisse
sel et poivre noir moulu

1 Chauffez l'huile dans une casserole de taille moyenne, ajoutez l'oignon et l'ail, et faites revenir 5 min à feu doux en remuant souvent.

2 Incorporez la pâte de tomates et mélangez 1 à 2 min, puis versez la crème et portez à ébullition en continuant à tourner. Salez, poivrez et laissez la sauce bouillonner jusqu'à ce qu'elle commence à épaissir. Retirez du feu.

3 Faites cuire les pâtes selon les instructions figurant sur le paquet. Juste avant qu'elles ne soient prêtes, ajoutez les crevettes et la vodka, et mélangez rapidement sur feu moyen pendant 2 à 3 min, jusqu'à ce que les crevettes rosissent.

4 Égouttez les pâtes et transférez-les dans un plat préalablement chauffé. Nappez de sauce et mélangez. Répartissez entre 4 assiettes creuses chaudes et servez sans attendre.

CONSEIL

Cette sauce doit être servie dès qu'elle est prête, faute de quoi les crevettes seraient trop cuites et durciraient. Assurez-vous que les pâtes n'ont qu'1 à 2 min de cuisson au moment où vous incorporez les crevettes.

Penne, panna e salmone

PENNES À LA CRÈME ET AU SAUMON FUMÉ

Cette recette moderne est très appréciée dans toute l'Italie. Les trois principaux ingrédients s'associent à merveille, et ce plat est rapide et facile à préparer.

INGRÉDIENTS

Pour 4 personnes

350 g de pennes
125 g de saumon fumé coupé
  en tranches fines
15 cl de crème fraîche très épaisse
2 à 3 brins de thym frais
25 g de beurre
sel et poivre noir moulu

1 Faites cuire les pâtes dans une casserole d'eau bouillante salée selon les instructions figurant sur le paquet.

2 Pendant ce temps, émincez le saumon fumé en fines lamelles de 5 mm de large à l'aide de ciseaux de cuisine. Détachez les feuilles de thym de la tige.

3 Faites fondre le beurre dans une grande casserole. Incorporez la crème ainsi qu'1/4 du saumon. Ajoutez les feuilles de thym et poivrez. Portez 3 à 4 min à feu doux en remuant continuellement. Ne laissez pas bouillir. Goûtez la sauce et assaisonnez.

4 Égouttez les pâtes, puis mélangez-les avec la sauce. Répartissez entre 4 assiettes creuses préchauffées. Parsemez chaque part du reste de saumon et de thym, et servez sans attendre.

VARIANTE

Même si cette sauce est traditionnellement servie avec des pennes, elle convient également très bien aux raviolis frais farcis aux épinards et à la ricotta.

Spaghetti alla bottarga

SPAGHETTIS À LA BOUTARGUE

Même si cette recette surprend du fait que la boutargue (laitance de mulet ou de thon salée et séchée à l'air) en est le principal ingrédient, elle est très connue en Sardaigne, en Sicile et dans d'autres régions du sud de l'Italie, ainsi qu'en Provence. Ce plat, facile à préparer, est délicieux.

INGRÉDIENTS

Pour 4 personnes

350 g de spaghettis
5 cuil. à soupe de boutargue râpée
4 cuil. à soupe d'huile d'olive
2 à 3 gousses d'ail épluchées
poivre noir moulu

1 Faites cuire les pâtes selon les instructions figurant sur le paquet.

2 Dans le même temps, chauffez la moitié de l'huile d'olive dans une grande casserole. Ajoutez l'ail et faites cuire à feu doux pendant quelques minutes en remuant. Retirez la casserole du feu, récupérez l'ail à l'aide d'une écumoire et jetez-le.

3 Égouttez les pâtes. Remettez la casserole d'huile parfumée à l'ail sur le feu et versez les pâtes. Mélangez, poivrez et ajoutez le reste de l'huile. Répartissez les pâtes entre 4 assiettes creuses préchauffées, saupoudrez de boutargue râpée et servez aussitôt.

CONSEIL

On trouve de la boutargue dans les épiceries fines italiennes. Les petits bocaux de boutargue râpée sont pratiques, mais les tranches de boutargue de mulet emballées sous vide ont meilleur goût. Elles sont très faciles à râper. Gardez le reste de boutargue au réfrigérateur en l'enveloppant avec soin pour éviter qu'elle ne gâte les autres aliments.

Spaghetti alla carrettiera

SPAGHETTIS AU THON,
AUX CHAMPIGNONS ET AU BACON

Les Romains, les Napolitains et les Siciliens se disputent l'origine de cette recette, aussi en existe-t-il de nombreuses variantes.

INGRÉDIENTS

Pour 4 personnes

400 g de spaghettis
1 boîte de 200 g de thon à l'huile
   d'olive, égoutté
225 g de champignons hachés
15 g de champignons sauvages séchés
75 g de *pancetta* ou de bacon
   en lanières de 5 mm de large
20 cl d'eau chaude
2 cuil. à soupe d'huile d'olive
1 gousse d'ail
sel et poivre noir moulu
parmesan râpé, pour l'accompagnement

1 Mettez les champignons sauvages séchés dans un bol. Versez l'eau chaude et laissez-les tremper 15 à 20 min.

2 Chauffez l'huile dans une grande casserole, ajoutez la gousse d'ail et laissez cuire 2 min à feu doux en écrasant l'ail à l'aide d'une cuillère en bois pour en libérer l'arôme. Retirez la gousse et jetez-la. Mettez la *pancetta* ou le bacon dans l'huile restée dans la casserole et faites cuire 3 à 4 min en remuant de temps en temps.

3 Dans l'intervalle, égouttez les champignons séchés en réservant l'eau de trempage et hachez-les finement.

4 Mettez les 2 variétés de champignons dans la casserole et faites cuire 1 à 2 min, puis ajoutez 6 cuillerées à soupe de l'eau de trempage réservée, salez et poivrez. Laissez mijoter 10 min en remuant de temps en temps. Dans le même temps, faites cuire les pâtes selon les instructions figurant sur le paquet. Versez le reste de l'eau de trempage des champignons à l'eau de cuisson des pâtes.

5 Incorporez le thon égoutté dans la sauce à base de champignons et mélangez. Goûtez et assaisonnez.

6 Égouttez les pâtes et transférez-les dans un plat préalablement chauffé. Nappez-les de sauce, mélangez et parsemez de parmesan râpé. Servez immédiatement.

Capelli d'angelo all'aragosta

CHEVEUX D'ANGE AU HOMARD

Ce plat sophistiqué est idéal pour les grandes occasions. Certains cuisiniers préfèrent utiliser du champagne plutôt que du vin blanc pour préparer la sauce, en particulier lorsqu'ils comptent servir du champagne avec le repas.

INGRÉDIENTS

Pour 4 personnes

300 g de cheveux d'ange frais
1 homard cuit et décortiqué
jus d'1/2 citron
40 g de beurre
4 brins d'estragon frais
4 cuil. à soupe de crème fraîche
    épaisse
6 cuil. à soupe de vin blanc sec
    pétillant
4 cuil. à soupe de fumet de poisson
sel et poivre noir moulu
2 cuil. à café d'œufs de lump,
    pour la décoration (facultatif)

3 Mettez la casserole de sauce au homard sur le feu, ajoutez les pâtes et mélangez. Versez un peu de l'eau de cuisson des pâtes réservée pour mouiller légèrement. Servez sans attendre dans des assiettes creuses préchauffées en décorant chacune d'entre elles de quelques œufs de lump.

CONSEIL

Pour extraire la chair du homard, placez le crustacé ventre en l'air sur une planche à découper. Coupez-le en deux dans le sens de la longueur à l'aide d'un couteau bien aiguisé. Enlevez le foie (vert) et les œufs (roses) et réservez-les, puis retirez et jetez l'estomac. Détachez la chair blanche des deux côtés de la carapace et jetez la veine intestinale noire. Brisez les pinces avec un casse-noix et récupérez la chair. Arrachez la petite pince avec la membrane blanche et prenez la chair de cette partie de la carapace. Extrayez la chair de la grande pince.

1 Coupez la chair du homard en petits morceaux et mettez-la dans une jatte. Arrosez avec le jus de citron. Faites fondre le beurre dans une grande casserole, ajoutez le homard et l'estragon, et mélangez sur le feu quelques secondes. Incorporez la crème, puis versez le vin et le fumet, salez et poivrez. Laissez mijoter 2 min, puis retirez du feu et couvrez.

2 Faites cuire les pâtes selon les instructions figurant sur le paquet. Égouttez-les en réservant quelques cuillerées d'eau de cuisson.

Linguine al granchio

LINGUINE AU CRABE

Cette spécialité romaine très riche
peut être servie en entrée au déjeuner
ou pour le dîner, accompagnée de
pain italien. Certains cuisiniers
préfèrent une sauce plus fine
et passent la chair de crabe dans
un tamis après l'avoir écrasée.

INGRÉDIENTS
Pour 4 personnes

350 g de *linguine*
250 g de chair de crabe
3 cuil. à soupe d'huile d'olive
1 petite poignée de persil plat
  frais haché
1 gousse d'ail écrasée
350 g d'olivettes bien mûres pelées
  et coupées en morceaux
5 cuil. à soupe de vin blanc sec
sel et poivre noir moulu

1 Mettez la chair de crabe dans un mortier et écrasez-la avec un pilon, de façon à la réduire en pulpe. Si vous n'avez ni mortier ni pilon, utilisez un récipient solide et l'extrémité d'un rouleau à pâtisserie. Réservez.

2 Faites chauffer 2 cuillerées à soupe d'huile dans une grande casserole. Ajoutez le persil et l'ail, salez et poivrez et faites revenir quelques minutes jusqu'à ce que l'ail commence à dorer.

3 Incorporez les tomates, la chair de crabe écrasée et le vin, couvrez et laissez mijoter 15 min en remuant de temps en temps.

4 Pendant ce temps, faites cuire les pâtes selon les instructions figurant sur le paquet. Égouttez-les dès qu'elles sont *al dente* et réservez une partie de l'eau de cuisson.

5 Remettez les pâtes dans la casserole, versez le reste d'huile et mélangez rapidement sur feu moyen jusqu'à ce que les pâtes en soient bien imprégnées.

6 Ajoutez le mélange aux tomates et au crabe, et remuez à nouveau en mouillant légèrement avec l'eau de cuisson des pâtes si vous le jugez nécessaire. Assaisonnez à votre goût. Parsemez de persil et servez très chaud.

CONSEIL
Demandez à votre poissonnier de vous décortiquer le crabe ou achetez un crabe tout préparé au supermarché. Pour cette recette, il vous faudra un gros crabe, et vous pouvez utiliser la chair noire aussi bien que la chair blanche.

Tagliatelle con capesante

TAGLIATELLES AUX NOIX DE SAINT-JACQUES

*Les noix de Saint-Jacques et
le cognac font de cette préparation
un plat relativement cher, mais
il est si délicieux que vous n'aurez
aucun regret. Servez-le en entrée
pour un dîner entre amis.*

INGRÉDIENTS

Pour 4 personnes

275 g de tagliatelles aux épinards
200 g de noix de Saint-Jacques
    coupées en deux
2 cuil. à soupe de farine
40 g de beurre
2 ciboules coupées en rondelles
1 petit piment rouge frais épépiné
    et haché très finement
2 cuil. à soupe de persil plat
    finement haché
4 cuil. à soupe de cognac
12 cl de fumet de poisson
sel et poivre noir moulu

1 Roulez les noix de Saint-Jacques
dans la farine. Portez à ébullition une
casserole d'eau salée pour faire cuire
les pâtes.

2 Pendant ce temps, chauffez le beurre
dans un poêlon ou une grande casserole. Ajoutez les ciboules, le piment
et la moitié du persil hachés, et faites
revenir 1 à 2 min sur feu moyen en
remuant souvent. Incorporez les noix
et faites-les frire 1 à 2 min.

3 Versez le cognac sur les noix de
Saint-Jacques, puis faites-les flamber.
Dès que les flammes diminuent, incorporez le fumet de poisson. Salez, poivrez et mélangez. Laissez mijoter 2 à
3 min, puis couvrez et retirez du feu.

4 Jetez les pâtes dans l'eau bouillante
et faites-les cuire selon les instructions
figurant sur le paquet. Égouttez-les,
versez-les dans la sauce et mélangez à
feu moyen. Servez sans délai dans des
assiettes creuses préchauffées et garnissez avec le reste du persil.

C O N S E I L

Achetez des noix de Saint-Jacques
fraîches, si possible avec leur corail.
Elles ont toujours meilleur goût et
meilleure consistance que les surgelées,
qui contiennent trop d'eau.

Spaghetti con seppie e piselli

SPAGHETTIS AU CALMAR ET AUX PETITS POIS

*En Toscane, on prépare souvent
le calmar avec des petits pois
et de la sauce tomate. Cette
variante de la recette toscane
est bien parfumée.*

INGRÉDIENTS

Pour 4 personnes

350 g de spaghettis
450 g de calmar préparé
125 g de petits pois surgelés
2 cuil. à soupe d'huile d'olive
1 petit oignon finement haché
400 g d'olivettes concassées
1 gousse d'ail hachée
1 cuil. à soupe de vinaigre de vin rouge
1 cuil. à soupe de sucre
2 cuil. à café de romarin frais
    finement haché
1 cuil. à soupe de persil plat
    frais haché
sel et poivre noir moulu

1 Coupez le calmar en lamelles de
5 mm de large. Émincez finement les
tentacules.

2 Chauffez l'huile dans un poêlon ou
une casserole de taille moyenne, ajoutez l'oignon haché et faites-le fondre à
feu doux pendant 5 min en remuant.
Incorporez le calmar, les tomates, l'ail,
le vinaigre de vin rouge et le sucre.

3 Ajoutez le romarin, salez et poivrez.
Portez à ébullition en remuant, puis
couvrez et laissez cuire 20 min à feu
doux. Incorporez les petits pois et laissez mijoter 10 min. Pendant ce temps,
faites cuire les pâtes selon les instructions du paquet, puis égouttez-les et
transférez-les dans un plat préchauffé.
Nappez de sauce, parsemez de persil,
mélangez et servez.

Spaghetti con salmone e gamberi

SPAGHETTIS AU SAUMON ET AUX CREVETTES

*Ce plat au goût très frais est idéal
pour un repas estival al fresco.
Servez-le comme plat principal
au déjeuner avec de la ciabatta
ou de la focaccia chaude,
accompagné d'un vin blanc sec.*

INGRÉDIENTS

Pour 4 personnes

350 g de spaghettis
300 g de filet de saumon
125 g de crevettes cuites
  décortiquées, décongelées
  si besoin
20 cl de vin blanc sec
quelques brins de basilic frais
6 olivettes bien mûres pelées
  et coupées en petits morceaux
15 cl de crème fraîche épaisse
sel et poivre noir moulu

1 Disposez le saumon avec la peau
vers le haut dans une sauteuse. Versez
le vin, puis ajoutez les brins de basilic,
salez et poivrez. Portez à ébullition le
vin, couvrez et laissez mijoter 5 min
à feu doux. Sortez le poisson de la
sauteuse à l'aide d'une spatule et laissez-le refroidir.

2 Ajoutez les tomates et la crème au
liquide restant dans la sauteuse et
portez à ébullition. Mélangez bien, puis
baissez le feu et laissez mijoter sans
couvrir 10 à 15 min. Pendant ce temps,
faites cuire les pâtes selon les instructions figurant sur le paquet.

3 Ôtez la peau et les arêtes, et émiettez le poisson. Mettez-le dans la sauce
en même temps que les crevettes, en
remuant la casserole pour bien mélanger. Goûtez et assaisonnez.

4 Égouttez les pâtes et versez-les dans
un plat préalablement chauffé. Nappez
de sauce et mélangez. Garnissez avec
des feuilles de basilic frais et servez
immédiatement.

CONSEIL

*Vérifiez que le filet de saumon ne contient
pas d'arêtes lorsque vous l'émiettez.
Retirez toutes celles qui restent avec vos
doigts ou à l'aide d'une pince à épiler.*

Tagliolini con vongole e cozze

TAGLIOLINI AUX PALOURDES ET AUX MOULES

Servi en entrée sur une assiette blanche, ce plat fait beaucoup d'effet. La sauce peut être préparée plusieurs heures à l'avance ; faites cuire les pâtes et disposez les ingrédients à la dernière minute.

INGRÉDIENTS

Pour 4 personnes

350 g de *tagliolini* ou de tagliatelles
 à l'encre de calmar
450 g de palourdes
450 g de moules
4 cuil. à soupe d'huile d'olive
1 petit oignon finement haché
2 gousses d'ail finement hachées
1 grosse poignée de persil plat frais
20 cl de vin blanc sec
25 cl de fumet de poisson
1 petit piment rouge frais épépiné
 et haché
sel et poivre noir moulu

1 Nettoyez les moules et les palourdes sous le robinet d'eau froide et jetez celles qui sont ouvertes ou qui ne se referment pas lorsque vous les tapez avec votre couteau.

2 Chauffez la moitié de l'huile dans une grande casserole, ajoutez l'oignon et faites-le fondre à feu doux pendant 5 min. Incorporez l'ail, puis la moitié du persil, salez et poivrez. Jetez les moules et les palourdes dans la casserole, versez le vin, couvrez et portez à ébullition. Laissez cuire 5 min en remuant souvent la casserole jusqu'à ce que les coquillages soient ouverts.

3 Déposez les moules et les palourdes dans une passoire posée sur un récipient profond et laissez-les s'égoutter. Ôtez les aromates et les coquillages qui ne se sont pas ouverts pendant la cuisson. Remettez le jus dans la casserole et versez le fumet de poisson. Hachez le reste du persil et mettez-le dans le jus ainsi que le piment rouge haché. Portez à ébullition, puis baissez le feu et laissez réduire quelques minutes en remuant. Éteignez le feu.

4 Retirez et jetez la coquille du haut de la moitié des moules et des palourdes. Replacez tous les coquillages dans la casserole avec le jus et les condiments, puis couvrez et réservez.

5 Faites cuire les pâtes selon les instructions figurant sur le paquet.

6 Égouttez-les, puis transférez-les dans la casserole. Ajoutez le reste d'huile d'olive. Portez la casserole de coquillages sur feu vif et tournez à l'aide d'une cuillère pour les mélanger avec le jus et les condiments.

7 Répartissez les pâtes entre 4 assiettes creuses préchauffées, nappez de la préparation aux coquillages, parsemez de persil et servez sans attendre.

VIANDES
ET VOLAILLES

Lorsque nous hésitons sur la sauce à servir avec des pâtes, nous pensons d'abord à la sauce bolonaise – *ragù alla bolognese*. Grâce aux échanges avec les Italiens, la sauce bolonaise est devenue l'une des sauces les plus connues à l'étranger. Cette sauce à base de bœuf, de porc et de *pancetta* mijotés dans du vin et de la sauce tomate est un véritable délice. Malheureusement, hors des frontières italiennes, elle est souvent servie avec des spaghettis, ce qui est une erreur. Elle devrait accompagner des tagliatelles. La plupart des sauces à base de viande sont des spécialités du nord de l'Italie, plus particulièrement de la région d'Émilie-Romagne, où l'on trouve une viande d'excellente qualité et de succulents jambons, salamis et saucisses de grande renommée. En fait, cette sauce ne contient que de tout petits morceaux de viande, faute de quoi elle glisserait le long des pâtes. Les pâtes aux œufs de l'Italie septentrionale se marient bien avec les sauces à base de viande parce qu'elles s'imprègnent bien de sauce. Si les pâtes longues, comme les spaghettis et les vermicelles, sont souvent associées aux sauces à base de viande, c'est précisément parce qu'elles retiennent mal la sauce, ce qui n'est pas gênant lorsque celle-ci est très consistante.

Tagliatelle alla bolognese

TAGLIATELLES À LA BOLONAISE

*Cette spécialité bolonaise est une
sauce à la viande — ragù en italien —
traditionnelle. Très riche, elle est
toujours servie avec des tagliatelles,
jamais avec des spaghettis.*

INGRÉDIENTS

Pour 6 à 8 personnes

450 g de tagliatelles
sel et poivre noir moulu
parmesan râpé, pour
   l'accompagnement

Pour la sauce bolonaise
1 oignon
2 carottes
2 branches de céleri
2 gousses d'ail
25 g de beurre
1 cuil. à soupe d'huile d'olive
125 g de *pancetta* ou de bacon
   coupé(e) en dés
250 g de viande de bœuf hachée
   maigre
250 g de viande de porc hachée
   maigre
10 cl de vin blanc sec
2 boîtes de 400 g d'olivettes
   concassées
50 à 75 cl de bouillon de bœuf
10 cl de *panna da cucina*
   ou de crème fraîche épaisse

2 Incorporez le bœuf et le porc hachés, baissez le feu et laissez cuire 10 min à feu doux, en remuant souvent et en cassant les morceaux de viande avec une cuillère en bois. Salez et poivrez, puis ajoutez le vin et mélangez à nouveau. Faites réduire 5 min.

1 Préparez la sauce à la viande. Coupez tous les légumes frais en petits morceaux. Faites chauffer le beurre et l'huile dans une sauteuse, jusqu'à ce que le mélange commence à grésiller. Ajoutez les légumes et la *pancetta* ou le bacon, et portez à feu moyen pendant 10 min, en remuant souvent.

3 Ajoutez les tomates et 25 cl de bouillon de bœuf, et portez à ébullition. Tournez bien et baissez le feu. Couvrez la sauteuse à moitié et laissez mijoter à feu très doux pendant 2 h. Remuez de temps en temps et ajoutez du bouillon si la sauce épaissit trop.

4 Incorporez la crème, mélangez, puis laissez mijoter sans couvrir pendant encore 30 min, en remuant souvent. Pendant ce temps, faites cuire les pâtes selon les instructions du paquet. Goûtez la sauce et rectifiez l'assaisonnement si nécessaire. Égouttez les pâtes et transférez-les dans un plat chaud. Nappez de sauce et mélangez. Parsemez de parmesan râpé et servez aussitôt.

VARIANTE

Certains cuisiniers ajoutent quelques foies de volaille hachés lorsqu'ils font revenir la viande (étape 2). Cela donne à la sauce un goût très fort qui rappelle un peu celui du gibier.

Spaghetti con polpettine

SPAGHETTIS AUX BOULETTES DE VIANDE

Les boulettes de viande mijotées dans une sauce tomate épicée sont un véritable délice avec les spaghettis. Les enfants en raffolent, et vous pouvez supprimer les piments si vous préférez.

INGRÉDIENTS

Pour 6 à 8 personnes

400 g de spaghettis
350 g de viande de bœuf hachée
1 œuf
4 cuil. à soupe de persil plat
   frais haché
1/2 cuil. à café de piments rouges
   séchés écrasés
1 tranche de pain blanc épaisse,
   sans la croûte
2 cuil. à soupe de lait
2 cuil. à soupe d'huile d'olive
30 cl de *passata*
40 cl de bouillon de légumes
1 cuil. à café de sucre
sel et poivre noir moulu
parmesan râpé, pour l'accompagnement

1 Mettez la viande de bœuf hachée dans une grande jatte. Ajoutez l'œuf, la moitié du persil et la moitié des piments écrasés. Salez et poivrez.

2 Coupez le pain en petits morceaux et mettez-les dans un saladier. Mouillez avec du lait. Laissez tremper les morceaux de pain quelques minutes, puis pressez-les pour en faire sortir l'excédent de lait et émiettez-les sur la préparation à base de viande. Mélangez à l'aide d'une cuillère en bois, puis pétrissez la préparation jusqu'à ce qu'elle devienne homogène et collante.

3 Rincez-vous les mains à l'eau froide, puis prenez de petites portions de préparation et roulez-les entre vos paumes humides pour confectionner 40 à 60 boulettes de viande. Disposez-les sur un plateau et mettez-les au réfrigérateur pendant 30 min.

4 Chauffez l'huile dans une poêle antiadhésive. Faites dorer les boulettes de viande de tous côtés. Versez la *passata* et le bouillon dans une grande casserole. Réchauffez à feu doux, puis ajoutez le sucre et le reste des piments, salez et poivrez. Incorporez les boulettes de viande au mélange à base de *passata* et portez à ébullition. Baissez le feu et couvrez. Laissez mijoter 20 min.

5 Faites cuire les pâtes selon les instructions figurant sur le paquet. Égouttez-les et transférez-les dans un grand plat préalablement chauffé. Nappez de sauce et mélangez. Parsemez de persil et servez avec du parmesan râpé.

Ragù d'agnello e peperoni

SAUCE À L'AGNEAU ET AUX POIVRONS

Cette recette très simple est une spécialité de la région des Abruzzes-Molise, à l'est de Rome, où on la sert traditionnellement avec des Maccheroni alla chitarra — de longs macaronis de forme carrée.

INGRÉDIENTS

Pour 4 à 6 personnes

250 g de collet d'agneau désossé
    coupé en petits dés
2 gros poivrons rouges épépinés
    et coupés en dés
4 cuil. à soupe d'huile d'olive
2 gousses d'ail finement hachées
2 feuilles de laurier déchirées
25 cl de vin blanc sec
4 olivettes bien mûres pelées
    et coupées en morceaux
sel et poivre noir moulu

1 Faites chauffer la moitié de l'huile d'olive dans une grande poêle, ajoutez les morceaux d'agneau, salez et poivrez. Faites cuire la viande à feu moyen 10 min en remuant souvent, jusqu'à ce qu'elle soit dorée des deux côtés.

2 Ajoutez l'ail et les feuilles de laurier, puis versez le vin et faites réduire.

3 Incorporez le reste de l'huile, les tomates et les poivrons, mélangez avec l'agneau. Assaisonnez à nouveau. Couvrez et laissez mijoter à feu doux 45 à 55 min, jusqu'à ce que la viande soit très tendre. Remuez de temps en temps pendant la cuisson et ajoutez un peu d'eau si la sauce se dessèche trop. Ôtez les feuilles de laurier avant de servir avec les pâtes.

CONSEILS

❖ Vous pouvez également utiliser des poivrons jaunes, orange ou verts à la place des poivrons rouges ou encore les mélanger.

❖ Si vous devez ajouter de l'eau à la sauce en fin de cuisson, utilisez de préférence l'eau de cuisson des pâtes.

❖ Vous pouvez fabriquer des *maccheroni alla chitarra* vous-même ou les acheter secs dans une épicerie fine italienne.

Fusilli con salsicce

FUSILLIS AUX SAUCISSES

Pour préparer cette savoureuse spécialité du sud de l'Italie, mélangez des saucisses épicées, de la sauce tomate et des fusillis, et servez avec du pecorino râpé au goût fort et salé. Ce plat est idéal pour un dîner entre amis. Accompagnez-le d'un vin rouge qui a beaucoup de corps et d'un pain de campagne croustillant.

INGRÉDIENTS

Pour 4 personnes

300 g de fusillis
400 g de saucisses de porc épicées
2 cuil. à soupe d'huile d'olive
1 petit oignon finement haché
2 gousses d'ail écrasées
1 gros poivron jaune épépiné
    et coupé en lamelles
1 cuil. à café de paprika
1 cuil. à café d'herbes séchées
    mélangées
2 cuil. à café de sauce au piment
1 boîte de 400 g d'olivettes
30 cl de bouillon de légumes
sel et poivre noir moulu
pecorino râpé, pour
    l'accompagnement

1 Faites griller les saucisses 10 à 12 min, jusqu'à ce qu'elles soient complètement dorées, puis égouttez-les sur du papier absorbant.

2 Chauffez l'huile dans une sauteuse, ajoutez l'oignon et l'ail, et faites-les cuire à feu doux 5 à 7 min en remuant souvent. Incorporez le poivron jaune, le paprika, les herbes et la sauce au piment. Portez à feu doux 5 à 7 min, en tournant régulièrement.

3 Mettez les tomates en les réduisant en morceaux à l'aide d'une cuillère en bois, salez et poivrez. Mélangez et faites cuire à feu moyen 10 à 12 min en ajoutant le bouillon de légumes progressivement à mesure que la sauce épaissit.

4 Pendant que la sauce tomate cuit, coupez les saucisses grillées en biais en morceaux d'1 cm environ.

5 Ajoutez-les à la sauce, baissez le feu et laissez cuire à feu doux 10 min. Dans l'intervalle, faites cuire les pâtes selon les instructions du paquet.

6 Goûtez la sauce et assaisonnez. Égouttez les pâtes et mélangez-les avec la sauce. Répartissez dans des assiettes creuses chaudes. Parsemez de *pecorino* râpé et servez aussitôt.

Malloreddus

GNOCCHIS SARDES À LA SAUCISSE

En Sardaigne, ce plat est simplement appelé malloreddus, d'après le nom local des pâtes traditionnellement utilisées pour le préparer.

INGRÉDIENTS

Pour 4 à 6 personnes

350 g de *malloreddus* (gnocchis sardes)
200 g de saucisse italienne pur porc coupée en petits morceaux
2 cuil. à soupe d'huile d'olive
6 gousses d'ail
2 petites poignées de feuilles de basilic frais
1 boîte de 400 g d'olivettes coupées
1 pincée de filaments de safran
1 cuil. à soupe de sucre
75 g de *pecorino* râpé
sel et poivre noir moulu

1 Chauffez l'huile dans une sauteuse. Déposez l'ail, la saucisse et la moitié des feuilles de basilic. Faites frire en remuant souvent, jusqu'à ce que la saucisse soit bien dorée. Ôtez l'ail et jetez-le. Ajoutez les tomates. Remplissez d'eau la boîte vide, versez dans la sauteuse, puis incorporez le safran, le sucre, 2 pincées de sel et de poivre. Portez à ébullition, baissez le feu et laissez mijoter 20 à 30 min en remuant de temps en temps.

2 Pendant ce temps, faites cuire les pâtes dans de l'eau bouillante salée selon les instructions du paquet.

3 Égouttez les pâtes et mettez-les dans un plat préalablement chauffé. Goûtez la sauce et assaisonnez, versez-la sur les pâtes et mélangez. Ajoutez 1/3 du *pecorino* râpé et le reste du basilic, et mélangez à nouveau. Garnissez avec le reste du *pecorino* râpé et servez sans attendre.

CONSEIL

En Sardaigne, on utilise une saucisse spéciale aux graines d'anis et au poivre noir appelée *sartizzu sardo*. Vous pouvez la remplacer par de la *salsiccia piccante*. Cependant, si vous préférez un plat moins épicé, essayez la *luganega*, qui est d'ailleurs plus facile à trouver. Vous pouvez aussi demander à votre boucher – s'il fabrique ses propres saucisses – d'en parfumer quelques-unes pour vous avec des graines d'anis et du poivre noir.

Rigatoni alla bresàola e peperoni

RIGATONI À LA BRESÀOLA ET AUX POIVRONS

La bresàola – bœuf cru salé – est habituellement servie en tranches fines comme entrée. Cette recette se caractérise par son goût très prononcé qui rappelle un peu celui du gibier.

INGRÉDIENTS

Pour 6 personnes

450 g de *rigatoni*
150 g de *bresàola* coupée en lamelles
4 poivrons (rouge et orange ou jaune) coupés en dés
2 cuil. à soupe d'huile d'olive
1 petit oignon finement haché
10 cl de vin blanc sec
1 boîte de 400 g d'olivettes concassées
50 g de copeaux de parmesan râpé
1 petite poignée de feuilles de basilic frais
sel et poivre noir moulu

1 Faites chauffer l'huile dans une casserole de taille moyenne, ajoutez l'oignon et la *bresàola*. Couvrez et laissez cuire à feu doux 5 à 8 min, jusqu'à ce que l'oignon commence à fondre. Ajoutez les poivrons, le vin, le sel et le poivre, mélangez et laissez mijoter 10 à 15 min.

2 Mettez les tomates dans la casserole et augmentez le feu. Portez à ébullition en remuant, puis baissez le feu et couvrez à nouveau. Laissez mijoter 20 min à feu doux, en tournant de temps en temps. Dans l'intervalle, faites cuire les pâtes dans une casserole d'eau bouillante salée selon les instructions figurant sur le paquet.

3 Égouttez les pâtes et transférez-les dans un plat préalablement chauffé. Goûtez la sauce, rectifiez l'assaisonnement, puis versez-la sur les pâtes et ajoutez la moitié du parmesan. Mélangez, parsemez de feuilles de basilic et de copeaux de parmesan râpé, et servez immédiatement.

Bucatini alla posillipo

BUCATINI À LA SAUCISSE ET À LA PANCETTA

Cette spécialité constitue un plat principal nourrissant et très savoureux. Le parmesan râpé n'est pas indispensable, mais son goût puissant se marie parfaitement à celui de la pancetta.

INGRÉDIENTS

Pour 4 personnes

400 g de *bucatini*
125 g de chair à saucisse de porc
125 g de *pancetta* ou de bacon coupé(e) en morceaux
1 boîte de 400 g d'olivettes
1 cuil. à soupe d'huile d'olive
1 gousse d'ail écrasée
2 cuil. à soupe de persil plat haché
5 cuil. à soupe de *panna da cucina* ou de crème fraîche épaisse
2 jaunes d'œufs
sel et poivre noir moulu

1 Dégraissez un peu la chair à saucisse si besoin et coupez-la avec un couteau. Réduisez les tomates en purée à l'aide d'un mixer.

2 Faites chauffer l'huile dans une sauteuse, ajoutez l'ail et faites revenir à feu doux pendant 1 à 2 min. Ôtez l'ail à l'aide d'une écumoire et jetez-le.

3 Incorporez la chair à saucisse et la *pancetta* ou le bacon, et faites cuire à feu moyen pendant 3 à 4 min. Remuez continuellement à l'aide d'une cuillère en bois pour écraser la chair à saucisse.

4 Ajoutez la purée de tomates avec la moitié du persil, salez et poivrez. Remuez et portez à ébullition en grattant la sauteuse pour décoller tous les restes de chair à saucisse.

5 Baissez le feu, couvrez et laissez mijoter 30 min en remuant de temps en temps. Goûtez la sauce et assaisonnez.

6 Pendant ce temps, faites cuire les pâtes selon les instructions du paquet. Mettez la crème et les jaunes d'œufs dans un grand plat creux préchauffé et battez à l'aide d'une fourchette. Dès que les pâtes sont *al dente*, égouttez-les et déposez-les sur le mélange de crème et d'œufs. Tournez, puis versez la sauce à base de chair à saucisse sur les pâtes et mélangez à nouveau. Parsemez de persil et servez aussitôt.

CONSEILS

❖ Pour gagner du temps, vous pouvez utiliser de la *passata* au lieu de réduire les tomates en purée vous-même.
❖ Vous pouvez choisir de la *salsiccia a metro* – saucisse de porc vendue au mètre – dans une épicerie italienne.
❖ Les *bucatini* sont de longues pâtes creuses qui ressemblent à des pailles. Les spaghettis conviennent aussi pour cette recette.

Rigatoni con ragù di maiale

RIGATONI AU PORC

Pour préparer cette excellente sauce à la viande, utilisez de préférence de la viande hachée de porc. Ici, elle est servie avec des rigatoni — *pâtes courtes en forme de tubes — mais vous pouvez les remplacer par des tagliatelles ou des spaghettis.*

INGRÉDIENTS

Pour 4 personnes

400 g de *rigatoni*
150 g de viande de porc hachée
1 petit oignon
1/2 carotte
1/2 branche de céleri
2 gousses d'ail
25 g de beurre
2 cuil. à soupe d'huile d'olive
4 cuil. à soupe de vin blanc sec
1 boîte de 400 g d'olivettes
    concassées
quelques feuilles de basilic frais,
    plus quelques-unes pour
    la garniture
sel et poivre noir moulu
parmesan râpé, pour
    l'accompagnement

3 Baissez le feu, puis laissez mijoter encore 2 à 3 min en remuant souvent, puis versez le vin. Incorporez les tomates, les feuilles de basilic entières, salez et poivrez généreusement. Portez à ébullition, puis baissez le feu, couvrez et laissez mijoter 40 min, en tournant fréquemment.

4 Faites cuire les pâtes selon les instructions du paquet. Juste avant de les égoutter, prélevez 1 à 2 louches de leur eau de cuisson pour l'ajouter à la sauce. Mélangez, goûtez la sauce et rectifiez l'assaisonnement.

5 Égouttez les pâtes, mélangez-les à la sauce. Parsemez de basilic et de parmesan râpé, et servez sans attendre.

VARIANTE

Pour donner plus de goût à la sauce, faites tremper 15 g de champignons sauvages séchés dans 20 cl d'eau chaude, 15 à 20 min, puis égouttez-les, coupez-les en petits morceaux et ajoutez-les à la viande.

1 Émincez tous les légumes frais en petits morceaux, avec un couteau ou au mixer. Chauffez le beurre et l'huile dans une sauteuse, jusqu'à ce qu'ils commencent à grésiller. Mettez les légumes émincés à cuire à feu moyen 3 à 4 min en remuant souvent.

2 Incorporez la viande de porc hachée et faites revenir à feu doux 2 à 3 min, en réduisant les gros morceaux de chair à saucisse à l'aide d'une cuillère en bois.

Eliche con salsiccie e radicchio

ELICHE À LA SAUCISSE ET À LA TRÉVISE

L'association de la saucisse et de la trévise peut sembler insolite, mais le mélange de ces deux ingrédients est vraiment délicieux. Cette spécialité consistante fait un bon plat principal.

INGRÉDIENTS

Pour 4 personnes

300 g d'*eliche*
200 g de saucisse de porc italienne
50 g de feuilles de trévise
2 cuil. à soupe d'huile d'olive
1 oignon finement haché
20 cl de *passata*
6 cuil. à soupe de vin blanc sec
sel et poivre noir moulu

1 Chauffez l'huile d'olive dans une casserole. Faites fondre l'oignon haché à feu doux pendant 5 min en remuant souvent.

2 Coupez l'extrémité de la saucisse et comprimez-la pour en faire sortir la chair au-dessus de la casserole. Mélangez celle-ci avec l'huile et l'oignon, et cassez-la en petits morceaux à l'aide d'une cuillère en bois.

3 Continuez à faire frire le mélange en augmentant le feu si nécessaire, jusqu'à ce que la chair à saucisse soit complètement dorée et réduite en miettes. Incorporez la *passata,* puis ajoutez le vin, le sel et le poivre. Laissez mijoter cette sauce à feu doux 10 à 12 min en remuant constamment.

4 Pendant ce temps, faites cuire les pâtes selon les instructions figurant sur le paquet. Juste avant de les égoutter, prélevez 1 à 2 louches de leur eau de cuisson et ajoutez-la à la sauce. Mélangez, goûtez la sauce et rectifiez l'assaisonnement.

5 Coupez les feuilles de trévise en fines lamelles. Égouttez les pâtes et déposez-les sur la sauce. Ajoutez la trévise et mélangez bien. Servez sans attendre.

CONSEILS

❖ Utilisez de préférence de la *salsiccia puro suino*, une saucisse pur porc comprenant certains condiments. Vous en trouverez dans les épiceries fines italiennes.

❖ Achetez plutôt de la trévise à longues feuilles effilées pour préparer ce plat ; à défaut, vous pouvez vous contenter de trévise ronde ordinaire.

Spaghetti bolognese

SPAGHETTIS À LA BOLONAISE

Les spaghettis à la bolonaise ne sont pas un plat authentiquement italien. Cette recette a été « inventée » aux États-Unis par des émigrés italiens dans les années 1960, pour répondre à l'importante demande de plats de spaghettis accompagnés de sauce à la viande. La variante de ce grand classique proposée ici est riche et épicée.

INGRÉDIENTS

Pour 4 à 6 personnes

450 g de spaghettis
350 à 450 g de viande de bœuf hachée
2 cuil. à soupe d'huile d'olive
1 oignon finement haché
1 gousse d'ail finement hachée
1 cuil. à café d'herbes séchées
  mélangées
2 pincées de poivre de Cayenne
1 boîte de 400 g d'olivettes
  concassées
3 cuil. à soupe de ketchup
1 cuil. à soupe de pâte de tomates
1 cuil. à café d'origan séché
50 cl de bouillon de bœuf
  ou de légumes
3 cuil. à soupe de vin rouge
sel et poivre noir moulu
parmesan râpé, pour l'accompagnement

2 Incorporez les tomates, le ketchup, la pâte de tomates séchées, l'origan et le poivre. Versez le bouillon et le vin rouge, et portez à ébullition. Couvrez la casserole, baissez le feu et laissez la sauce mijoter pendant 30 min, en remuant de temps en temps.

3 Faites cuire les pâtes selon les instructions figurant sur le paquet. Égouttez-les et répartissez-les entre les assiettes creuses préalablement chauffées. Goûtez la sauce et ajoutez un peu de sel si nécessaire, puis versez-la sur les pâtes et parsemez de parmesan râpé. Servez immédiatement.

1 Chauffez l'huile dans une casserole, ajoutez l'oignon et l'ail, et faites-les fondre 5 min à feu doux, en remuant souvent. Ajoutez les herbes mélangées et le poivre de Cayenne, et faites cuire 2 à 3 min de plus. Incorporez la viande de bœuf hachée et laissez revenir à feu doux 5 min, en remuant souvent et en écrasant les morceaux de viande à l'aide d'une cuillère en bois.

Tortellini con prosciutto

TORTELLINIS AU JAMBON DE PARME

Voici une recette facile qui n'exige que quelques ingrédients de base, sans doute présents dans vos placards et votre réfrigérateur. Ce plat est idéal pour un dîner improvisé entre amis, après une journée de travail.

INGRÉDIENTS

Pour 4 personnes

250 g de *tortellini alla carne*
   (tortellinis farcis à la viande)
125 g de jambon de Parme
   coupé en dés
2 cuil. à soupe d'huile d'olive
1/4 d'oignon finement haché
15 cl de coulis d'olivettes en brick
10 cl de *panna da cucina*
   ou de crème fraîche épaisse
100 g de parmesan râpé
sel et poivre noir moulu

1 Faites cuire les pâtes selon les instructions figurant sur le paquet.

2 Pendant ce temps, chauffez l'huile dans un grand poêlon ou dans une casserole, ajoutez l'oignon et faites-le fondre 5 min à feu doux en tournant souvent. Ajoutez le jambon et faites-le revenir, en remuant de temps en temps, jusqu'à ce qu'il commence à devenir plus foncé.

3 Incorporez le coulis de tomates. Remplissez d'eau le brick vide et versez-la dans la casserole. Mélangez, salez et poivrez. Portez à ébullition, baissez le feu et laissez réduire quelques minutes en remuant de temps en temps. Ajoutez la crème. Égouttez les pâtes et versez-les dans la sauce.

4 Ajoutez 1 poignée de parmesan râpé dans la casserole. Mélangez, goûtez et assaisonnez. Garnissez avec le reste du parmesan râpé et servez dans des assiettes creuses chaudes.

CONSEIL

Les bricks de coulis de tomates
sont très pratiques pour préparer
une sauce rapidement.

Ragù al vino rosso

SAUCE BOLONAISE AU VIN ROUGE

Cette sauce à la viande peut être utilisée de plusieurs façons différentes. Vous pouvez la mélanger avec des pâtes — la quantité indiquée ici suffit pour 450 g de tagliatelles, de spaghettis ou de pâtes courtes comme les pennes ou les fusillis — ou bien vous en servir pour préparer un plat au four comme les lasagnes.

INGRÉDIENTS

Pour 4 à 6 personnes

400 g de viande de bœuf hachée
12 cl de vin rouge
1 oignon
1 petite carotte
1 branche de céleri
2 gousses d'ail
3 cuil. à soupe d'huile d'olive
20 cl de *passata*
1 cuil. à soupe de purée de tomates
1 cuil. à café d'origan séché
1 cuil. à soupe de persil plat haché
40 cl de bouillon de bœuf
8 toutes petites tomates (facultatif)
sel et poivre noir moulu

1 Coupez tous les légumes en petits morceaux avec un couteau ou à l'aide d'un mixer. Chauffez l'huile dans une grande casserole, ajoutez les légumes et faites-les revenir à feu doux pendant 5 à 7 min, en remuant souvent.

2 Incorporez la viande de bœuf hachée et faites cuire 5 min, en tournant souvent et en brisant les morceaux à l'aide d'une cuillère en bois. Versez le vin et mélangez.

3 Laissez cuire 1 à 2 min, puis ajoutez la *passata*, la purée de tomates, les herbes et 4 cuillerées à soupe de bouillon. Salez et poivrez. Mélangez et portez à ébullition.

4 Couvrez la casserole et faites cuire à feu doux 30 min, en remuant de temps en temps et en ajoutant du bouillon si nécessaire. Le cas échéant, incorporez les petites tomates et laissez mijoter encore 5 à 10 min. Goûtez, rectifiez l'assaisonnement et mélangez avec des pâtes ou utilisez dans un plat au four.

Fettuccine al prosciutto e piselli

FETTUCCINE AU JAMBON ET AUX PETITS POIS

Cette préparation peut être servie en entrée pour six personnes ou comme plat principal pour trois ou quatre. Tous les ingrédients qui la composent sont faciles à se procurer, aussi cette recette est-elle idéale pour un dîner à l'improviste.

INGRÉDIENTS

Pour 3 à 6 personnes

350 g de *fettuccine* frais
75 g de jambon cuit coupé
en petits morceaux
200 g de petits pois frais ou surgelés
50 g de beurre
1 petit oignon finement haché
10 cl de bouillon de volaille
1/2 cuil. à café de sucre
20 cl de vin blanc sec
125 g de parmesan râpé
sel et poivre noir moulu

1 Faites fondre le beurre dans un poêlon ou une casserole de taille moyenne, ajoutez l'oignon et laissez-le fondre à feu doux 5 min. Incorporez les petits pois, le bouillon et le sucre, salez et poivrez à votre goût.

2 Portez à ébullition, puis baissez le feu et laissez mijoter 3 à 5 min. Ajoutez le vin, augmentez le feu et laissez bouillir pour faire réduire.

3 Faites cuire les pâtes selon les instructions figurant sur le paquet. Incorporez le jambon dans la sauce avec 1/3 du parmesan râpé. Chauffez en remuant, goûtez et assaisonnez.

4 Égouttez les pâtes et transférez-les dans un grand plat préalablement chauffé. Versez la sauce sur les pâtes et mélangez. Garnissez avec le reste du parmesan râpé et servez aussitôt.

Pappardelle con sugo di coniglio

PAPPARDELLE À LA SAUCE AU LAPIN

Cette recette est une spécialité du nord de l'Italie, où l'on apprécie beaucoup la sauce au lapin avec les pâtes.

INGRÉDIENTS

Pour 4 personnes

300 g de *pappardelle*
250 g de viande de lapin désossée
15 g de champignons sauvages séchés
20 cl d'eau chaude
1 petit oignon
1/2 carotte
1/2 branche de céleri
2 feuilles de laurier
25 g de beurre
1 cuil. à soupe d'huile d'olive
40 g de *pancetta* ou de bacon coupé(e) en morceaux
1 cuil. à soupe de persil plat haché
6 cuil. à soupe de vin blanc sec
1 boîte de 200 g d'olivettes concassées, ou 20 cl de *passata*
sel et poivre noir moulu

1 Mettez les champignons sauvages dans un bol, couvrez-les d'eau chaude et laissez-les tremper 15 à 20 min. Coupez les légumes en petits morceaux avec un couteau ou à l'aide d'un mixer. Déchirez les feuilles de laurier afin qu'elles libèrent leur arôme dans la sauce.

2 Faites chauffer le beurre et l'huile dans une sauteuse, jusqu'à ce qu'ils commencent à grésiller. Incorporez les légumes, la *pancetta* ou le bacon et le persil, et faites cuire 5 min.

3 Ajoutez les morceaux de lapin et faites-les frire des deux côtés 3 à 4 min. Versez le vin et laissez réduire quelques minutes, puis incorporez les tomates ou la *passata*. Égouttez les champignons et versez l'eau de trempage dans la sauteuse. Hachez les champignons et ajoutez-les au mélange en même temps que les feuilles de laurier, salez et poivrez. Mélangez bien, couvrez et laissez mijoter 35 à 40 min, en remuant de temps en temps.

4 Retirez la sauteuse du feu et sortez les morceaux de lapin à l'aide d'une écumoire. Coupez-les en petits morceaux et incorporez-les à la sauce. Ôtez les feuilles de laurier et jetez-les. Goûtez la sauce et rectifiez l'assaisonnement. Faites cuire les pâtes selon les instructions du paquet. Pendant ce temps, réchauffez la sauce. Égouttez les pâtes et mélangez-les avec la sauce dans un plat préchauffé. Parsemez de persil et servez aussitôt.

Farfalle con pollo e pomodorini

FARFALLES AU POULET
ET AUX TOMATES CERISES

Ce plat très coloré et facile à
préparer est un vrai délice.
Servez-le pour un dîner en semaine,
accompagné d'une salade verte.

INGRÉDIENTS

Pour 4 personnes

275 g de farfalles
350 g de blancs de poulet coupés
  en petits morceaux
1 boîte de 400 g de tomates cerises
4 cuil. à soupe de vermouth sec
2 cuil. à café de romarin frais haché,
  plus 4 brins, pour la décoration
1 cuil. à soupe d'huile d'olive
1 oignon finement haché
100 g de salami italien coupé en dés
1 cuil. à soupe de vinaigre
  balsamique
1 pincée de piments rouges séchés
  écrasés
sel et poivre noir moulu

1 Mettez les morceaux de poulet dans
un grand récipient creux, ajoutez le
vermouth et la moitié du romarin
haché, salez et poivrez. Mélangez et
laissez mariner.

2 Chauffez l'huile dans une sauteuse,
ajoutez l'oignon et le salami, et faites-
les revenir à feu moyen pendant 5 min,
en remuant souvent.

3 Faites cuire les pâtes selon les instructions figurant sur le paquet.

4 Ajoutez le poulet et le vermouth au
mélange à base de salami. Faites cuire
3 min à feu vif, afin que les morceaux
de poulet soient bien blancs. Versez
quelques gouttes de vinaigre dessus.

5 Incorporez les tomates cerises et les
piments séchés. Mélangez bien et laissez encore mijoter quelques minutes.
Goûtez la sauce et assaisonnez.

6 Égouttez les pâtes et versez-les dans
la poêle. Ajoutez le reste du romarin et
mélangez les pâtes à la sauce. Garnissez avec des brins de romarin et servez
immédiatement dans des assiettes
creuses préalablement chauffées.

CONSEIL

Il est souhaitable, pour la décoration, que
les tomates cerises soient utilisées entières ;
mais si vous préférez, vous pouvez les
écraser avec le dos d'une cuillère en bois
pendant qu'elles mijotent dans la casserole.

Penne alla rusticana

PENNES AU POULET, AUX BROCOLIS ET AU GORGONZOLA

Le mélange de brocolis, d'ail et de gorgonzola est particulièrement heureux et se marie très bien avec le poulet.

INGRÉDIENTS

Pour 4 personnes

400 g de pennes
2 blancs de poulet coupés
   en fines lamelles
125 g de bouquets de brocolis
100 g de gorgonzola coupé en dés,
   sans la croûte
50 g de beurre
2 gousses d'ail écrasées
12 cl de vin blanc sec
20 cl de *panna da cucina*
   ou de crème fraîche épaisse
sel et poivre noir moulu
parmesan râpé, pour
   l'accompagnement

1 Plongez les brocolis dans une casserole d'eau bouillante salée. Portez à ébullition et laissez bouillir 2 min, puis égouttez dans une passoire et passez sous le robinet d'eau froide. Égouttez et réservez.

2 Faites fondre le beurre dans une sauteuse, ajoutez le poulet et l'ail, salez, poivrez et mélangez. Faites frire 3 min à feu moyen. Pendant ce temps, mettez les pâtes à cuire selon les instructions figurant sur le paquet.

3 Versez le vin et la crème sur le poulet, mélangez bien, puis laissez réduire 5 min, en remuant de temps en temps. Incorporez les brocolis, augmentez le feu, puis mélangez avec le poulet. Goûtez et rectifiez l'assaisonnement.

4 Égouttez les pâtes et versez-les dans la sauce. Ajoutez le gorgonzola et mélangez. Servez avec du parmesan râpé.

VARIANTE

Vous pouvez utiliser des poireaux
à la place des brocolis.
Faites-les frire avec le poulet.

Pappardelle al pollo e porcini

PAPPARDELLE AU POULET ET AUX CHAMPIGNONS

Ce plat riche et crémeux est parfait pour un bon dîner entre amis.

INGRÉDIENTS

Pour 4 personnes

400 g de *pappardelle*
2 blancs de poulet coupés
   en fines lamelles
15 g de champignons sauvages séchés
20 cl d'eau chaude
25 g de beurre
1 gousse d'ail écrasée
1 petite poignée de persil plat
   frais haché
1 petit poireau ou 4 ciboules
   haché(es)
12 cl de vin blanc sec
25 cl de bouillon de poulet
7 cuil. à soupe de mascarpone
sel et poivre noir moulu
feuilles de basilic frais déchirées,
   pour la décoration

1 Mettez les champignons séchés dans un bol. Recouvrez-les d'eau chaude et laissez-les tremper 15 à 20 min. Transférez les champignons dans une passoire placée sur un récipient creux et pressez-les pour en extraire l'eau.

2 Coupez les champignons en tranches fines et réservez leur eau de trempage.

3 Chauffez le beurre dans une sauteuse, ajoutez les champignons, l'ail, le persil et le poireau ou les ciboules, salez et poivrez. Faites cuire à feu doux pendant 5 min en remuant souvent, puis versez le vin et le bouillon, et portez à ébullition. Baissez le feu et laissez réduire 5 min.

4 Dans l'intervalle, faites cuire les pâtes dans de l'eau bouillante salée selon les instructions figurant sur le paquet. Ajoutez l'eau de trempage des champignons dans la casserole.

5 Incorporez le poulet coupé en lanières dans la sauce et laissez mijoter 5 min. Ajoutez le mascarpone à raison d'1 cuillerée à la fois, puis versez 1 à 2 cuillerées d'eau de cuisson des pâtes. Goûtez et rectifiez l'assaisonnement si nécessaire.

6 Égouttez les pâtes et transférez-les dans un grand plat préchauffé. Disposez le poulet et nappez de sauce. Mélangez bien, parsemez de feuilles de basilic et servez sans attendre.

VARIANTES
❖ Ajoutez 125 g de champignons de Paris émincés.
❖ Incorporez des brocolis blanchis avant le mascarpone (étape 5).

Conchiglie coi fegatini alle erbe

CONCHIGLIE AUX FOIES DE VOLAILLE ET AUX HERBES

Les foies de volaille et les herbes fraîches font un délicieux mélange, souvent préparé en Toscane avec des crostini. *Ici, servis avec des* conchiglie, *ils font un excellent plat pour le repas du soir.*

INGRÉDIENTS

Pour 4 personnes

300 g de *conchiglie*
250 g de foies de volaille coupés en dés
125 g de *pancetta* ou de bacon coupé(e) en dés
50 g de beurre
2 gousses d'ail écrasées
2 cuil. à café de sauge fraîche hachée
15 cl de vin blanc sec
4 olivettes pelées et coupées en dés
1 cuil. à soupe de persil plat frais haché
sel et poivre noir moulu

1 Chauffez le beurre dans une sauteuse, ajoutez la *pancetta* ou le bacon et faites frire à feu moyen pendant quelques minutes.

2 Incorporez les foies de volaille, l'ail, la moitié de la sauge et poivrez généreusement. Augmentez le feu et faites cuire les foies de volaille 5 min en remuant jusqu'à ce qu'ils brunissent. Simultanément, faites cuire les pâtes selon les instructions du paquet.

3 Versez le vin sur les foies de volaille et laissez grésiller un instant, puis baissez le feu et faites réduire à feu doux 5 min. Ajoutez le reste du beurre. Dès qu'il commence à fondre, incorporez les tomates coupées en dés, le reste de la sauge et du persil, et mélangez. Goûtez et ajoutez du sel si nécessaire.

4 Égouttez les pâtes et transférez-les dans un plat préalablement chauffé. Nappez de sauce et mélangez. Servez immédiatement.

LÉGUMES ET PLATS VÉGÉTARIENS

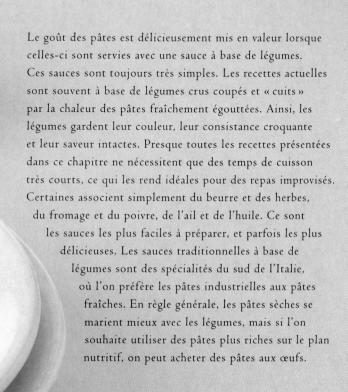

Le goût des pâtes est délicieusement mis en valeur lorsque celles-ci sont servies avec une sauce à base de légumes. Ces sauces sont toujours très simples. Les recettes actuelles sont souvent à base de légumes crus coupés et « cuits » par la chaleur des pâtes fraîchement égouttées. Ainsi, les légumes gardent leur couleur, leur consistance croquante et leur saveur intactes. Presque toutes les recettes présentées dans ce chapitre ne nécessitent que des temps de cuisson très courts, ce qui les rend idéales pour des repas improvisés. Certaines associent simplement du beurre et des herbes, du fromage et du poivre, de l'ail et de l'huile. Ce sont les sauces les plus faciles à préparer, et parfois les plus délicieuses. Les sauces traditionnelles à base de légumes sont des spécialités du sud de l'Italie, où l'on préfère les pâtes industrielles aux pâtes fraîches. En règle générale, les pâtes sèches se marient mieux avec les légumes, mais si l'on souhaite utiliser des pâtes plus riches sur le plan nutritif, on peut acheter des pâtes aux œufs.

Trenette alla genovese

TRENETTE AUX HARICOTS VERTS ET AUX POMMES DE TERRE

*En Ligurie, on associe
traditionnellement le pesto,
les trenette, les haricots verts
et les pommes de terre.*

INGRÉDIENTS

Pour 4 personnes

350 g de *trenette*
100 g de haricots verts
2 pommes de terre d'un poids total
   de 250 g
40 feuilles de basilic frais
2 gousses d'ail finement hachées
2 cuil. à soupe de pignons
3 cuil. à soupe de parmesan râpé,
   plus un peu pour l'accompagnement
2 cuil. à soupe de *pecorino* râpé,
   plus un peu pour l'accompagnement
4 cuil. à soupe d'huile d'olive
   vierge extra
sel et poivre noir moulu

1 Mettez les feuilles de basilic, l'ail, les pignons et les fromages râpés dans un mixer et actionnez 5 s. Ajoutez la moitié de l'huile d'olive et le sel, et mixez encore 5 s. Arrêtez l'appareil, retirez le couvercle et raclez les parois du récipient. Versez le reste de l'huile et mixez 5 à 10 s de plus.

2 Partagez les pommes de terre en deux dans le sens de la longueur. Coupez chaque moitié en tranches de 5 mm d'épaisseur. Épluchez les haricots verts et coupez-les en morceaux de 2 cm. Plongez les pommes de terre et les haricots verts dans une grande casserole d'eau bouillante salée et faites bouillir 5 min sans couvrir.

3 Ajoutez les pâtes, portez à ébullition de nouveau, mélangez et laissez cuire 5 à 7 min, jusqu'à ce que les pâtes soient *al dente*.

4 Pendant ce temps, mettez le *pesto* dans un grand plat creux et incorporez 3 à 4 cuillerées à soupe d'eau de cuisson des pâtes. Mélangez.

5 Égouttez les pâtes et les légumes, transférez-les dans le *pesto* et mélangez. Servez dans des assiettes préalablement chauffées avec du parmesan et du *pecorino* râpés.

CONSEILS

❖ Ne vous inquiétez pas si les pommes de terre se défont pendant la cuisson – cela donnera une consistance plus onctueuse au plat.

❖ Le *pesto* peut être préparé 2 à 3 jours à l'avance et conservé dans un bol au réfrigérateur. Versez un filet d'huile d'olive dessus et couvrez le bol avec du film alimentaire avant de le mettre au froid.

❖ Les *trenette* sont des pâtes de Ligurie que l'on sert traditionnellement avec le *pesto*, mais si vous avez du mal à en trouver, vous pouvez les remplacer par des *bavette* ou des *linguine*, ou encore par des *paglia e fieno* («paille et foin») bicolores.

Paglia e fieno con pomodori secchi e radicchio

PAGLIA E FIENO AUX TOMATES SÉCHÉES AU SOLEIL

Ce plat figure souvent au menu des restaurants à la mode. Il se distingue plus par sa présentation que par sa préparation, qui est très facile et rapide.

INGRÉDIENTS

Pour 4 personnes

350 g de *paglia e fieno*

2 cuil. à soupe de purée de tomates séchées au soleil

2 morceaux de tomates séchées au soleil à l'huile d'olive, égouttées et coupées en petits morceaux

3 cuil. à soupe de pignons

3 cuil. à soupe d'huile d'olive vierge extra

40 g de feuilles de trévise coupées en fines lamelles

4 à 6 ciboules coupées en rondelles

sel et poivre noir moulu

1 Mettez les pignons à griller 1 à 2 min dans une poêle antiadhésive, en les remuant. Retirez du feu et réservez.

2 Faites cuire les pâtes selon les instructions du paquet. Utilisez une casserole différente pour chaque couleur.

5 Mettez 1 part de pâtes vertes et 1 part de pâtes blanches dans 4 assiettes préalablement chauffées et versez le mélange de tomates séchées et de trévise sur le dessus. Parsemez de pignons grillés et de rondelles de ciboules, et servez immédiatement. Chaque convive mélangera ou non les différents ingrédients avec les pâtes.

3 Pendant que les pâtes cuisent, faites chauffer 1 cuillerée à soupe d'huile dans un poêlon ou une casserole de taille moyenne. Ajoutez la purée de tomates et les tomates séchées, puis incorporez 2 louches d'eau de cuisson des pâtes. Faites réduire la sauce en remuant constamment.

4 Ajoutez les lamelles de trévise, goûtez et assaisonnez si nécessaire. Laissez cuire à feu doux. Égouttez les *paglia et fieno*, en séparant les deux couleurs, et remettez-les dans leurs casseroles respectives. Versez environ 1 cuillerée à soupe d'huile dans chaque casserole et mélangez à feu moyen, afin que les pâtes soient bien imprégnées d'huile.

CONSEIL

Si vous trouvez cette présentation trop compliquée, vous pouvez mélanger la préparation à base de tomates séchées et de trévise avec les pâtes dans un grand plat préalablement chauffé avant de servir, puis parsemer de pignons grillés et de rondelles de ciboules au dernier moment.

Penne con salsa di carciofi

PENNES, SAUCE TOMATE AUX ARTICHAUTS

3 Portez à ébullition une grande casserole d'eau salée, puis égouttez les artichauts et mettez-les dans la casserole. Laissez bouillir 5 min, égouttez et réservez.

4 Faites chauffer l'huile dans une sauteuse et ajoutez le fenouil, l'oignon, l'ail et le persil. Faites cuire à feu doux 10 min, en remuant souvent jusqu'à ce que le fenouil devienne plus tendre.

5 Incorporez les tomates et le vin, salez et poivrez. Portez à ébullition en remuant, puis baissez le feu, couvrez la casserole et laissez cuire 10 à 15 min. Mettez les artichauts, couvrez à nouveau et laissez mijoter 10 min de plus. Pendant ce temps, faites cuire les pâtes dans de l'eau bouillante salée selon les instructions du paquet.

6 Égouttez les pâtes en réservant un peu de leur eau de cuisson. Incorporez les câpres dans la sauce, goûtez et assaisonnez. Ajoutez le reste du jus de citron si vous le souhaitez.

7 Transférez les pâtes dans un grand plat préalablement chauffé, nappez de sauce et mélangez en mouillant avec un peu de l'eau de cuisson réservée si nécessaire. Garnissez avec les feuilles de fenouil et servez avec du parmesan râpé.

Les Italiens aiment beaucoup les artichauts et en mettent souvent dans les sauces. Délicieusement parfumé à l'ail, ce plat fait une entrée printanière idéale.

INGRÉDIENTS

Pour 6 personnes

350 g de pennes
1 boîte de 400 g d'olivettes
   concassées
2 artichauts
jus d'1 citron
2 cuil. à soupe d'huile d'olive
1 petit bulbe de fenouil coupé
   en tranches fines
1 oignon finement haché
4 gousses d'ail finement hachées
1 poignée de persil plat haché
15 cl de vin blanc sec
2 cuil. à café de câpres hachées
sel et poivre noir moulu
parmesan râpé, pour
   l'accompagnement

1 Mettez le jus de citron dans un bol d'eau froide. Coupez les tiges des artichauts, puis détachez les feuilles extérieures jusqu'à ce qu'il ne reste plus que les feuilles tendres de l'intérieur, très claires à la base.

2 Coupez la pointe de ces feuilles pour n'en garder que la base. Partagez celle-ci en deux dans le sens de la longueur, puis retirez le foin avec la pointe d'un couteau et jetez-le. Émincez les artichauts en tranches de 5 mm dans le sens de la longueur et plongez-les dans le bol d'eau citronnée.

Spaghetti alla Bellini

SPAGHETTIS AUX AUBERGINES

En Italie, ce plat réputé porte le nom du compositeur sicilien Vincenzo Bellini. On l'appelle aussi parfois Spaghetti alla Norma, d'après le titre du célèbre opéra de Bellini.

INGRÉDIENTS

Pour 4 à 6 personnes

400 g de spaghettis
350 g d'aubergines coupées
   en petits dés
4 cuil. à soupe d'huile d'olive
1 gousse d'ail hachée
450 g d'olivettes bien mûres pelées
   et concassées
huile végétale pour friture
1 poignée de feuilles de basilic frais
   hachées
125 g de ricotta *salata* râpée
sel et poivre noir moulu

1 Chauffez l'huile d'olive dans une casserole, mettez l'ail à cuire à feu doux 1 à 2 min en remuant constamment. Incorporez les tomates, salez et poivrez. Couvrez et laissez mijoter 20 min.

2 Dans l'intervalle, versez de l'huile dans une sauteuse jusqu'à 1 cm de haut. Faites frire les morceaux d'aubergines 4 à 5 min, jusqu'à ce qu'ils commencent à dorer. Retirez-les de l'huile à l'aide d'une écumoire et égouttez-les sur du papier absorbant.

3 Faites cuire les pâtes selon les instructions du paquet. Pendant ce temps, mettez les aubergines frites dans la sauce tomate, mélangez et réchauffez. Goûtez et assaisonnez.

4 Égouttez les pâtes et versez-les dans un plat préalablement chauffé. Ajoutez la sauce, ainsi que le basilic et la ricotta *salata* râpée. Mélangez, garnissez avec le reste de ricotta râpée et servez immédiatement.

CONSEIL

Certains cuisiniers salent les aubergines et les laissent reposer 20 à 30 minutes pour en retirer l'amertume, mais cela n'est pas nécessaire lorsqu'elles sont jeunes et fraîches.

Chiaroscuro

PÂTES NOIRES À LA RICOTTA

*Ces pâtes originales sont servies
dans les restaurants italiens
à la mode. Proposez-les en entrée
pour un dîner chic ou branché :
elles seront très appréciées !*

INGRÉDIENTS

Pour 4 personnes

300 g de pâtes noires sèches
4 cuil. à soupe de ricotta fraîche
4 cuil. à soupe d'huile d'olive vierge
   extra
1 petit piment rouge frais épépiné
   et finement haché
1 petite poignée de feuilles
   de basilic frais
sel et poivre noir moulu

1 Faites cuire les pâtes dans de l'eau bouillante salée selon les instructions figurant sur le paquet. Pendant ce temps, mettez la ricotta dans un récipient creux, salez, poivrez et mouillez avec un peu de l'eau de cuisson des pâtes pour obtenir une consistance lisse et crémeuse. Goûtez et assaisonnez.

2 Égouttez les pâtes. Faites chauffer l'huile à feu doux dans la casserole et incorporez les pâtes et le piment. Salez et poivrez. Augmentez le feu et mélangez rapidement.

3 Répartissez les pâtes entre 4 assiettes creuses préalablement chauffées, puis disposez de la ricotta sur chacune d'entre elles. Parsemez de feuilles de basilic et servez immédiatement en laissant à vos invités le soin de mélanger eux-mêmes les pâtes et le fromage.

CONSEIL

*Les pâtes noires sont préparées avec
de l'encre de calmar. Si vous préférez,
vous pouvez les remplacer par
des pâtes aux épinards ou aux tomates.*

Paglia e fieno alle noci e gorgonzola

PAGLIA E FIENO AUX NOIX
ET AU GORGONZOLA

*Le fromage et les noix sont souvent
utilisés pour préparer les sauces.
Ils constituent un mélange très
nourrissant ; servez ce plat
en hors-d'œuvre accompagné
d'un vin blanc sec.*

INGRÉDIENTS

Pour 4 personnes

275 g de *paglia e fieno*
50 g de noix écrasées
125 g de *torta di gorgonzola*
   coupée en dés
25 g de beurre
1 cuil. à café de sauge fraîche
   finement hachée, plus 1/2 cuil. à
   café de sauge sèche, ainsi que
   quelques feuilles de sauge fraîche,
   pour la décoration (facultatif)
3 cuil. à soupe de mascarpone
5 cuil. à soupe de lait
2 cuil. à soupe de parmesan râpé
poivre noir moulu

1 Faites cuire les pâtes dans une grande casserole d'eau bouillante salée selon les instructions du paquet. Pendant ce temps, faites fondre le beurre à feu doux dans un grand poêlon ou dans une casserole, ajoutez la sauge et mélangez. Incorporez les dés de *torta di gorgonzola* et le mascarpone. Mélangez afin que les fromages commencent à fondre. Versez le lait en continuant de tourner.

2 Parsemez de noix écrasées et de parmesan râpé, poivrez selon le goût. Continuez de tourner à feu doux, jusqu'à ce que le mélange forme une sauce onctueuse. Ne laissez pas bouillir, car les noix deviendraient amères. La sauce ne doit cuire que quelques minutes, car les noix risqueraient de la décolorer.

3 Égouttez les pâtes, transférez-les dans un plat préalablement chauffé, puis nappez de sauce et mélangez. Servez sans attendre en poivrant à nouveau. Garnissez avec des feuilles de sauge si vous le souhaitez.

CONSEIL

*On vend des noix écrasées dans
les supermarchés, mais votre sauce aura
plus de saveur si vous achetez des
cerneaux de noix pour les hacher au mixer.*

Conchiglie con verdure arrostite

CONCHIGLIE AUX LÉGUMES RÔTIS

La préparation de ce plat à base de pâtes et de légumes rôtis est très facile et le résultat est un vrai régal.

INGRÉDIENTS

Pour 4 à 6 personnes

350 à 400 g de *conchiglie*
1 poivron rouge épépiné et coupé
   en dés
1 poivron jaune ou orange épépiné
   et coupé en dés
1 petite aubergine coupée en dés
2 courgettes coupées en dés
250 g de petites olivettes
   coupées en deux dans le sens
   de la longueur et épépinées
5 cuil. à soupe d'huile d'olive
   vierge extra
1 cuil. à soupe de persil plat haché
1 cuil. à café d'origan
   ou de marjolaine séché(e)
2 gousses d'ail hachées
sel et poivre noir moulu
4 à 6 fleurs de marjolaine ou
   d'origan, pour la décoration

1 Préchauffez le four à 190 °C. Mettez les poivrons, l'aubergine et les courgettes préparés dans une passoire et rincez-les à l'eau froide. Égouttez-les, puis disposez-les dans un grand plat à four.

2 Versez 3 cuillerées à soupe d'huile d'olive sur les légumes et parsemez d'herbes fraîches et séchées. Salez, poivrez et mélangez. Faites rôtir 30 min, en retournant deux ou trois fois.

3 Ajoutez les tomates coupées en deux et l'ail aux autres légumes, et faites cuire encore 20 min au four, en remuant une à deux fois. Simultanément, faites cuire les pâtes selon les instructions figurant sur le paquet.

4 Égouttez les pâtes et transférez-les dans un plat préalablement chauffé. Versez les légumes rôtis et le reste de l'huile dessus et mélangez. Servez les pâtes et les légumes très chauds et décorez les assiettes de fleurs de marjolaine ou d'origan.

CONSEIL

*Les pâtes aux légumes rôtis sont
aussi savoureuses froides. S'il vous
en reste, couvrez-les de film alimentaire
et gardez-les au réfrigérateur
pour les servir en salade le lendemain.*

Sugo di verdure
SAUCE AUX LÉGUMES VERTS

*Malgré son nom, cette « sauce »
n'en est pas vraiment une,
car elle ne contient aucun liquide
à part de l'huile et du beurre fondu.
Il s'agit plutôt d'un mélange de
légumes qui, combiné avec des pâtes,
est idéal pour un déjeuner léger
et frais. Comptez 450 g de pâtes
sèches pour cette quantité de sauce.*

3 Incorporez la courgette, les haricots verts et les petits pois. Salez et poivrez. Couvrez et laissez cuire à feu doux 5 à 8 min en remuant de temps en temps.

4 Ajoutez le persil et les tomates coupées, goûtez et rectifiez l'assaisonnement si nécessaire. Mélangez les légumes avec les pâtes de votre choix et servez immédiatement.

INGRÉDIENTS

Pour 4 personnes

2 carottes
1 courgette
75 g de haricots verts
1 petit poireau
1 poignée de persil plat frais
2 olivettes bien mûres
125 g de petits pois surgelés
25 g de beurre
3 cuil. à soupe d'huile d'olive
  vierge extra
1/2 cuil. à café de sucre
sel et poivre noir moulu

1 Coupez les carottes et la courgette en dés. Épluchez les haricots verts, puis coupez-les en petits morceaux. Émincez le poireau en rondelles. Pelez et coupez les tomates en dés. Hachez le persil et réservez.

2 Chauffez le beurre et l'huile dans une sauteuse de taille moyenne. Quand ils commencent à grésiller, ajoutez le poireau et les carottes préparés. Saupoudrez de sucre et faites frire 5 min en remuant souvent.

Spaghettini all'aglio arrostito

SPAGHETTINI À L'AIL RÔTI

L'ail rôti a très bon goût et n'est pas si fort qu'on pourrait le croire.

INGRÉDIENTS

Pour 4 personnes

400 g de *spaghettini*
1 tête d'ail entière
12 cl d'huile d'olive vierge extra
sel et poivre noir moulu
copeaux de parmesan,
    pour l'accompagnement

1 Préchauffez le four à 180 °C. Mettez l'ail dans un plat à four et faites-le rôtir 30 min.

2 Faites cuire les pâtes dans une casserole d'eau bouillante salée selon les instructions figurant sur le paquet.

3 Laissez l'ail refroidir, posez-le sur le côté et coupez le haut (environ 1/3) avec la pointe d'un couteau.

4 Placez la tête d'ail au-dessus d'un bol et extrayez la chair de chaque gousse avec la pointe du couteau. Une fois que toute la chair est dans le récipient, versez l'huile dessus et poivrez généreusement. Mélangez.

5 Égouttez les pâtes et remettez-les dans la casserole. Ajoutez le mélange à base d'huile et d'ail, et mélangez vigoureusement sur feu moyen, jusqu'à ce que les pâtes soient bien imprégnées d'huile. Servez immédiatement avec du parmesan râpé.

CONSEIL

Vous pouvez acheter de l'ail rôti tout prêt, mais il est préférable de le faire rôtir vous-même afin qu'il fonde dans l'huile d'olive et enrobe bien les pâtes.

VARIANTE

Pour une saveur plus épicée, répandez des piments rouges, séchés et écrasés, sur les pâtes lorsque vous les mélangez avec l'huile et l'ail.

Elicoidali di mezzanotte

ELICOIDALI AU FROMAGE ET À LA CRÈME

Mezzanotte *signifie « milieu de la nuit » — c'est le moment où il convient de déguster ce plat, en rentrant chez soi après avoir fait la fête.*

INGRÉDIENTS

Pour 4 personnes

400 g d'*elicoidali*
3 jaunes d'œufs
7 cuil. à soupe de parmesan râpé
200 g de ricotta
4 cuil. à soupe de *panna da cucina*
   ou de crème fraîche épaisse
noix de muscade
40 g de beurre
sel et poivre noir moulu

1 Faites cuire les pâtes selon les instructions figurant sur le paquet.

2 Pendant ce temps, mélangez les jaunes d'œufs, le parmesan râpé et la ricotta dans un récipient. Ajoutez la crème et battez à la fourchette.

3 Râpez de la noix de muscade dessus, salez et poivrez. Égouttez les pâtes. Remettez la casserole sur le feu. Faites fondre le beurre, ajoutez les pâtes égouttées et mélangez sur feu moyen.

4 Éteignez le feu et incorporez le mélange à base de ricotta. Remuez jusqu'à ce que les pâtes soient bien enrobées de sauce. Servez immédiatement dans des assiettes creuses préalablement chauffées.

CONSEIL

Les *elicoidali* sont de courtes pâtes tubulaires creusées de sillons courbes. Si vous n'en trouvez pas, remplacez-les par des *rigatoni* aux sillons droits.

Spaghetti alla chitarra con burro e erbe

SPAGHETTIS AU BEURRE ET AUX HERBES AROMATIQUES

Cette recette peut être préparée de diverses façons, avec une seule herbe aromatique ou plusieurs — basilic, persil plat, romarin, thym, marjolaine ou sauge. Traditionnellement, ce plat se confectionne avec des spaghettis carrés, mais vous pouvez les remplacer par des spaghettis ordinaires, ou même des spaghettini ou des linguine.

INGRÉDIENTS

Pour 4 personnes

400 g de spaghettis
2 grosses poignées d'herbes
  aromatiques fraîches mélangées, plus
  quelques fleurs, pour la garniture
110 g de beurre
sel et poivre noir moulu
parmesan râpé, pour
  l'accompagnement

VARIANTE

Si vous aimez le goût de l'ail avec les herbes, ajoutez une à deux gousses lorsque vous faites fondre le beurre.

1 Faites cuire les pâtes selon les instructions figurant sur le paquet.

2 Hachez les herbes plus ou moins finement à votre gré.

3 Quand les pâtes sont presque *al dente,* faites fondre le beurre dans un grand poêlon ou dans une casserole. Dès qu'il commence à grésiller, égouttez les pâtes et transférez-les dans la poêle, puis parsemez d'herbes, salez et poivrez.

4 Mélangez sur feu moyen, jusqu'à ce que les pâtes soient bien enrobées de beurre et d'herbes. Servez sans attendre dans des assiettes préalablement chauffées, en parsemant de fleurs et de feuilles d'aromates et en accompagnant de parmesan râpé.

Spaghetti cacio e pepe

SPAGHETTIS AU FROMAGE ET AU POIVRE

Cette spécialité romaine est toujours préparée avec des spaghettis. C'est une recette délicieuse et très simple.

INGRÉDIENTS

Pour 4 personnes

400 g de spaghettis
125 g de *pecorino* râpé (de
  préférence du *pecorino romano*)
1 cuil. à café de poivre noir moulu
huile d'olive vierge extra
sel

1 Faites cuire les pâtes selon les instructions figurant sur le paquet.

2 Dès qu'elles sont *al dente,* égouttez-les et transférez-les dans un grand plat creux préalablement chauffé.

3 Ajoutez le fromage, salez et poivrez. Mélangez bien, puis arrosez d'huile d'olive. Servez sans attendre.

Rigatoni ai funghi di bosco

RIGATONI AUX CHAMPIGNONS SAUVAGES

*Vous avez probablement déjà
tous les ingrédients indispensables
à la préparation de cette sauce
dans votre cuisine, car elle ne
nécessite aucun produit frais
à part les herbes aromatiques.*

INGRÉDIENTS

Pour 4 à 6 personnes

400 g de *rigatoni*
2 paquets de champignons séchés
    de 15 g chacun
20 cl d'eau chaude
2 cuil. à soupe d'huile d'olive
2 échalotes finement hachées
2 gousses d'ail écrasées
quelques brins de marjolaine fraîche
1 poignée de persil plat haché
25 g de beurre coupé en dés
1 boîte de 400 g d'olivettes
    concassées
25 g de parmesan râpé
sel et poivre noir moulu

3 Incorporez les tomates et le liquide
de trempage des champignons. Portez
à ébullition, baissez le feu et laissez
mijoter 20 min, en remuant de temps
en temps. Dans l'intervalle, faites cuire
les pâtes selon les instructions figurant
sur le paquet.

4 Goûtez la sauce, puis assaisonnez.
Égouttez les pâtes en réservant un peu
d'eau de cuisson et transférez-les dans
un grand plat préchauffé. Ajoutez la
sauce et le parmesan râpé, et mélangez.
Mouillez avec un peu d'eau de cuisson
des pâtes si vous préférez une sauce plus
liquide. Garnissez de feuilles de marjolaine et servez avec du parmesan râpé.

VARIANTES

❖ Ajoutez un filet de vin aux tomates
en conserve.

❖ Pour obtenir une sauce plus onctueuse,
incorporez quelques cuillerées de
panna da cucina, de crème fraîche
ou de mascarpone juste avant de servir.

1 Mettez les champignons séchés dans
un bol, recouvrez-les d'eau chaude et
laissez-les tremper 15 à 20 min. Égouttez-les dans une passoire placée sur
un récipient et comprimez-les pour
en extraire le liquide. Réservez les
champignons et le liquide.

2 Chauffez l'huile dans une casserole
moyenne et faites revenir les échalotes,
l'ail et les herbes à feu doux, 5 min, en
remuant souvent. Ajoutez les champignons et le beurre, et remuez jusqu'à ce
que celui-ci ait fondu. Assaisonnez bien.

Eliche col pesto

ELICHE AU PESTO

Il est toujours utile d'avoir en réserve une bouteille de pesto ; sinon, préparez-le vous-même à l'aide d'un mixer.

INGRÉDIENTS

Pour 4 personnes

400 g d'*eliche*
50 g de feuilles de basilic frais
2 à 4 gousses d'ail
4 cuil. à soupe de pignons
8 cuil. à soupe d'huile d'olive
   vierge extra
125 g de parmesan râpé
25 g de *pecorino* râpé
sel et poivre noir moulu

1 Mettez les feuilles de basilic, l'ail et les pignons dans un mixer. Ajoutez 4 cuillerées à soupe d'huile d'olive. Actionnez jusqu'à ce que tous les ingrédients soient finement hachés, puis arrêtez l'appareil, retirez le couvercle et raclez les parois du récipient.

2 Remettez l'appareil en marche et versez progressivement le reste de l'huile. Vous pouvez être amené à arrêter le mixer pour racler les parois du récipient une à deux fois au cours de l'opération, afin de vous assurer que tout est bien mélangé.

3 Versez le mélange dans un grand récipient creux et incorporez les fromages en battant à l'aide d'une cuillère en bois. Goûtez et rectifiez l'assaisonnement si nécessaire.

4 Faites cuire les pâtes selon les instructions figurant sur le paquet. Égouttez-les, transférez-les dans le *pesto* et mélangez. Garnissez avec des feuilles de basilic entières et servez sans attendre avec du parmesan râpé.

CONSEIL

Le *pesto* peut être préparé 2 à 3 jours à l'avance. Pour le conserver, mettez-le dans un bol et versez un filet d'huile d'olive dessus. Couvrez le bol avec du film alimentaire et placez-le au réfrigérateur.

Spaghetti aglio e olio

SPAGHETTIS À L'AIL ET À L'HUILE

À Rome, on contracte deux mots pour prononcer le nom de ce plat : « spaghetti-ayo-e-oyo » ou simplement « ayo-e-oyo ». Parfois, on le désigne par son nom complet : Spaghetti aglio, olio e peperoncino. Le piment – peperoncino – apporte à ce plat une touche plus épicée.

INGRÉDIENTS

Pour 4 personnes

400 g de spaghettis
2 à 4 gousses d'ail écrasées
6 cuil. à soupe d'huile d'olive vierge extra
1 piment rouge séché
1 petite poignée de persil plat frais haché
sel

3 Égouttez les pâtes et versez-les dans un grand plat creux préchauffé. Versez le mélange d'huile et d'ail dessus, ajoutez le persil et mélangez afin que les pâtes soient bien imprégnées. Servez.

CONSEILS

❖ L'huile étant un ingrédient majeur de cette recette, choisissez une huile d'olive vierge extra pressée à froid d'excellente qualité.

❖ Ne salez pas le mélange d'huile et d'ail, car le sel ne se dissoudrait pas assez. C'est la raison pour laquelle il est recommandé de bien saler l'eau de cuisson des pâtes.

❖ À Rome, on ne sert jamais de parmesan râpé avec les *Spaghetti aglio e olio*, et on ne met jamais de poivre dans ce plat.

❖ En été, les Romains utilisent des piments frais qu'ils cultivent en pot sur leurs terrasses et sur leurs rebords de fenêtres.

1 Faites cuire les pâtes selon les instructions du paquet en mettant beaucoup de sel dans l'eau *(Voir Conseils)*.

2 Pendant ce temps, faites chauffer l'huile à feu doux dans une petite poêle ou dans une casserole. Ajoutez l'ail écrasé et le piment séché entier, et remuez jusqu'à ce que l'ail commence à dorer. Ôtez le piment et jetez-le.

Pasta con funghi
PÂTES AUX CHAMPIGNONS

Servi avec de la ciabatta
chaude, ce plat est idéal
pour un dîner végétarien.

INGRÉDIENTS
Pour 4 personnes

450 g de pâtes courtes comme
 des *ruote*, des pennes, des fusillis
 ou des *eliche*
225 g de champignons de Paris
 émincés
15 g de champignons sauvages
 séchés
20 cl d'eau chaude
3 cuil. à soupe d'huile d'olive
2 gousses d'ail finement hachées
1 poignée de persil plat haché
2 gros morceaux de tomate séchée
 au soleil à l'huile d'olive,
 égouttés et coupés en lanières
12 cl de vin blanc sec
50 cl de bouillon de légumes
sel et poivre noir moulu
roquette et persil plat,
 pour la garniture

1 Mettez les champignons sauvages séchés dans un bol, recouvrez-les d'eau chaude et laissez-les tremper 15 à 20 min. Égouttez-les dans une passoire posée sur un récipient en les comprimant pour en extraire le liquide. Réservez celui-ci et coupez les champignons en tranches fines.

2 Chauffez l'huile et faites revenir l'ail, le persil, les lamelles de tomate séchée et les champignons sauvages à feu doux pendant 5 min, en remuant souvent.

3 Versez le vin, laissez réduire quelques minutes, puis incorporez les champignons de Paris. Ajoutez le bouillon et laissez mijoter sans couvrir 15 à 20 min jusqu'à ce que la sauce soit onctueuse et épaisse.

4 Faites cuire les pâtes selon les instructions figurant sur le paquet.

5 Goûtez la sauce aux champignons et assaisonnez. Égouttez les pâtes en réservant un peu d'eau de cuisson et transférez-les dans un grand récipient préalablement chauffé. Versez la sauce aux champignons dessus et mélangez en ajoutant de l'eau de cuisson des pâtes si nécessaire. Parsemez généreusement de roquette hachée et de persil, et servez immédiatement.

VARIANTE

Vous pouvez remplacer les champignons
de Paris par des champignons sauvages
frais, mais on ne les trouve qu'en saison et
ils coûtent cher. Sinon, achetez un mélange
de champignons sauvages en boîte.

Pizzoccheri della Valtellina

NOUILLES DE SARRASIN AU CHOU ET AUX POMMES DE TERRE

Cette spécialité de la Valteline, dans les Alpes italiennes, est très originale. Les nouilles à base de sarrasin sont propres à cette région, à laquelle le plat emprunte son nom.

INGRÉDIENTS

Pour 6 personnes

400 g de *pizzoccheri*
400 g de chou frisé de Milan coupé en lamelles d'1 cm
2 pommes de terre d'un poids total de 200 g, coupées en tranches de 5 mm d'épaisseur
75 g de beurre
1 grosse botte de feuilles de sauge fraîche hachées
2 gousses d'ail
200 g de *fontina* sans la croûte, coupée en tranches fines
2 à 3 cuil. à soupe de parmesan râpé
sel et poivre noir moulu

1 Portez à ébullition une grande casserole d'eau bouillante salée. Faites bouillir le chou et les pommes de terre 5 min.

2 Ajoutez les nouilles, mélangez et portez de nouveau à ébullition. Baissez le feu et laissez mijoter 15 min, ou selon les instructions figurant sur le paquet, jusqu'à ce que les nouilles soient *al dente*.

3 Quelques minutes avant que les nouilles ne soient prêtes, faites fondre le beurre dans une petite casserole. Ajoutez la sauge et les gousses d'ail entières, et faites frire à feu doux jusqu'à ce que l'ail soit doré. Sortez-le de la casserole et jetez-le. Réservez le beurre à la sauge et à l'ail.

4 Égouttez les pâtes et les légumes. Versez-en un quart dans un grand plat préalablement chauffé et disposez 1/3 des tranches de *fontina* par-dessus. Refaites des couches de pâtes aux légumes et de *fontina* jusqu'à ce que tous les ingrédients soient utilisés, puis parsemez de parmesan râpé. Nappez de beurre à la sauge et à l'ail, et servez avec du parmesan râpé.

CONSEILS

❖ Vous trouverez des paquets de *pizzoccheri* dans les épiceries fines italiennes.

❖ La *fontina* est un fromage de montagne au goût de noisette assez facile à trouver. Cependant, vous pouvez le remplacer par du *taleggio*, du gruyère ou de l'emmenthal. Dans les régions montagneuses du nord de l'Italie, les cuisiniers utilisent plutôt du *bitto* ou de la *casera*, mais ces fromages sont difficiles à se procurer chez nous.

❖ En saison, on peut utiliser des bettes ou des épinards à la place du chou.

Fettuccine al burro e parmigiano

FETTUCCINE AU BEURRE ET AU PARMESAN

La préparation de ce plat exige très peu d'ingrédients et est d'une simplicité enfantine. C'est une spécialité du nord de l'Italie, où l'on aime servir les pâtes avec du beurre et du fromage. Les enfants en raffolent.

INGRÉDIENTS

Pour 4 personnes

400 g de *fettuccine*
50 g de beurre doux coupé en dés
125 g de parmesan râpé
sel et poivre noir moulu

1 Faites cuire les pâtes dans une casserole d'eau bouillante salée selon les instructions du paquet. Égouttez-les et transférez-les dans un plat préchauffé.

2 Ajoutez 1/3 du beurre et du parmesan, et mélangez. Recommencez jusqu'à ce que tout le beurre et le parmesan aient été utilisés. Assaisonnez et servez.

Sugo di melanzane

SAUCE AUX AUBERGINES

Cette savoureuse sauce se marie bien avec n'importe quelles pâtes courtes. On peut également la disposer en couches entre des feuilles de pâte, avec une sauce Béchamel ou au fromage, pour faire de délicieuses lasagnes aux légumes.

INGRÉDIENTS

Pour 4 à 6 personnes

450 g d'aubergines coupées en dés
2 cuil. à soupe d'huile d'olive
1 petit piment rouge frais
2 gousses d'ail
2 poignées de persil plat haché
1 poignée de feuilles de basilic frais
20 cl d'eau
1 bouillon cube de légumes
8 olivettes bien mûres pelées
   et coupées en petits morceaux
4 cuil. à soupe de vin rouge
1 cuil. à café de sucre
1 dose de poudre de safran
1/2 cuil. à café de paprika moulu
sel et poivre noir moulu

1 Faites chauffer l'huile dans une sauteuse. Ajoutez le piment entier, les gousses d'ail entières et la moitié du persil haché. Écrasez les gousses d'ail avec une cuillère en bois pour en extraire le jus, puis couvrez la sauteuse et faites cuire le mélange à feu doux 10 min, en remuant de temps en temps.

2 Ôtez et jetez le piment. Incorporez les aubergines ainsi que le reste du persil et le basilic. Versez la moitié de l'eau. Émiettez le bouillon cube dans la sauteuse et remuez jusqu'à ce qu'il se dissolve. Couvrez et laissez cuire 10 min en remuant souvent.

3 Ajoutez les tomates, le vin, le sucre, le safran et le paprika, salez et poivrez, puis versez le reste de l'eau. Mélangez, remettez le couvercle et laissez cuire 30 à 40 min de plus, en tournant de temps en temps. Goûtez et assaisonnez. Servez avec des pâtes ou utilisez pour préparer des lasagnes. Parsemez de persil haché.

C O N S E I L

Les cuisiniers italiens ajoutent souvent un filet d'assaisonnement piquant (huile d'olive, piments, épices et herbes) pour intensifier le goût.

Orecchiette con la rucola

ORECCHIETTE À LA ROQUETTE

Cette recette nourrissante est une spécialité de la région des Pouilles, dans le sud-est de l'Italie. Servez-la comme plat principal avec du pain de campagne. On trouve dans certaines épiceries fines un pain italien appelé pugliese *qui conviendra tout à fait.*

INGRÉDIENTS

Pour 4 à 6 personnes

300 g d'*orecchiette*
150 g de feuilles de roquette
   finement coupées
3 cuil. à soupe d'huile d'olive
1 petit oignon finement haché
1 boîte de 300 g d'olivettes
   concassées ou de *passata*
1/2 cuil. à café d'origan séché
1 pincée de poudre de piment
   ou de poivre de Cayenne
2 cuil. à soupe de vin blanc ou rouge
   (facultatif)
2 pommes de terre d'un poids total
   de 200 g, coupées en dés
2 gousses d'ail finement hachées
100 g de ricotta
sel et poivre noir moulu
pecorino râpé, pour
   l'accompagnement

1 Chauffez 1 cuillerée à soupe d'huile d'olive dans une casserole de taille moyenne, ajoutez la moitié de l'oignon haché et faites-le fondre à feu doux pendant 5 min en remuant souvent. Incorporez les tomates ou la *passata*, l'origan et la poudre de piment ou le poivre de Cayenne. Versez le vin, salez et poivrez. Couvrez la casserole et laissez mijoter 15 min en tournant de temps en temps.

2 Portez à ébullition une grande casserole d'eau salée. Ajoutez les pommes de terre et les pâtes. Mélangez et portez à ébullition de nouveau. Baissez le feu et laissez mijoter 15 min, ou selon les instructions figurant sur le paquet.

3 Chauffez le reste de l'huile dans une casserole, ajoutez le reste de l'oignon et de l'ail, et faites-les revenir 2 à 3 min, en remuant de temps en temps. Incorporez la roquette, laissez cuire 2 min, puis ajoutez la sauce tomate et la ricotta. Mélangez.

4 Égouttez les pâtes et les pommes de terre, versez-les dans la casserole de sauce et mélangez. Goûtez et assaisonnez. Servez aussitôt dans des assiettes creuses préchauffées et accompagnez de *pecorino* râpé.

CONSEIL

Les *orecchiette* ont une consistance un peu caoutchouteuse. Habituellement, on les cuit avec les pommes de terre, mais si vous craignez de vous tromper dans le temps de cuisson, cuisez-les séparément.

PÂTES AU FOUR

Comme la sauce bolonaise, les lasagnes, les macaronis au gratin et les cannellonis ont tellement de succès hors des frontières italiennes que l'on se rappelle rarement l'origine de ces délicieux plats au four. Au premier siècle, le gastronome romain Apicius mentionne une sorte de tarte de pâtes composée de plusieurs couches, aussi savons-nous que la lasagne a une longue histoire. Pendant la Renaissance, les seigneurs se faisaient servir de somptueux plats de pâtes disposées en couches superposées avec des formes parfois extravagantes. Aujourd'hui, les pâtes au four – *pasta al forno* – se mangent surtout à l'occasion des grandes réunions familiales. Les plats au four peuvent être préparés à l'avance et sont faciles à servir. Dans ce chapitre, vous découvrirez des classiques et des spécialités régionales, ainsi que leurs variantes actuelles. Les quantités indiquées sont prévues pour des préparations destinées à tenir lieu de plat principal, mais vous pouvez réduire les proportions si vous les servez en entrée, comme on le fait généralement en Italie.

Spaghetti tetrazzini

SPAGHETTIS ET DINDE, SAUCE AU FROMAGE

Cette recette américano-italienne fait un plat familial très consistant, qu'il est recommandé de servir accompagné d'une salade verte.

INGRÉDIENTS

Pour 4 à 6 personnes

175 g de spaghettis
350 g de blancs de dinde coupés
  en fines lamelles
75 g de beurre
2 morceaux de poivron grillé en
  bocal, égouttés, rincés, séchés
  et coupés en fines lamelles
50 g de farine
90 cl de lait très chaud
125 g de parmesan râpé
1/2 cuil. à café de moutarde
sel et poivre noir moulu

1 Chauffez 1/3 du beurre dans une casserole, ajoutez la dinde, salez et poivrez. Faites revenir la dinde à feu moyen 5 min, en remuant jusqu'à ce qu'elle blanchisse, puis incorporez les morceaux de poivron grillé et mélangez. Retirez avec une écumoire et réservez.

2 Préchauffez le four à 180 °C. Faites cuire les pâtes selon les instructions figurant sur le paquet.

3 Pendant ce temps, chauffez le reste du beurre à feu doux dans la casserole où vous avez fait cuire la dinde. Incorporez la farine en remuant, puis augmentez le feu.

4 Versez progressivement le lait chaud en fouettant au fur et à mesure. Portez à ébullition et faites cuire en remuant jusqu'à ce que la sauce devienne lisse et épaisse. Ajoutez 2/3 du parmesan râpé, puis incorporez la moutarde en battant, salez et poivrez. Retirez la sauce du feu.

5 Égouttez les pâtes et remettez-les dans la casserole. Incorporez la moitié de la sauce au fromage, puis versez le mélange sur les bords d'un plat allant au four. Ajoutez la préparation à base de dinde dans le reste de sauce au fromage et disposez au milieu du plat. Répartissez le reste du parmesan sur les pâtes et faites cuire au four 15 à 20 min, jusqu'à ce que le fromage gratine. Servez très chaud.

Lasagne di mare

LASAGNES AUX FRUITS DE MER

Ces lasagnes de luxe sont parfaites pour les grandes occasions. Les ingrédients coûtent cher, mais le résultat en vaut nettement la peine.

INGRÉDIENTS

Pour 4 à 6 personnes

6 à 8 feuilles de lasagnes aux œufs
  fraîches
4 à 6 noix de Saint-Jacques fraîches
450 g de grosses crevettes roses
  décortiquées
1 gousse d'ail écrasée
75 g de beurre
50 g de farine
60 cl de lait très chaud
10 cl de *panna da cucina*
  ou de crème fraîche épaisse
10 cl de vin blanc sec
2 doses de poudre de safran
1 bonne pincée de poivre de Cayenne
125 g de *fontina* coupée
  en tranches fines
75 g de parmesan râpé
sel et poivre noir moulu

1 Préchauffez le four à 190 °C. Coupez les noix de Saint-Jacques, les coraux et les crevettes en petits morceaux et étalez-les dans un plat. Mettez l'ail, salez et poivrez. Faites fondre 1/3 du beurre dans une casserole de taille moyenne, ajoutez les fruits de mer, et mélangez sur feu moyen 1 à 2 min, jusqu'à ce que les crevettes deviennent roses. Retirez les fruits de mer à l'aide d'une écumoire et réservez.

2 Ajoutez le reste du beurre dans la casserole et faites fondre à feu doux. Incorporez la farine et faites cuire 1 à 2 min en remuant, puis augmentez le feu et ajoutez progressivement le lait chaud en fouettant. Portez à ébullition et faites cuire en remuant jusqu'à ce que la sauce devienne lisse et très épaisse. Incorporez la crème, le vin, la poudre de safran, le poivre de Cayenne, le sel et le poivre en battant, puis retirez la sauce du feu.

3 Étalez 1/3 de la sauce au fond d'un plat allant au four. Disposez la moitié des tranches de *fontina* dessus et ajoutez 1/3 du parmesan râpé. Éparpillez la moitié des fruits de mer par-dessus, puis recouvrez avec la moitié des feuilles de lasagnes. Faites ainsi plusieurs couches, puis répartissez le reste de la sauce et du parmesan sur le tout.

4 Faites cuire les lasagnes au four 30 à 40 min, jusqu'à ce que le dessus commence à gratiner. Laissez reposer 10 min avant de servir.

Lasagne ai funghi e zucchine

LASAGNES AUX CHAMPIGNONS ET COURGETTES

Cette recette constitue un plat principal idéal pour les végétariens. Le fait d'ajouter des champignons sauvages séchés aux champignons de Paris frais intensifie le goût et donne plus de consistance au plat. Servez avec un pain italien croustillant.

INGRÉDIENTS

Pour 6 personnes

6 à 8 feuilles de lasagnes précuites
450 g de courgettes coupées
   en rondelles fines
450 g de champignons de Paris
   coupés en tranches fines
15 g de champignons sauvages séchés
20 cl d'eau chaude
2 cuil. à soupe d'huile d'olive
75 g de beurre
1 oignon finement haché
2 gousses d'ail écrasées
50 cl de sauce tomate
   (voir p. 87)
2 cuil. à café de marjolaine fraîche
   hachée ou 1 cuil. à café de
   marjolaine séchée, plus quelques
   feuilles entières, pour la garniture
50 g de parmesan râpé
sel et poivre noir moulu
Pour la sauce blanche
   40 g de beurre
   40 g de farine
   90 cl de lait chaud
   noix de muscade

1 Mettez les champignons sauvages séchés dans un bol. Recouvrez-les d'eau chaude et laissez-les tremper 15 à 20 min. Versez le contenu du bol dans une passoire posée sur un récipient et comprimez les champignons avec vos mains pour en extraire le plus de liquide possible. Hachez-les et réservez. Filtrez l'eau de trempage et réservez la moitié pour la sauce.

2 Préchauffez le four à 190 °C. Faites chauffer l'huile d'olive avec 25 g de beurre dans une sauteuse.

3 Ajoutez la moitié des rondelles de courgettes, salez et poivrez. Faites frire à feu moyen 5 à 8 min en retournant les rondelles de temps en temps. Retirez les courgettes de la sauteuse à l'aide d'une écumoire et égouttez-les sur du papier absorbant. Répétez l'opération avec le reste des courgettes.

4 Chauffez la moitié du beurre restant dans la sauteuse et faites revenir l'oignon haché 1 à 2 min en remuant. Ajoutez la moitié des champignons frais et l'ail écrasé, salez et poivrez selon votre goût.

5 Portez les champignons à grand feu 5 min en remuant jusqu'à ce qu'ils deviennent tendres et juteux. Transférez-les dans un récipient à l'aide d'une écumoire. Répétez l'opération avec le reste du beurre et des champignons.

6 Préparez la sauce blanche. Faites fondre le beurre dans une grande casserole, incorporez la farine et laissez cuire à feu moyen 1 à 2 min en remuant.

7 Ajoutez le lait chaud progressivement en fouettant. Portez à ébullition et remuez jusqu'à ce que la sauce devienne lisse et épaisse. Râpez la noix de muscade fraîche par-dessus, salez et poivrez. Fouettez, puis retirez la sauce du feu.

8 Versez la sauce tomate dans un mixer avec le jus de trempage des champignons séchés et mixez. Mettez les courgettes dans le récipient contenant les champignons frits, ajoutez les champignons séchés et la marjolaine.

9 Rectifiez l'assaisonnement, puis étalez 1/3 de la sauce tomate au fond d'un plat à four. Répartissez dessus la moitié du mélange de légumes.

10 Répandez 1/3 de la sauce blanche par-dessus, puis recouvrez en utilisant la moitié des feuilles de lasagnes. Faites ainsi plusieurs couches, puis ajoutez le reste de la sauce tomate et de la sauce blanche, et parsemez de parmesan râpé.

11 Mettez les lasagnes au four et faites-les cuire 35 à 40 min. Laissez reposer 10 min avant de servir. Parsemez chaque portion de feuilles de marjolaine fraîche si vous le souhaitez.

CONSEILS

❖ La quantité de pâte dépend de la taille et de la forme des feuilles de lasagnes et de celles de votre plat. Au besoin, coupez la pâte aux dimensions de celui-ci.

❖ La confection de ce plat prend du temps, mais le résultat en vaut la peine. Vous pouvez préparer la sauce tomate à l'avance et la conserver au réfrigérateur pendant 2 jours avant d'assembler les lasagnes. Vous pouvez également la mettre au congélateur et la décongeler juste avant de l'utiliser.

Lasagne con polpettine

LASAGNES AUX BOULETTES DE VIANDE

Cette spécialité associe des boulettes de viande à de la sauce à la viande. C'est un plat très nourrissant, idéal pour un déjeuner en hiver ou un dîner entre amis. La préparation de ce plat prend du temps, mais vous pouvez le réaliser la veille et le faire cuire au four juste avant de le servir.

INGRÉDIENTS

Pour 6 à 8 personnes

6 à 8 feuilles de lasagnes fraîches
   précuites
300 g de viande de bœuf hachée
300 g de viande de porc hachée
1 gros œuf
50 g de chapelure fraîche
5 cuil. à soupe de parmesan râpé
2 cuil. à soupe de persil plat haché
2 gousses d'ail écrasées
4 cuil. à soupe d'huile d'olive
1 oignon finement haché
1 carotte coupée en petits morceaux
1 branche de céleri coupée
   en petits morceaux
2 boîtes de 400 g d'olivettes
   concassées
2 cuil. à café d'origan
   ou de basilic séché
sel et poivre noir moulu

Pour la sauce Béchamel
75 cl de lait
1 feuille de laurier déchirée
1 branche de thym frais
50 g de beurre
50 g de farine
noix de muscade

1 Commencez par préparer les boulettes de viande. Mettez 175 g de viande de bœuf hachée et autant de viande de porc hachée dans une jatte. Ajoutez l'œuf, la chapelure, 2 cuillerées à soupe de parmesan râpé, la moitié du persil, l'ail, le sel et le poivre.

2 Mélangez avec une cuillère en bois, puis pétrissez la préparation avec vos mains jusqu'à ce qu'elle devienne lisse et compacte.

3 Humidifiez vos mains, puis prenez de petites quantités de préparation et roulez-les entre vos paumes humides de façon à confectionner 60 petites boulettes de viande. Disposez-les sur un plateau et réservez au réfrigérateur 30 min.

4 Pendant ce temps, versez le lait pour la béchamel dans une casserole. Ajoutez la feuille de laurier et la branche de thym. Portez à ébullition. Retirez du feu, couvrez et laissez infuser.

5 Préparez la sauce à base de viande. Chauffez la moitié de l'huile dans une sauteuse, mettez l'oignon, la carotte, le céleri et le reste de l'ail à revenir à feu doux 5 min en remuant. Incorporez le reste de viande hachée de bœuf et de porc, et portez à feu doux 10 min, en tournant souvent et en écrasant les morceaux à l'aide d'une cuillère en bois.

6 Salez, poivrez et ajoutez les tomates, le reste du persil, ainsi que l'origan ou le basilic. Mélangez bien, couvrez et laissez mijoter à feu doux 45 min à 1 h, en tournant de temps en temps.

7 Pendant ce temps, chauffez le reste de l'huile dans une grande poêle anti-adhésive et faites cuire les boulettes de viande à feu moyen 5 à 8 min. Secouez la poêle pour les faire rouler de façon à ce qu'elles cuisent uniformément. Une fois qu'elles sont cuites, égouttez-les sur du papier absorbant.

8 Préchauffez le four à 190 °C. Préparez la béchamel. Filtrez le lait pour en retirer le laurier et le thym. Faites fondre le beurre dans une casserole moyenne, incorporez la farine et faites cuire 1 à 2 min en remuant.

9 Ajoutez le lait peu à peu en fouettant. Portez à ébullition et remuez continuellement jusqu'à ce que la sauce devienne épaisse et lisse. Râpez un peu de noix de muscade par-dessus, salez et poivrez. Fouettez, puis retirez du feu.

10 Étalez environ 1/3 de la sauce à base de viande au fond d'un grand plat allant au four.

12 Parsemez le reste du parmesan râpé sur les lasagnes et passez au four 30 à 40 min, jusqu'à ce que le dessus commence à gratiner. Laissez reposer 10 min avant de servir. Décorez chaque part de persil haché.

VARIANTE

Dans le sud de l'Italie, où ce type de lasagnes est très apprécié, on ajoute souvent du salami, des œufs durs hachés, de la mozzarella et de la ricotta à la garniture.

CONSEILS

❖ Les feuilles de lasagnes fabriquées artisanalement n'ont pas besoin d'être précuites, mais lisez bien les instructions figurant sur le paquet.

❖ Pour empêcher les feuilles de lasagnes cuites de coller, rincez-les sous le robinet d'eau froide, puis remettez-les dans la casserole en les recouvrant d'eau froide. Égouttez-les sur du papier absorbant avant de les utiliser.

11 Placez la moitié des boulettes de viande dessus, nappez d'1/3 de béchamel et couvrez de la moitié des lasagnes. Renouvelez l'opération et finissez par la sauce à la viande et la béchamel.

Frittata di vermicelli

OMELETTE AUX VERMICELLES

Une frittata *est une grande omelette cuite au four. Ici, elle est faite avec des légumes et des herbes, mais vous pouvez y mettre d'autres ingrédients — jambon, saucisse, salami, poulet, champignons, courgettes et aubergines, entre autres. La* frittata *peut se manger froide. Coupée en parts, elle est idéale pour les pique-niques.*

INGRÉDIENTS

Pour 4 à 6 personnes

50 g de vermicelles
6 œufs
4 cuil. à soupe de *panna da cucina*
    ou de crème fraîche épaisse
1 poignée de feuilles de basilic
    frais hachées
1 poignée de persil plat haché
75 g de parmesan râpé
25 g de beurre
1 cuil. à soupe d'huile d'olive
1 oignon finement haché
3 gros morceaux de poivron rouge
    rôti en bocal, égouttés, rincés,
    séchés et coupés en lamelles
1 gousse d'ail écrasée
sel et poivre noir moulu
feuilles de roquette,
    pour l'accompagnement

1 Préchauffez le four à 190 °C. Faites cuire les pâtes 8 min dans une casserole d'eau bouillante salée.

2 Cassez les œufs dans une jatte et ajoutez la *panna da cucina* ou la crème fraîche et les herbes. Incorporez les 2/3 du parmesan râpé en fouettant, salez et poivrez à votre goût.

3 Égouttez les pâtes et laissez refroidir. Coupez-les en petits morceaux avec des ciseaux. Ajoutez-les au mélange à base d'œufs et fouettez. Réservez.

4 Chauffez le beurre et l'huile dans une grande poêle antiadhésive. Mettez l'oignon à revenir à feu doux 5 min en remuant souvent. Incorporez les poivrons et l'ail.

5 Versez le mélange d'œufs et de pâtes dans la poêle et incorporez le tout aux autres ingrédients. Portez à feu doux 3 à 5 min sans remuer. Ajoutez le reste du parmesan et faites gratiner au four 5 min. Laissez reposer au moins 5 min avant de servir. Divisez en parts égales et servez chaud ou froid avec de la roquette.

Lasagne bolognesi
LASAGNES À LA BOLONAISE

C'est la recette classique des
Lasagne al forno. Elle est
constituée d'une garniture à base
de viande, riche et onctueuse.

INGRÉDIENTS

Pour 6 personnes

12 feuilles de lasagnes précuites
1 portion de sauce bolonaise
 à la viande *(voir p. 136)*
25 cl de bouillon de viande chaud
50 g de parmesan râpé

Pour la sauce blanche
50 g de beurre
50 g de farine
90 cl de lait chaud
sel et poivre noir moulu

4 Versez 1/4 de la sauce blanche par-dessus, puis recouvrez de 4 feuilles de lasagnes. Faites 2 couches de plus, puis nappez la dernière feuille avec le reste de la sauce blanche et parsemez de parmesan râpé.

5 Faites cuire au four 40 à 45 min. Laissez reposer environ 10 min avant de servir.

CONSEILS

❖ La sauce bolonaise peut être préparée jusqu'à trois jours à l'avance et conservée au réfrigérateur dans un récipient couvert.
❖ Il vaut mieux faire cuire les lasagnes dès qu'elles sont disposées en couches, faute de quoi les feuilles de pâte risquent d'absorber les sauces et de se dessécher.
❖ Pour réchauffer les restes de lasagnes, piquez la surface avec la pointe d'une fourchette, puis mouillez légèrement de lait. Couvrez avec du papier d'aluminium et réchauffez dans un four préchauffé à 190 °C pendant 20 min.

1 Préchauffez le four à 190 °C. Si la sauce bolonaise est froide, réchauffez-la. Ajoutez du bouillon de viande de façon à la rendre plus liquide.

2 Préparez la sauce blanche. Faites fondre le beurre dans une casserole de taille moyenne, incorporez la farine et faites cuire 1 à 2 min en remuant. Ajoutez progressivement le lait en fouettant. Portez à ébullition et remuez jusqu'à ce que la sauce devienne lisse et épaisse. Salez et poivrez, fouettez à nouveau, puis retirez du feu.

3 Étalez environ 1/3 de la sauce bolonaise au fond d'un plat allant au four.

Cannelloni alla sorrentina

CANNELLONIS À LA SORRENTINA

Il y a plusieurs façons de préparer les cannellonis. Ici, on a enroulé des feuilles de lasagnes cuites autour d'une garniture à la tomate. Vous pouvez servir ces cannellonis comme plat principal à l'occasion d'un dîner estival.

INGRÉDIENTS

Pour 4 à 6 personnes

16 à 18 feuilles de lasagnes
4 cuil. à soupe d'huile d'olive
1 petit oignon finement haché
1 kg d'olivettes bien mûres pelées
    et coupées en petits morceaux
2 gousses d'ail écrasées
1 grosse poignée de feuilles de
    basilic frais hachées, plus quelques
    feuilles entières, pour la garniture
25 cl de bouillon de légumes
25 cl de vin blanc sec
2 cuil. à soupe de purée de tomates
    séchées au soleil
1/2 cuil. à café de sucre
250 g de ricotta
125 g de mozzarella, égouttée
    et coupée en dés
8 filets d'anchois à l'huile d'olive,
    égouttés et coupés en deux
    dans le sens de la longueur
50 g de parmesan râpé
sel et poivre noir moulu

1 Chauffez l'huile dans une casserole de taille moyenne, ajoutez l'oignon et faites-le fondre à feu doux 5 min en remuant souvent. Incorporez les tomates, l'ail et la moitié du basilic. Salez, poivrez et mélangez. Laissez cuire à feu moyen 5 min.

2 Prélevez la moitié du mélange à base de tomates et laissez-le refroidir.

3 Incorporez le bouillon de légumes, le vin blanc, la purée de tomates et le sucre dans le mélange précédent resté dans la casserole et laissez mijoter 20 min en remuant de temps en temps.

4 Pendant ce temps, faites cuire les feuilles de lasagnes dans une casserole d'eau bouillante salée selon les instructions figurant sur le paquet. Égouttez et séparez les feuilles, puis posez-les à plat sur un torchon.

VARIANTE

Vous pouvez remplacer les anchois par 8 olives noires dénoyautées. Coupez-les en rondelles et disposez-les sur chaque cannelloni.

5 Préchauffez le four à 190 °C. Ajoutez la ricotta et la mozzarella au mélange à base de tomates que vous avez réservé. Incorporez le reste du basilic, salez et poivrez selon votre goût.

6 Étalez un peu de mélange sur une feuille de lasagne. Placez un filet d'anchois près du bord dans le sens de la largeur et enroulez la pâte autour. Répétez l'opération avec les autres feuilles de lasagnes.

7 Mixez la sauce tomate et étalez-en un peu au fond d'un grand plat allant au four. Disposez les cannellonis les uns à côté des autres en plaçant la « couture » en dessous et nappez-les avec le reste de la sauce.

8 Répartissez le parmesan râpé sur les cannellonis et faites-les cuire au four 20 min, jusqu'à ce qu'ils gratinent. Garnissez avec des feuilles de basilic entières et servez très chaud.

Lasagne ai tre formaggi

LASAGNES AUX TROIS FROMAGES

Ce plat riche et très consistant a beaucoup de succès aux États-Unis. Cette recette a été inventée par des immigrants italiens qui ont utilisé les ingrédients dont ils disposaient.

INGRÉDIENTS

Pour 6 à 8 personnes

9 à 12 feuilles de lasagnes fraîches,
   précuites si nécessaire
450 g de ricotta
400 g de mozzarella, égouttée
   et coupée en tranches fines
125 g de parmesan râpé
25 g de beurre
1 cuil. à soupe d'huile d'olive
250 g de champignons coupés
   en quatre
2 cuil. à soupe de persil plat haché
1 portion de sauce bolonaise
   au vin rouge *(voir p. 146)*
30 cl de bouillon de bœuf chaud
1 gros œuf
sel et poivre noir moulu

1 Préchauffez le four à 190 °C. Chauffez le beurre et l'huile dans une poêle. Ajoutez les champignons, salez, poivrez et mélangez sur feu moyen pendant 5 à 8 min. Retirez la poêle du feu et mettez le persil.

2 Préparez la sauce bolonaise ou réchauffez-la. Ajoutez du bouillon de bœuf chaud jusqu'à ce qu'elle soit suffisamment liquide.

3 Incorporez le mélange de champignons et de persil, puis étalez le quart de cette sauce au fond d'un plat allant au four. Recouvrez avec 3 à 4 feuilles de lasagnes.

4 Battez la ricotta et l'œuf dans une jatte, salez et poivrez, puis étalez 1/3 de cette préparation sur les feuilles de lasagnes. Disposez 1/3 des tranches de mozzarella par-dessus, puis répartissez 1/4 du parmesan râpé sur le tout.

5 Procédez de même pour 2 autres couches.

6 Faites cuire les lasagnes au four 30 à 40 min, jusqu'à ce que le dessus commence à gratiner. Laissez reposer 10 min avant de servir.

CONSEIL

Si vous avez fabriqué les feuilles de lasagnes vous-même, il n'est pas nécessaire de les précuire, mais si vous avez acheté des feuilles de lasagnes fraîches, lisez les instructions pour savoir si vous devez les faire bouillir avant de les utiliser. Les lasagnes fraîches achetées en paquet dans les supermarchés ont généralement besoin de bouillir 2 min avant leur emploi.

VARIANTES

❖ Pour une version plus épicée de cette recette, remplacez la sauce à base de viande par celle utilisée pour les *Spaghettis à la bolonaise*.
❖ Le cheddar vieux râpé se marie très bien avec les lasagnes. Vous pouvez l'utiliser à la place du parmesan râpé si vous le souhaitez. Il coûte beaucoup moins cher.

Conchiglie ripienne

CONCHIGLIE FARCIES

Servez cette préparation en hors-d'œuvre pour six personnes ou comme plat principal pour un repas végétarien de quatre personnes — dans ce dernier cas, garnissez vingt coquilles au lieu de dix-huit ; vous aurez plus de farce qu'il n'en faut.

INGRÉDIENTS

Pour 6 personnes

18 grosses *conchiglie*
25 g de beurre
1 petit oignon finement haché
275 g de feuilles d'épinards
   épluchées, lavées et hachées
1 gousse d'ail écrasée
1 dose de poudre de safran
noix de muscade râpée
250 g de ricotta
1 œuf
50 cl de sauce tomate
   (voir p. 87)
15 cl de vin blanc sec, de bouillon
   de légumes ou d'eau
10 cl de *panna da cucina*
   ou de crème fraîche épaisse
50 g de parmesan râpé
sel et poivre noir moulu

1 Préchauffez le four à 190 °C. Portez à ébullition une grande casserole d'eau salée. Mettez les pâtes à cuire 10 min. Égouttez-les, remplissez la casserole d'eau froide jusqu'à mi-hauteur et remettez les *conchiglie* dedans.

2 Chauffez le beurre dans une autre casserole, mettez l'oignon à revenir à feu doux 5 min en remuant. Incorporez les épinards, l'ail et le safran, puis ajoutez de la noix de muscade, salez et poivrez. Mélangez bien, augmentez un peu le feu et faites cuire 5 à 8 min en tournant souvent, jusqu'à ce que les épinards deviennent tendres.

3 Augmentez encore le feu et mélangez jusqu'à ce que l'eau soit complètement évaporée. Transférez les épinards dans un récipient creux, ajoutez la ricotta et battez pour mélanger. Goûtez et assaisonnez, puis incorporez l'œuf et battez à nouveau.

4 Mixez la sauce tomate, versez-la dans un verre mesureur et ajoutez le vin, le bouillon de légumes ou l'eau jusqu'à hauteur de 75 cl. Incorporez la crème fraîche, mélangez bien, goûtez et assaisonnez.

5 Étalez la moitié de la sauce au fond de 6 plats à gratin individuels. Retirez les *conchiglie* de l'eau une par une, égouttez-les bien et garnissez-les avec le mélange de ricotta et d'épinards, à l'aide d'une cuillère à café. Disposez 3 *conchiglie* au milieu de chaque plat, nappez avec le reste de la sauce, puis parsemez de parmesan râpé. Faites gratiner au four 10 à 12 min. Laissez reposer 5 min avant de servir.

Cannelloni di carne mista

CANNELLONIS AUX TROIS VIANDES

*Une sauce crémeuse et riche fait
l'originalité de ce plat de cannellonis.*

INGRÉDIENTS

Pour 4 personnes

16 cannellonis
125 g de viande de bœuf hachée
125 g de viande de porc hachée
250 g de chair de poulet hachée
4 cuil. à soupe d'huile d'olive
1 oignon finement haché
1 carotte coupée en petits morceaux
2 gousses d'ail écrasées
2 olivettes bien mûres pelées
   et hachées
2 cuil. à soupe de cognac
25 g de beurre
6 cuil. à soupe de *panna da cucina*
   ou de crème fraîche épaisse
75 g de parmesan râpé
sel et poivre noir moulu
salade verte, pour l'accompagnement

Pour la sauce blanche
50 g de beurre
50 g de farine
90 cl de lait
noix de muscade

CONSEIL
Au lieu d'utiliser des cannellonis,
vous pouvez enrouler des feuilles
de lasagnes fraîches autour de la farce.

1 Chauffez l'huile dans un poêlon de taille moyenne, ajoutez l'oignon, la carotte, l'ail et les tomates, et faites cuire à feu doux 10 min en remuant.

2 Ajoutez les 3 sortes de viande hachée et portez à feu doux 10 min, en remuant souvent. Versez le cognac, augmentez le feu et laissez réduire. Incorporez le beurre et la crème fraîche, puis laissez mijoter à feu doux 10 min, en remuant de temps en temps. Laissez refroidir.

3 Préchauffez le four à 190 °C. Préparez la sauce blanche. Faites fondre le beurre dans une casserole de taille moyenne, incorporez la farine et laissez cuire 1 à 2 min en remuant. Ajoutez le lait progressivement en fouettant. Portez à ébullition et laissez réduire en remuant. Râpez la noix de muscade, salez, poivrez et fouettez. Retirez le poêlon du feu.

4 Versez un peu de sauce blanche dans un plat allant au four. Garnissez les cannellonis avec le mélange à base de viande et disposez-les les uns à côté des autres dans le plat. Nappez avec le reste de la sauce blanche, puis parsemez de parmesan. Faites cuire au four 35 à 40 min. Laissez reposer 10 min et servez accompagné d'une salade verte.

Cannelloni con ripieno di carne

CANNELLONIS FARCIS À LA VIANDE

Ce plat consistant est assez long à confectionner. Servez-le à l'occasion d'un dîner entre amis. Vous pouvez le préparer un jour à l'avance et le mettre au four au dernier moment. Vos invités apprécieront vos efforts, car cette spécialité est un vrai délice.

INGRÉDIENTS

Pour 6 personnes

18 cannellonis précuits
450 g de viande de bœuf hachée
1 cuil. à soupe d'huile d'olive
1 petit oignon finement haché
1 gousse d'ail finement hachée
1 cuil. à café d'herbes séchées
 mélangées
12 cl de bouillon de bœuf
1 œuf
75 g de jambon cuit finement haché
3 cuil. à soupe de chapelure fraîche
150 g de parmesan râpé
sel et poivre noir moulu

Pour la sauce tomate
2 cuil. à soupe d'huile d'olive
1 petit oignon finement haché
1/2 carotte coupée en petits
 morceaux
1 branche de céleri coupée
 en petits morceaux
1 gousse d'ail écrasée
1 boîte de 400 g d'olivettes
 concassées
quelques brins de basilic frais
1/2 cuil. à café d'origan séché

Pour la sauce blanche
50 g de beurre
50 g de farine
90 cl de lait
noix de muscade

2 Ajoutez la viande de bœuf hachée et l'ail, et portez à feu doux 10 min, en écrasant les morceaux avec une cuillère en bois. Mettez les herbes, salez et poivrez, puis versez la moitié du bouillon. Couvrez la casserole et laissez mijoter 25 min, en remuant de temps en temps et en ajoutant du bouillon à mesure que le mélange réduit. Versez dans un récipient et laissez refroidir.

3 Pendant ce temps, préparez la sauce tomate. Chauffez l'huile d'olive dans une casserole de taille moyenne, mettez les légumes et l'ail à cuire à feu moyen 10 min, en remuant souvent. Incorporez les tomates. Remplissez la boîte vide d'eau, versez celle-ci dans la casserole, puis mettez les herbes, salez et poivrez. Portez à ébullition, baissez le feu, couvrez et laissez mijoter 25 à 30 min, en tournant de temps en temps. Mélangez la sauce tomate à l'aide d'un mixer.

1 Chauffez l'huile d'olive dans une sauteuse de taille moyenne et faites fondre l'oignon haché à feu doux 5 min, en remuant de temps en temps.

4 Ajoutez l'œuf, le jambon, la chapelure et 6 cuillerées à soupe de parmesan râpé à la viande et mélangez bien. Goûtez et assaisonnez.

5 Étalez un peu de sauce tomate au fond d'un plat à four. Garnissez les cannellonis de farce à l'aide d'une cuillère à café et disposez-les les uns à côté des autres sur la sauce tomate. Nappez avec le reste de la sauce.

6 Préchauffez le four à 190 °C. Préparez la sauce blanche. Faites fondre le beurre dans la casserole, incorporez la farine et faites cuire 1 à 2 min en remuant. Ajoutez progressivement le lait en fouettant.

7 Portez à ébullition et faites réduire en remuant jusqu'à ce que la sauce devienne épaisse et lisse. Râpez la noix de muscade dessus, salez et poivrez. Fouettez, puis retirez du feu.

8 Nappez les cannellonis farcis de sauce blanche, puis répartissez le reste du parmesan. Mettez au four pour 40 à 45 min. Laissez les cannellonis refroidir 10 min avant de les servir.

Maccheroni ai quattro formaggi

MACARONIS AUX QUATRE FROMAGES

Ces macaronis, riches et crémeux, font un plat idéal pour un déjeuner à l'improviste ou un dîner entre amis. Servez-les accompagnés d'une salade de tomates au basilic ou d'une salade verte.

INGRÉDIENTS

Pour 4 personnes

250 g de macaronis courts
50 g de gruyère ou d'emmenthal râpé
50 g de *fontina* coupée en dés
50 g de gorgonzola émietté
75 g de parmesan râpé
50 g de beurre
50 g de farine
60 cl de lait
10 cl de *panna da cucina* ou de crème fraîche épaisse
10 cl de vin blanc sec
sel et poivre noir moulu

3 Ajoutez le gruyère ou l'emmenthal, la *fontina*, le gorgonzola et 1/3 du parmesan râpé. Mélangez bien, goûtez et ajoutez du sel et du poivre si nécessaire.

4 Égouttez les pâtes et mettez-les dans un plat à four. Nappez de sauce et mélangez, puis parsemez du reste de parmesan. Faites cuire au four 25 à 30 min. Servez très chaud.

1 Préchauffez le four à 180 °C. Faites cuire les pâtes selon les instructions figurant sur le paquet.

2 Pendant ce temps, faites fondre le beurre dans une casserole de taille moyenne, versez la farine et laissez cuire de 1 à 2 min en remuant. Ajoutez peu à peu le lait en fouettant. Incorporez la *panna da cucina* ou la crème fraîche, puis le vin blanc sec. Portez à ébullition. Faites réduire la sauce en remuant continuellement, puis retirez du feu.

Lasagne alla siciliana

LASAGNES À LA SICILIENNE

Les lasagnes ne sont pas une spécialité sicilienne, mais les Siciliens ont inventé une variante locale.

INGRÉDIENTS

Pour 6 personnes

250 g de feuilles de lasagnes
 fraîches, précuites si nécessaire
1 petit oignon
1/2 carotte
1/2 branche de céleri
3 cuil. à soupe d'huile d'olive
250 g de porc désossé
4 cuil. à soupe de vin blanc sec
1 boîte de 400 g d'olivettes
 concassées ou 40 cl de *passata*
20 cl de bouillon de volaille
1 cuil. à soupe de purée de tomates
2 feuilles de laurier
1 cuil. à soupe de persil frais plat
2 œufs durs coupés en tranches
125 g de mozzarella, égouttée
 et coupée en tranches
4 cuil. à soupe de *pecorino* râpé
sel et poivre noir moulu

1 Coupez les légumes frais en petits morceaux. Chauffez 2 cuillerées à soupe d'huile dans un grand poêlon ou dans une casserole, ajoutez les morceaux de légumes et faites cuire à feu moyen 10 min en remuant souvent.

2 Incorporez la viande de porc et faites revenir 5 min. Versez le vin et laissez réduire quelques minutes, puis ajoutez les tomates ou la *passata*, le bouillon et la purée de tomates. Déchirez chaque feuille de laurier pour en libérer l'arôme, puis mettez dans la casserole avec le persil, salez, poivrez et mélangez bien. Couvrez et faites cuire 30 à 40 min en remuant souvent jusqu'à ce que le porc soit bien tendre. Retirez la casserole du feu. Sortez les feuilles de laurier de la sauce et jetez-les.

3 Sortez les morceaux de viande à l'aide d'une écumoire. Hachez-les, puis remettez-les dans la sauce et remuez bien.

4 Préchauffez le four à 190 °C. Portez à ébullition une casserole d'eau salée. Coupez les feuilles de lasagnes en rubans de 2,5 cm de large et faites-les cuire 3 à 4 min, jusqu'à ce qu'elles soient juste *al dente*. Égouttez-les, puis mélangez avec la sauce.

5 Étalez la moitié des pâtes et de la sauce au fond d'un plat à four. Couvrez avec la moitié des tranches d'œufs, de mozzarella et de *pecorino* râpé. Renouvelez l'opération, puis arrosez avec le reste d'huile. Faites cuire au four 30 à 35 min jusqu'à ce que le dessus commence à gratiner. Laissez reposer 10 min avant de servir.

FUSILLIS AU JAMBON ET AU FROMAGE

Avec sa croûte gratinée et son intérieur crémeux, ce plat de pâtes, facile et rapide à préparer, est à la fois délicieux et très nourrissant. Servez-le comme dîner en hiver, accompagné d'une salade.

INGRÉDIENTS

Pour 4 personnes

300 g de fusillis, d'*eliche*
ou d'autres sortes de pâtes
125 g de jambon cuit coupé
en lamelles
150 g de gruyère râpé
3 œufs
20 cl de lait
15 cl de crème fraîche
noix de muscade râpée
2 cuil. à soupe de parmesan râpé
sel et poivre noir moulu

1 Préchauffez le four à 190 °C. Portez à ébullition une grande casserole d'eau salée. Mettez les pâtes à cuire 5 min.

2 Pendant ce temps, battez les œufs avec le lait, la crème et la moitié du gruyère râpé dans une jatte. Ajoutez un peu de noix de muscade râpée et assaisonnez selon votre goût.

3 Égouttez les pâtes et versez-en la moitié dans un plat à four beurré. Placez la moitié des lamelles de jambon par-dessus, puis faites une autre couche identique. Versez le mélange à base d'œufs et de crème dans le plat, mélangez, puis répartissez le reste du gruyère et du parmesan sur l'ensemble. Faites cuire au four 30 min, afin que le dessus gratine.

LASAGNES À L'AGNEAU

Il est rare d'associer la viande d'agneau et les lasagnes, mais le résultat est excellent.

INGRÉDIENTS

Pour 4 à 6 personnes

12 à 16 feuilles de lasagnes
fraîches, précuites si nécessaire
450 g de viande d'agneau hachée
1 cuil. à soupe d'huile d'olive
1 petit oignon finement haché
1 gousse d'ail écrasée
3 cuil. à soupe de vin blanc sec
1 cuil. à café d'herbes sèches
mélangées
1 cuil. à café d'origan séché
45 cl de *passata*
2 cuil. à soupe de parmesan râpé
sel et poivre noir moulu
Pour la sauce blanche
50 g de beurre
50 g de farine
90 cl de lait chaud
2 cuil. à soupe de parmesan râpé
noix de muscade râpée

1 Chauffez l'huile dans une casserole. Ajoutez l'oignon et faites-le fondre à feu doux pendant 5 min en remuant souvent. Incorporez la viande d'agneau hachée et l'ail, et faites mijoter à feu doux 10 min. Salez et poivrez, puis incorporez le vin. Portez à feu vif 2 min en remuant continuellement. Mettez la *passata* et les herbes. Laissez mijoter à feu doux entre 45 min et 1 h, en tournant de temps en temps.

2 Préchauffez le four à 190 °C. Préparez la sauce blanche. Chauffez le beurre dans une casserole, incorporez la farine et faites cuire 1 à 2 min en remuant. Ajoutez progressivement le lait en fouettant. Portez à ébullition et laissez réduire en tournant, jusqu'à ce que la sauce devienne lisse et épaisse. Ajoutez le parmesan, la noix de muscade râpée, salez, poivrez et mélangez. Retirez la casserole du feu.

3 Étalez quelques cuillerées de sauce à base de viande au fond d'un plat allant au four et recouvrez avec 3 à 4 feuilles de lasagnes. Répartissez 1/4 du reste de la sauce à la viande sur les lasagnes, puis 1/4 de la sauce blanche. Faites 3 autres couches identiques et terminez par la sauce blanche.

4 Parsemez de parmesan râpé et faites cuire au four de 30 à 40 min, jusqu'à ce que le dessus commence à gratiner. Laissez reposer 10 min avant de servir.

Pasticciata

GRATIN DE PÂTES

Ce plat est tout à fait indiqué pour un dîner végétarien. Les enfants en raffolent. Vous avez sans doute tous les ingrédients nécessaires dans votre placard ou dans votre réfrigérateur, de sorte que vous n'aurez aucun mal à le préparer.

INGRÉDIENTS

Pour 4 personnes

175 g de *conchiglie* ou de *rigatoni*
2 cuil. à soupe d'huile d'olive
1 petit oignon finement haché
1 boîte de 400 g d'olivettes concassées
1 cuil. à soupe de purée de tomates séchées au soleil
1 cuil. à café d'herbes sèches mélangées
1 cuil. à soupe d'origan ou de basilic séché
1 cuil. à café de sucre
2 cuil. à soupe de chapelure
sel et poivre noir moulu
Pour la sauce blanche
25 g de beurre
25 g de farine
60 cl de lait
1 œuf

1 Faites chauffer l'huile d'olive dans une casserole. Ajoutez l'oignon haché et laissez-le fondre à feu doux 5 min, en remuant souvent. Incorporez les tomates concassées. Remplissez la boîte vide d'eau et versez celle-ci dans la casserole avec la purée de tomates, les herbes et le sucre.

2 Salez, poivrez et portez à ébullition en remuant. Couvrez, baissez le feu et laissez mijoter 10 à 15 min.

3 Pendant ce temps, préchauffez le four à 190 °C. Faites cuire les pâtes à l'eau selon les instructions figurant sur le paquet.

4 Pour la sauce blanche, chauffez le beurre dans une casserole, ajoutez la farine et faites cuire 1 min en remuant.

5 Ajoutez le lait peu à peu en fouettant. Portez à ébullition et faites réduire en tournant jusqu'à ce que la sauce devienne lisse et épaisse. Assaisonnez, puis retirez la casserole du feu.

6 Égouttez les pâtes et transférez-les dans un plat à four. Goûtez la sauce tomate, salez et poivrez. Versez la sauce dans le plat et mélangez avec les pâtes.

7 Incorporez l'œuf dans la sauce blanche en battant, puis versez celle-ci sur le mélange à base de pâtes. Remuez délicatement les pâtes afin que la sauce blanche se répartisse de façon homogène.

8 Égalisez la surface, parsemez de parmesan râpé et de chapelure, et faites cuire au four 15 à 20 min, jusqu'à ce que le dessus gratine. Laissez reposer 10 min avant de servir.

VARIANTES

❖ Vous pouvez ajouter des morceaux de légumes rôtis tels que des courgettes, des poivrons ou des aubergines à la sauce tomate. Cela lui donnera plus de goût et fera un repas plus consistant.
❖ Les amateurs de viande peuvent remplacer la sauce tomate par de la sauce bolonaise.

PÂTES FARCIES

Fabriquer des pâtes fraîches est plus simple qu'on ne se l'imagine, en particulier si l'on possède une machine à pâtes. On peut faire les pâtes à la main, mais une machine fait gagner du temps et facilite la tâche. Les recettes présentées dans ce chapitre peuvent s'appliquer à différentes sortes de pâtes, mais toutes sont confectionnées à partir de la même pâte de base. Les pâtes destinées à être farcies sont toujours faites avec des œufs, ce qui les rend plus souples et évite qu'elles ne se déchirent pendant la cuisson. Les pâtes farcies sont originaires du nord de l'Italie mais, aujourd'hui, toutes les villes italiennes ont leur spécialité, souvent associée à un jour particulier du calendrier, par exemple un jour de fête ou le nouvel an. Les pâtes farcies fabriquées artisanalement sont donc plutôt réservées aux grandes occasions, et on les sert en général très simplement, soit arrosées de beurre fondu ou d'huile, soit en bouillon. Si vous voulez les confectionner vous-même, servez-les en entrée au dîner. Et n'oubliez pas que, si la pratique conduit au savoir-faire, une partie du charme des pâtes artisanales réside dans leurs imperfections. N'essayez pas de les faire à tout prix de la même taille.

Ravioli alla romagnola

RAVIOLIS À LA ROMAINE

*Ces raviolis à la romaine, farcis
avec de la viande hachée et du
fromage, sont parfumés avec
des herbes aromatiques fraîches.
Ils font une entrée consistante.*

INGRÉDIENTS

Pour 8 personnes

1 portion de pâte aux œufs
  (voir p. 42)
50 g de beurre
1 bouquet de sauge fraîche,
  débarrassée des tiges, hachée
4 cuil. à soupe de parmesan râpé
quelques feuilles de sauge entières,
  pour la garniture

Pour la farce

150 g de viande de porc hachée
125 g de viande de dinde hachée
25 g de beurre
4 feuilles de sauge fraîche finement
  hachée
feuilles d'1 brin de romarin hachées
2 cuil. à soupe de vin blanc sec
65 g de ricotta
3 cuil. à soupe de parmesan râpé
1 œuf
noix de muscade râpée
sel et poivre noir moulu

1 Préparez la farce. Chauffez le beurre dans une casserole de taille moyenne, ajoutez le porc et la dinde hachés, ainsi que les herbes, et faites cuire à feu doux 5 à 6 min, en remuant souvent et en écrasant les morceaux de viande à l'aide d'une cuillère en bois. Salez et poivrez.

2 Versez le vin et mélangez. Faites réduire 1 à 2 min, puis couvrez et laissez mijoter à feu doux pendant 20 min, en tournant de temps en temps. Transférez la viande dans une jatte à l'aide d'une écumoire et laissez-la refroidir.

3 Ajoutez la ricotta, le parmesan et l'œuf en même temps que de la noix de muscade râpée. Mélangez.

4 À l'aide d'une machine à pâtes, étendez 1/4 de la pâte en un ruban de 90 cm à 1 m de long. Coupez le ruban en 2 longueurs de 45 à 50 cm avec un couteau (vous pouvez le faire pendant que vous étendez la pâte si celle-ci devient trop difficile à manipuler).

5 À l'aide d'une cuillère à café, disposez 10 à 12 petites noix de farce le long du bord de l'un des rubans de pâte, en les espaçant régulièrement. Humidifiez autour de chaque noix, puis repliez l'autre côté de la pâte sur la partie garnie.

6 En partant du bord plié, pressez du bout des doigts autour de chaque noix de farce pour chasser l'air par le côté ouvert. Farinez légèrement.

7 Coupez le long de chaque ruban à l'aide d'une roulette à pâte dentée, puis entre chaque noix de farce de façon à obtenir des petits carrés. Farinez légèrement.

8 Étalez les raviolis sur des torchons saupoudrés de farine et laissez-les sécher en répétant l'opération avec le reste de pâte. Vous devriez pouvoir réaliser 80 à 96 raviolis.

9 Jetez les raviolis dans une grande casserole d'eau bouillante salée, portez à ébullition de nouveau et laissez bouillir 4 à 5 min.

VARIANTE

Vous pouvez aussi remplacer les viandes de
porc et de dinde hachées par de la viande
hachée de veau, de bœuf ou d'agneau.

10 Pendant que les raviolis cuisent, chauffez le beurre dans une petite casserole, ajoutez les feuilles de sauge fraîche et faites-les revenir en remuant, jusqu'à ce que le beurre commence à grésiller.

11 Égouttez les raviolis et transférez la moitié dans un grand plat préchauffé. Répartissez la moitié du parmesan râpé dessus, puis la moitié du beurre à la sauge. Répétez l'opération. Garnissez de feuilles de sauge entières et servez immédiatement avec du parmesan râpé.

Agnolotti alla salsa di vodka

AGNOLOTTI À LA VODKA

*Ces délicates pâtes en forme
de demi-lunes sont farcies de viande
hachée aux épices et nappées
d'une sauce à la crème fraîche,
au gorgonzola et à la vodka.
Ce plat peut être servi en entrée
à l'occasion d'un dîner entre amis.*

INGRÉDIENTS

Pour 6 à 8 personnes

1 portion de pâte aux œufs
   (voir p. 42)
parmesan fraîchement râpé

Pour la farce

1 cuil. à soupe d'huile d'olive
75 g de *pancetta*, de bacon
   ou de jambon coupé(e) en dés
250 g de viande de porc ou de veau
   hachée
2 gousses d'ail écrasées
1 pincée de cannelle en poudre
12 cl de vin rouge
4 cuil. à soupe de persil plat haché
1 petit œuf
sel et poivre noir moulu

Pour la sauce

3 cuil. à soupe de vodka
50 g de beurre
25 cl de *panna da cucina*
   ou de crème fraîche épaisse
125 g de gorgonzola coupé en dés

1 Préparez la farce. Chauffez l'huile dans une casserole de taille moyenne. Mettez la *pancetta*, le bacon ou le jambon à frire en remuant pendant quelques minutes. Incorporez la viande de porc, l'ail, la cannelle, salez, poivrez et faites cuire à feu doux 5 à 6 min en remuant souvent.

2 Versez le vin et mélangez, puis laissez mijoter à feu doux 15 à 20 min, en tournant de temps en temps jusqu'à ce que la viande soit bien sèche. Transférez-la dans un récipient à l'aide d'une écumoire et laissez-la refroidir.

3 Ajoutez le persil et l'œuf au mélange à base de viande et remuez bien.

4 À l'aide d'une machine à pâtes, étendez 1/4 de la pâte en un ruban de 90 cm à 1 m de long. Coupez le ruban en 2 longueurs de 45 à 50 cm avec un couteau (vous pouvez le faire pendant que vous étendez la pâte si celle-ci devient difficile à manipuler).

5 À l'aide d'une cuillère à café, disposez 8 à 10 petites noix de farce le long de l'un des rubans de pâte, en les espaçant régulièrement. Humidifiez autour de chaque noix, puis repliez l'autre côté du ruban de pâte sur la farce.

6 En partant du côté plié, appuyez doucement du bout des doigts autour de chaque noix de farce en chassant l'air par le côté ouvert.

7 En utilisant un emporte-pièce denté, coupez autour de chaque noix de farce de façon à obtenir une forme de demi-lune. Le bord plié doit être le bord droit. Si vous le souhaitez, appuyez sur les bords coupés des *agnolotti* avec les dents d'une fourchette pour créer un effet décoratif.

8 Étalez les *agnolotti* sur des torchons saupoudrés de farine, en les espaçant pour éviter qu'ils ne se collent. Farinez-les légèrement et laissez-les sécher. Répétez l'opération jusqu'à ce que vous ayez réalisé 65 à 80 *agnolotti*.

9 Plongez les *agnolotti* dans une grande casserole d'eau bouillante salée, portez à ébullition de nouveau et laissez bouillir 4 à 5 min.

10 Pendant ce temps, préparez la sauce. Chauffez le beurre dans une casserole de taille moyenne, incorporez la crème et le fromage, et faites cuire en remuant jusqu'à ce que le fromage ait fondu. Ajoutez la vodka, poivrez et mélangez bien.

11 Égouttez les *agnolotti* et répartissez-les entre 6 ou 8 assiettes creuses
préalablement chauffées. Nappez de
sauce et parsemez généreusement de
parmesan. Servez sans attendre.

CONSEIL

Le gorgonzola est un fromage bleu italien
au goût très prononcé et à la consistance
crémeuse. Le gorgonzola *piccante* est
une variété particulièrement forte,
tandis que le gorgonzola *dolce* – plus
connu sous le nom de *dolcelatte* – est plus
crémeux et a un goût moins puissant.
On trouve les deux sortes de gorgonzola
dans la plupart des supermarchés et des
épiceries fines, ainsi que chez les fromagers.

VARIANTES

❖ Vous pouvez remplacer la *pancetta*,
le bacon ou le jambon par du salami
aux épices pour faire la farce. Achetez
un salami entier, retirez la peau et
coupez-le en tranches fines.
❖ Pour faire les *agnolotti*, on utilise
parfois du jambon de Parme, qui leur
donne un goût plus délicat que la *pancetta*.

Ravioli con la zucca

RAVIOLIS AU POTIRON

Ce plat est une version simplifiée d'une spécialité de Noël lombarde. Dans les recettes traditionnelles, la farce à base de potiron est parfumée avec de la mostarda di frutta *(sorte de marinade aux fruits), des biscuits* amaretti *écrasés et du sucre. Ici, le potiron est mélangé avec du parmesan et de la noix de muscade. Il est suffisamment doux pour convenir à tous les goûts.*

INGRÉDIENTS

Pour 8 personnes

1 portion de pâte aux œufs
  (voir p. 42)
115 g de beurre
parmesan râpé,
  pour l'accompagnement

Pour la farce
450 g de potiron
1 cuil. à soupe d'huile d'olive
40 g de parmesan râpé
noix de muscade râpée
sel et poivre noir moulu

1 Préparez la farce. Préchauffez le four à 220 °C. Coupez le potiron en morceaux, ôtez les graines et les fibres. Placez les morceaux dans un plat à four, l'écorce vers le bas et versez l'huile sur la chair du potiron. Faites rôtir au four 30 min en retournant les morceaux une ou deux fois.

2 Laissez-le un peu refroidir, puis raclez l'écorce pour en détacher la chair. Mettez celle-ci dans une jatte et jetez l'écorce.

3 Écrasez le potiron à l'aide d'une fourchette, puis ajoutez le parmesan et la noix de muscade râpés, salez et poivrez. Mélangez bien et laissez complètement refroidir.

4 À l'aide d'une machine à pâtes, étendez 1/4 de la pâte en un ruban de 90 cm à 1 m. Coupez la bande en 2 longueurs de 45 à 50 cm avec un couteau bien aiguisé (vous pouvez le faire pendant que vous étendez la pâte si elle devient difficile à manipuler).

5 À l'aide d'une cuillère à café, disposez 10 à 12 petites noix de farce le long de l'un des rubans de pâte en les espaçant régulièrement.

6 Badigeonnez un peu d'eau autour de chaque noix de farce, puis repliez le ruban de pâte par-dessus. En commençant par le bord plié, appuyez doucement du bout des doigts autour de chaque noix en chassant l'air par le côté ouvert. Farinez légèrement.

7 Coupez les bords du ruban à l'aide d'une roulette à pâte dentée, puis entre chaque noix de farce de façon à obtenir des petits carrés. Étalez les raviolis sur des torchons saupoudrés de farine et laissez-les sécher. Répétez l'opération jusqu'à ce que le reste de la pâte soit épuisé – vous devriez pouvoir réaliser 80 à 95 raviolis.

8 Plongez les raviolis dans une grande casserole d'eau bouillante salée, portez à ébullition de nouveau et laissez bouillir 4 à 5 min. Faites grésiller le beurre dans une petite casserole.

9 Égouttez les raviolis et répartissez-les dans les assiettes creuses préchauffées. Versez le beurre fondu sur les raviolis, parsemez de parmesan râpé et servez immédiatement.

CONSEIL

Vous trouverez de la *mostarda di frutta* dans les épiceries fines italiennes, surtout pendant la période des fêtes de fin d'année.

Si vous voulez en mettre un peu dans la farce, ajoutez-en 3 cuillerées à soupe avec quelques biscuits *amaretti* écrasés.

Ravioli di magro

RAVIOLIS AUX ÉPINARDS ET À LA RICOTTA

Littéralement, ravioli di magro
*signifie « raviolis maigres ».
Ce terme désigne les raviolis sans
viande, comme les raviolis aux
épinards et à la ricotta. On sert
des* Ravioli di magro *le soir de
Noël, lorsqu'il est préférable d'éviter
les pâtes farcies à la viande.*

INGRÉDIENTS

Pour 8 personnes

1 portion de pâte aux œufs
    (voir p. 42)
parmesan fraîchement râpé,
    pour l'accompagnement

Pour la farce
175 g d'épinards frais épluchés,
    lavés et coupés
200 g de ricotta
40 g de beurre
25 g de parmesan râpé
noix de muscade râpée
1 petit œuf
sel et poivre noir moulu

Pour la sauce
50 g de beurre
25 cl de *panna da cucina*
    ou de crème fraîche épaisse
50 g de parmesan râpé

1 Préparez la farce. Chauffez le beurre
dans une casserole de taille moyenne,
ajoutez les épinards, salez, poivrez et
faites cuire à feu moyen 5 à 8 min en
tournant souvent. Augmentez le feu
et remuez jusqu'à ce que l'eau se soit
évaporée.

2 Transférez les épinards dans une
jatte et laissez-les refroidir, puis incorporez la ricotta, le parmesan et la noix
de muscade râpés. Mélangez en battant, goûtez et assaisonnez. Ajoutez
l'œuf et battez à nouveau.

3 À l'aide d'une machine à pâtes,
étendez 1/4 de la pâte en un ruban de
90 cm à 1 m de long. Coupez le ruban
en 2 longueurs de 45 à 50 cm avec un
couteau bien aiguisé (vous pouvez le
faire pendant que vous étendez la pâte
si celle-ci devient difficile à manipuler).

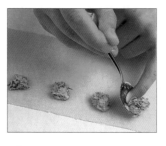

4 À l'aide d'une cuillère à café, disposez
10 à 12 petites noix de farce le long
de l'un des rubans de pâte, en les
espaçant de façon régulière. Humidifiez autour de chaque noix, puis repliez
l'autre côté de la pâte sur la farce.

5 En commençant par le bord plié,
pressez doucement du bout des doigts
autour de chaque noix de farce en
chassant l'air par le côté ouvert. Farinez légèrement.

6 Coupez le long des bords du ruban
à l'aide d'une roulette à pâte dentée,
puis entre chaque noix de farce de
façon à obtenir de petits carrés.

7 Étalez les raviolis sur un torchon sau-
poudré de farine, farinez-les légèrement
et laissez-les sécher. Répétez l'opération jusqu'à épuisement de la pâte.
Vous devriez obtenir 80 à 95 raviolis.

8 Plongez les raviolis dans une grande
casserole d'eau bouillante salée et
laissez bouillir 4 à 5 min.

9 Pendant ce temps, préparez la sauce.
Faites fondre le beurre, la crème et le
parmesan à feu doux dans une casserole de taille moyenne.

10 Augmentez le feu et laissez réduire 1 à 2 min, puis salez et poivrez.

11 Égouttez les raviolis et répartissez-les dans huit assiettes creuses préalablement chauffées. Nappez de sauce, parsemez de parmesan râpé et servez sans attendre.

CONSEIL

Pour empêcher les pâtes de coller, farinez légèrement votre surface de travail et vos ustensiles ; recommencez cette opération aussi souvent que nécessaire.

VARIANTE

Si vous surveillez votre ligne, servez les raviolis avec du beurre fondu à la sauge. Faites fondre 50 g de beurre dans une petite casserole, ajoutez 1 poignée de feuilles de sauge fraîche et faites-les revenir à feu doux en remuant continuellement jusqu'à ce que le mélange grésille. Cette sauce sera un peu moins riche que la sauce à la crème.

Ravioli al granchio

RAVIOLIS AU CRABE

*Cette spécialité moderne,
qui fait un hors-d'œuvre idéal
pour un dîner entre amis, est
à base de pâtes parfumées au piment,
qui se marient parfaitement
avec la chair de crabe mais peuvent
être utilisées telles quelles.*

INGRÉDIENTS

Pour 4 personnes

1 portion de pâte aux œufs parfumée
  au piment *(voir pp. 42 et 51)*
90 g de beurre
jus d'1 citron

Pour la farce
  175 g de chair de crabe
  175 g de mascarpone
  2 cuil. à soupe de persil plat haché
  zeste d'1 citron râpé
  1 pincée de piment rouge séché
    écrasé (facultatif)
  sel et poivre noir moulu

CONSEIL

Vous pouvez n'utiliser que de la chair
de crabe blanche ou mélanger des chairs
blanche et foncée. Si vous prenez de la
chair foncée, le goût sera plus prononcé.

1 Pour la farce, écrasez le mascarpone
à la fourchette dans une jatte. Ajoutez
la chair de crabe, le persil, le zeste
de citron râpé, la poudre de piment
rouge, salez et poivrez. Mélangez bien.

2 À l'aide d'une machine à pâtes,
étendez 1/4 de la pâte en un ruban de
90 cm à 1 m de long. Coupez le ruban
en 2 longueurs de 45 à 50 cm avec un
couteau bien aiguisé (vous pouvez le
faire pendant que vous étendez la pâte
si celle-ci devient difficile à manipuler).

3 Découpez 8 carrés dans chaque
ruban de pâte à l'aide d'un emporte-
pièce denté de 6 cm.

4 Avec une cuillère à café, mettez
1 petite noix de farce au milieu de la
moitié des carrés. Humidifiez le bord
des carrés garnis, puis placez les
autres par-dessus et pressez les bords
ensemble pour fermer. Pour créer un
effet décoratif, appuyez les dents d'une
fourchette tout autour des raviolis.

5 Étalez les raviolis sur un torchon
fariné, farinez-les légèrement et laissez-
les sécher. Répétez l'opération jusqu'à épuisement de la pâte, de façon
à obtenir environ 32 raviolis. S'il vous
reste de la farce, étendez les chutes
de pâte et faites d'autres raviolis.

6 Faites cuire les raviolis dans une
grande casserole d'eau bouillante
salée, 4 à 5 min. Pendant ce temps,
faites grésiller le beurre et le jus de
citron dans une petite casserole.

7 Égouttez les raviolis et répartissez-
les dans 4 assiettes creuses préchauffées. Nappez les raviolis de beurre au
citron et servez sans délai.

Culurgiones

RAVIOLIS À LA MODE SARDE

*Ces raviolis garnis avec une farce
à base de pommes de terre et de
menthe sont une spécialité du nord
de la Sardaigne appelée* culurgione.
*Ici, ils sont gratinés au four avec
du beurre et du fromage, mais on les
sert souvent nappés de sauce tomate.*

INGRÉDIENTS
Pour 4 à 6 personnes

1 portion de pâte aux œufs
  (voir p. 42)
50 g de beurre
50 g de *pecorino* râpé

Pour la farce

2 pommes de terre de 200 g
  chacune coupées en dés
70 g de *pecorino* salé très fait, râpé
75 g de *pecorino* frais mou
1 jaune d'œuf
1 gros bouquet de menthe fraîche
  haché
1 pincée de poudre de safran
sel et poivre noir moulu

1 Préparez la farce. Faites cuire les
pommes de terre dans de l'eau bouillante salée 15 à 20 min. Égouttez-les
puis écrasez-les dans une jatte. Laissez-les refroidir. Ajoutez les 2 variétés
de *pecorino*, le jaune d'œuf, la menthe,
le safran, salez, poivrez et mélangez.

2 À l'aide d'une machine à pâtes,
étendez 1/4 de la pâte en un ruban de
90 cm à 1 m de long. Coupez le ruban
en 2 longueurs de 45 à 50 cm avec un
couteau bien aiguisé.

3 Découpez 4 à 5 ronds dans un
ruban de pâte à l'aide d'un emporte-
pièce denté. Placez 1 cuillerée à café
de farce sur un côté de chaque rond.
Humidifiez le pourtour, puis repliez la
partie vide du rond sur la farce de
façon à créer une forme de demi-lune.
Plissez le bord courbe pour fermer.

4 Étalez les *culurgione* sur des torchons farinés, farinez-les légèrement
et laissez-les sécher. Répétez l'opération jusqu'à épuisement de la pâte.
Vous devriez pouvoir réaliser 30 à
40 *culurgione*. S'il vous reste de la
farce, étendez les chutes de pâte et
confectionnez d'autres *culurgione*.

5 Préchauffez le four à 190 °C. Faites
cuire les *culurgione* dans une grande
casserole d'eau bouillante salée 4 à
5 min. Pendant ce temps, mettez
le beurre à fondre dans une petite
casserole.

6 Égouttez les *culurgione*, disposez-
les dans un grand plat à four et nappez-les de beurre fondu. Parsemez-
les de pecorino râpé et cuisez-les au
four 10 à 15 min, jusqu'à ce que le
dessus des *culurgione* commence à
gratiner. Laissez reposer 5 min avant
de servir.

CONSEIL
Plisser le bord courbe des *culurgione*
est tout un art, mais chaque cuisinier
a sa façon de procéder. Ne cherchez pas
à obtenir un résultat trop précis. Si vous
préférez, faites simplement des raviolis
ronds ou carrés, ou de simples demi-lunes.

Rotolo di pasta farcita

ROULEAU DE PÂTE FARCI

Cette entrée fera grande impression sur vos invités. Sa préparation exige beaucoup de temps, mais vous pouvez confectionner votre rouleau la veille et le faire cuire au four le jour même.

INGRÉDIENTS

Pour 6 personnes

2/3 de portion de pâte aux œufs
   (voir p. 42)
75 g de beurre
1 petit oignon finement haché
150 g de feuilles d'épinards frais
   lavées et préparées
250 g de ricotta
1 œuf
4 cuil. à soupe de parmesan râpé
4 cuil. à soupe de *pecorino* râpé
noix de muscade râpée
sel et poivre noir moulu

Pour la sauce tomate

4 cuil. à soupe d'huile d'olive
1 oignon finement haché
1 carotte finement hachée
1 branche de céleri finement hachée
1 gousse d'ail coupée
   en fines lamelles
quelques feuilles de basilic, de thym
   et de marjolaine ou d'origan frais
2 boîtes de 400 g d'olivettes
   concassées
1 cuil. à soupe de purée de tomates
   séchées au soleil
1 cuil. à café de sucre
6 cuil. à soupe de vin blanc sec

1 Chauffez 2 cuillerées à soupe de beurre dans une casserole de taille moyenne, ajoutez l'oignon haché et faites-le revenir à feu doux 5 min en remuant souvent.

2 Incorporez les épinards, salez, poivrez et faites cuire à feu doux 5 à 8 min. Augmentez le feu et laissez mijoter en tournant jusqu'à ce que le jus des épinards se soit évaporé.

3 Hachez très finement le mélange à base d'épinards, à la main ou à l'aide d'un mixer. Transférez-le dans un récipient creux et ajoutez la ricotta, l'œuf, ainsi que la moitié du parmesan et du *pecorino* râpés. Assaisonnez avec de la noix de muscade râpée, salez et poivrez généreusement. Battez le tout.

4 Étendez la pâte de façon à former un rectangle de 50 × 40 cm. Disposez le rectangle sur un grand morceau de mousseline avec un des côtés courts placé vers vous.

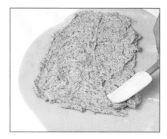

5 Étalez le mélange à base d'épinards sur la pâte en laissant une marge de 2 cm le long des 2 côtés longs et une marge de 5 cm le long du côté court placé à l'opposé de vous. Humidifiez les 2 côtés longs.

6 En commençant par le bord court placé vers vous, remontez la mousseline et enroulez la pâte vers l'extérieur jusqu'à ce que vous ayez un rouleau de 40 cm de long. Appuyez sur les extrémités pour fermer, puis enroulez deux fois la mousseline autour du rouleau et attachez les extrémités à l'aide d'une ficelle.

7 Portez à ébullition une grande casserole remplie d'eau jusqu'à mi-hauteur. Ajoutez 1 pincée de sel, puis plongez le rouleau dedans. Couvrez-le à demi et laissez mijoter 45 min en le retournant deux fois. Sortez le rouleau de l'eau et placez-le sur une planche près de l'évier. Surélevez l'une des extrémités de la planche pour permettre à l'excédent d'eau de s'écouler et laissez refroidir le rouleau.

8 Préparez la sauce tomate. Coupez l'oignon, la carotte et le céleri en petits morceaux, à la main ou à l'aide d'un mixer. Chauffez l'huile dans une casserole, mettez les lamelles d'ail à revenir à feu doux 1 à 2 min en remuant. Incorporez les légumes coupés et les herbes fraîches. Faites cuire à feu doux 5 à 7 min, en remuant jusqu'à ce que les légumes commencent à dorer.

9 Ajoutez les tomates, la purée de tomates et le sucre, salez et poivrez. Portez à ébullition en remuant, puis baissez le feu et laissez mijoter à feu doux sans couvrir pendant 45 min, en remuant de temps en temps.

10 Préchauffez le four à 200 °C.
Déroulez le rouleau et coupez-le en
12 tranches épaisses. Faites fondre
le reste du beurre et badigeonnez
l'intérieur d'un grand plat à four peu
profond avec le beurre fondu.

11 Disposez les tranches de rouleau
dans le plat en les faisant se chevaucher et arrosez avec le reste du beurre.
Répartissez le reste de parmesan et
de *pecorino* râpés et faites cuire au
four 10 à 15 min, jusqu'à ce que les
tranches commencent à dorer.

12 Pendant ce temps, passez la sauce
tomate au mixer, jusqu'à ce qu'elle soit
complètement lisse. Versez-la dans une
casserole, ajoutez le vin, puis réchauffez-la jusqu'à ce qu'elle commence
à bouillonner. Servez les tranches de
rouleau sur un lit de sauce tomate et
garnissez de feuilles de basilic.

CONSEIL

Si vous possédez une machine à pâtes,
étendez la moitié de la pâte en un ruban
de 90 cm à 1 m de long. Coupez le ruban
en 2 longueurs de 45 à 50 cm à l'aide
d'un couteau pointu (vous pouvez le faire
pendant que vous étendez la pâte si celle-ci
devient difficile à manipuler en raison de
sa longueur). Humidifiez le côté long d'un
des rubans, puis posez l'autre ruban à côté
en les faisant se chevaucher sur 1 cm.
Farinez légèrement et pressez, puis fermez
en passant un rouleau à pâtisserie sur les
rubans. Répétez l'opération avec le reste de
la pâte, puis assemblez les deux morceaux
de façon à obtenir un grand rectangle.

Cappellacci alla bolognese

CAPPELLACCI AU FROMAGE, SAUCE BOLONAISE

En Émilie-Romagne, on sert traditionnellement ces cappellacci avec une sauce à la viande, mais si vous préférez, vous pouvez simplement les napper de sauce tomate ou de beurre fondu.

INGRÉDIENTS

Pour 6 personnes

1 portion de pâte aux œufs
  (voir p. 42)
2 l de bouillon de bœuf confectionné
  avec des cubes
parmesan râpé, pour
  l'accompagnement
feuilles de basilic, pour la décoration

Pour la farce

250 g de ricotta
100 g de *taleggio* coupé en dés,
  sans la croûte
4 cuil. à soupe de parmesan râpé
1 petit œuf
noix de muscade râpée
sel et poivre noir moulu

Pour la sauce bolonaise

25 g de beurre
1 cuil. à soupe d'huile d'olive
1 oignon
2 carottes
2 branches de céleri
2 gousses d'ail
125 g de *pancetta* ou de bacon,
  coupé(e) en dés
250 g de viande de bœuf maigre
  hachée
250 g de viande de porc maigre
  hachée
12 cl de vin blanc sec
2 boîtes de 400 g d'olivettes
  concassées
50 cl de bouillon de viande
10 cl de *panna da cucina*
  ou de crème fraîche épaisse

1 Préparez la farce. Mettez la ricotta, le *taleggio* et le parmesan dans une jatte et écrasez-les ensemble à l'aide d'une fourchette.

2 Ajoutez l'œuf et la noix de muscade râpée, salez, poivrez et mélangez.

3 À l'aide d'une machine à pâtes, étendez 1/4 de la pâte en un ruban de 90 cm à 1 m de long. Coupez le ruban en 2 longueurs de 45 à 50 cm avec un couteau pointu (vous pouvez le faire pendant que vous étendez la pâte si celle-ci devient difficile à manipuler en raison de sa longueur).

4 À l'aide d'un emporte-pièce carré, découpez 6 à 7 carrés dans l'un des rubans de pâte. Placez 1 noix de farce au milieu de chaque carré. Humidifiez les bords, puis pliez les carrés en deux dans la diagonale, de façon à créer une forme triangulaire. Pressez pour fermer.

5 Enroulez le triangle autour de votre index en rapprochant les deux pointes l'une de l'autre. Pincez-les ensemble pour fermer, puis appuyez du bout des doigts tout autour du bord supérieur pour faire des dents, de façon à ce que votre « chapeau » ressemble à une mitre d'évêque.

6 Étalez les *cappellacci* sur des torchons farinés, saupoudrez-les légèrement de farine et laissez-les sécher. Répétez l'opération jusqu'à épuisement de la pâte. Vous devriez pouvoir réaliser 50 à 55 *cappellacci*.

7 Préparez la sauce bolonaise. Faites chauffer le beurre et l'huile dans une sauteuse. Ajoutez les légumes, l'ail et la *pancetta* ou le bacon et laissez cuire à feu moyen 10 min.

8 Incorporez le porc et le bœuf hachés, baissez le feu et laissez cuire à feu doux 10 min, en remuant souvent et en écrasant les morceaux de viande à l'aide d'une cuillère en bois. Salez et poivrez, puis ajoutez le vin et mélangez à nouveau. Laissez réduire 5 min.

9 Ajoutez les tomates et 25 cl de bouillon, et portez à ébullition. Mélangez bien, puis baissez le feu, couvrez la casserole à demi et laissez mijoter à feu très doux pendant 2 h. Remuez de temps en temps et ajoutez du bouillon à mesure que la viande l'absorbe.

10 Mettez la *panna da cucina* ou la crème fraîche épaisse dans la sauce bolonaise. Mélangez bien, puis laissez mijoter sans couvrir 30 min de plus, en remuant souvent.

11 Portez à ébullition le bouillon dans une grande casserole.

12 Plongez les *cappellacci* dans le bouillon et laissez bouillir 4 à 5 min. Égouttez et répartissez les *cappellacci* dans des assiettes creuses préchauffées. Nappez de sauce bolonaise très chaude et parsemez de parmesan râpé. Garnissez de feuilles de basilic entières. Servez immédiatement.

CONSEIL

La forme des *cappellacci* varie suivant les cuisiniers. Certains sont faits avec des ronds de pâte plutôt qu'avec des carrés, auquel cas on les appelle plutôt tortellinis ou *tortelloni*. Tout dépend de la région où ils sont fabriqués. Si vous préférez que vos pâtes aient la forme d'un chapeau de fête, ne faites pas de dents au-dessus de la farce (étape 5), mais remontez le bord inférieur de chaque « chapeau » de façon à former un rebord.

Les *cappelletti* ont la même forme que les *cappellacci*, sauf qu'ils sont faits avec des carrés de pâte plus petits. Les *cappelletti* sont difficiles à confectionner en raison de leur petite taille.

Ravioli alla napoletana

RAVIOLIS AU FROMAGE, AU JAMBON ET À LA SAUCE TOMATE

Typiques de la cuisine du sud de l'Italie, ces raviolis ont une saveur très parfumée. Ils sont assez consistants pour être servis comme plat principal, accompagnés d'une salade verte ou mixte. Si vous préférez les proposer en entrée, il y en a assez pour huit personnes.

INGRÉDIENTS

Pour 4 à 6 personnes

1 portion de pâte aux œufs
  (*voir p. 42*)
4 cuil. à soupe de *pecorino* râpé

Pour la farce

175 g de ricotta
2 cuil. à soupe de parmesan râpé
125 g de jambon de Parme
  finement haché
150 g de mozzarella égouttée
  et coupée en petits morceaux
1 petit œuf
1 cuil. à soupe de persil plat haché

Pour la sauce tomate

2 cuil. à soupe d'huile d'olive
1 oignon finement haché
1 boîte de 400 g d'olivettes
  concassées
1 cuil. à soupe de purée de tomates
1 cuil. à café d'origan séché
sel et poivre noir moulu

1 Préparez la sauce. Faites chauffer l'huile dans une casserole moyenne, ajoutez l'oignon et faites-le fondre à feu doux 5 min en remuant souvent.

2 Incorporez les tomates. Remplissez la boîte vide d'eau, versez celle-ci dans la casserole, puis ajoutez la purée de tomates et l'origan, salez et poivrez. Portez à ébullition et mélangez bien, puis couvrez la casserole et laissez mijoter à feu doux 30 min, en remuant de temps en temps et en ajoutant un peu d'eau si la sauce épaissit trop.

3 Pendant ce temps, préparez la farce et les raviolis. Mettez tous les ingrédients de la farce dans une jatte, salez et poivrez. Mélangez à la fourchette en écrasant les grumeaux de ricotta.

4 À l'aide d'une machine à pâtes, étendez 1/4 de la pâte en un ruban de 90 cm à 1 m de long. Coupez-le en 2 morceaux de 45 à 50 cm avec un couteau bien aiguisé (vous pouvez le faire pendant que vous étendez la pâte si celle-ci devient difficile à manipuler en raison de sa longueur).

5 En utilisant 2 cuillères à café, disposez 10 à 12 petites noix de farce le long de l'un des rubans de pâte en les espaçant de façon régulière. La farce sera très humide. Humidifiez le pourtour de chaque noix, puis repliez le ruban sur la partie garnie.

6 En partant du bord plié, appuyez doucement du bout des doigts autour de chaque noix de farce. Chassez l'air par le côté ouvert.

7 Farinez légèrement. Avec une roulette à pâte dentée, coupez le long des deux côtés du ruban puis entre chaque noix de farce pour obtenir des carrés.

8 Étalez les raviolis sur des torchons saupoudrés de farine. Farinez légèrement.

9 Laissez les raviolis sécher et répétez l'opération jusqu'à épuisement de la pâte. Vous devriez pouvoir réaliser 80 à 95 raviolis. Plongez-les dans une grande casserole d'eau bouillante salée, portez à ébullition de nouveau et laissez bouillir 4 à 5 min.

10 Égouttez les raviolis et disposez-en 1/3 dans un plat creux préchauffé. Parsemez d'1 cuillerée à soupe de *pecorino* râpé. Nappez d'1/3 de sauce tomate.

11 Faites 2 autres couches identiques, puis répartissez le reste du *pecorino* râpé sur l'ensemble. Garnissez avec du persil haché et servez avec du *pecorino* râpé.

VARIANTE

Si vous aimez le goût de l'ail
avec les tomates, faites cuire
1 à 2 gousses d'ail écrasées à feu doux
en même temps que l'oignon, lorsque
vous préparez la sauce tomate.

Agnolotti di taleggio e maggiorama

AGNOLOTTI AU TALEGGIO

La farce de ces demi-lunes est simple — elle contient deux ingrédients —, mais le mélange des saveurs est fameux.

INGRÉDIENTS

Pour 6 à 8 personnes

1 portion de pâte aux œufs *(voir p. 42)*
350 à 400 g de *taleggio*
2 cuil. à soupe de marjolaine fraîche finement hachée, plus quelques feuilles entières, pour la garniture
115 g de beurre
sel et poivre noir moulu
parmesan râpé, pour l'accompagnement

1 À l'aide d'une machine à pâtes, étendez 1/4 de la pâte en un ruban d'environ 90 cm à 1 m de long. Coupez-le en 2 morceaux de 45 à 50 cm avec un couteau aiguisé (vous pouvez le faire pendant que vous étendez la pâte si celle-ci devient difficile à manipuler).

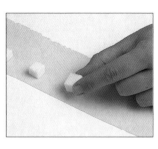

2 Coupez 8 à 10 dés de *taleggio*, puis disposez-les le long de l'un des rubans de pâte en les espaçant de façon régulière. Parsemez chaque morceau de fromage de marjolaine hachée et poivrez.

3 Humidifiez autour de chaque dé de fromage, puis repliez la bande de pâte non garnie par-dessus.

4 En partant du bord plié, appuyez doucement du bout des doigts tout autour de chaque dé. Chassez l'air par le côté ouvert. Farinez légèrement.

5 En utilisant un emporte-pièce denté, découpez autour de chaque dé de *taleggio* de façon à créer une forme de demi-lune. Le bord plié doit être le bord droit.

6 Si vous le souhaitez, appuyez tout autour des bords coupés des *agnolotti* avec les dents d'une fourchette pour créer un effet décoratif.

7 Étalez les *agnolotti* sur des torchons farinés, saupoudrez-les légèrement de farine et laissez-les sécher. Répétez l'opération jusqu'à épuisement de la pâte, du *taleggio* et de la marjolaine. Vous devriez obtenir environ 65 à 80 *agnolotti*.

8 Jetez les *agnolotti* dans une grande casserole d'eau bouillante salée, portez à ébullition de nouveau et faites bouillir 4 à 5 min.

9 Pendant ce temps, faites fondre le beurre dans une petite casserole jusqu'à ce qu'il se mette à grésiller.

10 Égouttez les *agnolotti* et répartissez-les dans des assiettes creuses préalablement chauffées. Nappez de beurre fondu, parsemez de parmesan râpé et de marjolaine fraîche hachée, et servez sans attendre.

CONSEILS

❖ Le *taleggio* est un fromage semi-doux de Lombardie. On le trouve facilement dans les supermarchés ou dans n'importe quelle épicerie fine italienne. Fondant, il a un goût de noisette très doux. Pour cette recette, n'oubliez pas de retirer la croûte, qui est très dure et salée.

❖ Si vous ne trouvez pas de *taleggio*, remplacez-le par de la *fontina* ou par un fromage bleu au goût puissant comme le gorgonzola. Si vous utilisez du fromage bleu, remplacez la marjolaine par de la sauge.

VARIANTE

On utilise habituellement de la marjolaine avec le *taleggio*, à la fois pour la farce et le beurre fondu, mais vous pouvez la remplacer par d'autres herbes telles que la sauge, le basilic ou le persil plat.

Pansotti con erbe e formaggi

PANSOTTI AUX HERBES ET AU FROMAGE

En Ligurie, la pâte à pansotti est aromatisée au vin blanc et la farce est faite de fromage et de preboggion, un mélange de plusieurs variétés d'herbes fraîches et de feuilles sauvages. Ce plat est traditionnellement servi avec une sorte de pesto aux noix qui le rend très riche. Ici, nous vous proposons une version simplifiée de cette recette.

INGRÉDIENTS

Pour 6 à 8 personnes

1 portion de pâte aux œufs parfumée
  aux herbes *(voir pp. 42 et 51)*
50 g de beurre
parmesan râpé, pour
  l'accompagnement

Pour la farce
  250 g de ricotta
  150 g de parmesan râpé
  1 grosse poignée de feuilles
    de basilic frais hachées
  1 grosse poignée de persil plat haché
  quelques brins de marjolaine
    ou d'origan frais hachés
  1 gousse d'ail écrasée
  1 petit œuf
  sel et poivre noir moulu

Pour la sauce
  100 g de noix écalées
  1 gousse d'ail
  4 cuil. à soupe d'huile d'olive
    vierge extra
  12 cl de *panna da cucina*
    ou de crème fraîche épaisse

1 Commencez par la farce. Mettez la ricotta, le parmesan, les herbes, l'ail et l'œuf dans une jatte, salez, poivrez et battez.

2 Préparez la sauce. Mettez les noix, la gousse d'ail et l'huile dans un mixer et mélangez en ajoutant 12 cl d'eau chaude afin d'alléger la consistance. Versez le mélange dans un grand récipient creux et incorporez la crème fraîche. Battez, salez et poivrez.

3 À l'aide d'une machine à pâtes, étendez 1/4 de la pâte en un ruban de 90 cm à 1 m de long. Coupez le ruban en 2 morceaux de 45 à 50 cm avec un couteau bien aiguisé (vous pouvez le faire pendant que vous étendez la pâte si celle-ci devient difficile à manipuler en raison de sa longueur).

4 Découpez 8 à 10 carrés dans un ruban de pâte à l'aide d'un emporte-pièce de 5 cm. Déposez 1 cuillerée à café de farce au milieu de chaque carré.

5 Humidifiez le pourtour de chaque carré, puis repliez-le en deux dans le sens de la diagonale par-dessus la garniture, de façon à obtenir un triangle. Appuyez doucement sur les bords pour fermer.

6 Étalez les *pansotti* sur des torchons saupoudrés de farine. Farinez-les légèrement et laissez-les sécher. Répétez l'opération jusqu'à épuisement du reste de la pâte. Vous devriez pouvoir obtenir 65 à 80 *pansotti*.

7 Faites-les cuire dans une grande casserole d'eau bouillante salée 4 à 5 min. Ajoutez 1 louche d'eau de cuisson des pâtes à la sauce aux noix, et versez-la dans un grand plat creux préchauffé. Faites chauffer le beurre dans une petite casserole.

8 Égouttez les *pansotti* et versez-les dans la sauce aux noix. Arrosez-les de beurre fondu, mélangez bien et parsemez de parmesan râpé. Sinon, vous pouvez aussi mettre les *pansotti* dans le beurre fondu et mélanger, les répartir entre les assiettes creuses et napper de sauce. Servez sans attendre avec du parmesan râpé.

CONSEIL
Ne mettez pas trop de farce
dans les *pansotti*, sinon ils
éclateront pendant la cuisson.

Tortellini romagnoli

TORTELLINIS D'ÉMILIE-ROMAGNE

*En Émilie-Romagne, on sert
ces tortellinis le lendemain de Noël.
Traditionnellement, on les faisait
avec les restes du chapon de la veille,
mais aujourd'hui, on utilise
souvent de la viande hachée
de dinde ou de poulet à la place.*

INGRÉDIENTS

Pour 6 à 8 personnes

1 portion de pâte aux œufs *(voir p. 42)*
2 l de bouillon de bœuf confectionné
   avec des cubes ou du consommé
   en boîte dilué
parmesan râpé, pour
   l'accompagnement

Pour la farce

25 g de beurre
250 g de chair de dinde
   ou de poulet hachée
1 cuil. à café de romarin frais haché
1 cuil. à café de sauge fraîche
   hachée
noix de muscade râpée
25 cl de bouillon de poulet
4 cuil. à soupe de parmesan râpé
100 g de mortadelle coupée
   en petits morceaux
1 petit œuf
sel et poivre noir moulu

1 Préparez la farce. Faites fondre le beurre dans un poêlon, puis ajoutez la dinde ou le poulet haché, ainsi que les herbes.

2 Parsemez d'un peu de noix de muscade, salez et poivrez. Faites cuire à feu doux 5 à 6 min, en remuant souvent et en écrasant les morceaux de viande à l'aide d'une cuillère en bois.

3 Versez le bouillon et mélangez bien, puis laissez mijoter à feu doux sans couvrir 15 à 20 min. Transférez la viande dans un récipient à l'aide d'une écumoire et laissez-la refroidir. Ajoutez le parmesan râpé, la mortadelle et l'œuf, et mélangez bien.

4 À l'aide d'une machine à pâtes, étendez 1/4 de la pâte de façon à avoir un ruban de 90 cm à 1 m de long. Coupez le ruban en 2 morceaux de 45 à 50 cm avec un couteau pointu (vous pouvez le faire pendant que vous étendez la pâte si celle-ci devient difficile à manipuler).

5 À l'aide d'un emporte-pièce denté de 5 cm, découpez 8 à 10 ronds dans l'un des rubans de pâte. Déposez 1 cuillerée à café de farce au milieu de chaque rond. Humidifiez le pourtour.

6 Pliez le rond en deux sur la farce, sans que les bords coïncident tout à fait. Pressez pour fermer. Enroulez le tortellini autour de votre index et pincez les pointes du bas pour fermer.

7 Étalez les tortellinis sur des torchons saupoudrés de farine, farinez-les légèrement et laissez-les sécher. Répétez l'opération jusqu'à épuisement de la pâte. Vous devriez pouvoir réaliser 65 à 80 tortellinis. S'il vous reste de la farce, étendez les chutes de pâte et faites d'autres tortellinis.

8 Portez à ébullition le bouillon de bœuf dans une grande casserole. Ajoutez les tortellinis, portez à ébullition de nouveau et laissez bouillir 4 à 5 min. Goûtez le bouillon, salez et poivrez si nécessaire.

9 Versez les tortellinis et le bouillon dans une grande soupière préalablement chauffée, parsemez de parmesan râpé et servez immédiatement. Présentez du parmesan râpé pour l'accompagnement.

CONSEIL

En Émilie-Romagne, on hache les restes de viande à la main pour faire ces tortellinis, ou bien on fait cuire de la viande crue avant de la hacher. Dans cette recette, pour des raisons de temps et de commodité, on fait cuire la viande de volaille hachée en même temps que les herbes et les condiments avant de l'utiliser pour la farce.

RECETTES DIÉTÉTIQUES

Les légumes grillés, les salades et le *pesto* fait avec de la roquette comptent parmi les nouveaux ingrédients associés aux pâtes par les cuisiniers d'aujourd'hui. On ne les qualifie pas nécessairement de « sauces » : en général, ces accompagnements consistent simplement en une poignée d'ingrédients frais mélangés avec des pâtes, mais le résultat est souvent fameux. Nombre de ces plats ont été inventés dans des restaurants, en réponse à la demande croissante d'aliments plus légers et plus sains, mais ils sont si faciles à préparer qu'il n'est vraiment pas nécessaire d'aller dans un restaurant pour les déguster. Les recettes présentées dans ce chapitre ont été largement approuvées, mais il n'existe pas de règles strictes. Une partie du plaisir réside dans le fait d'innover en utilisant des herbes et des légumes frais au gré des saisons. La réussite repose sur la qualité des ingrédients, qu'il s'agisse des pâtes ou des condiments. Achetez des pâtes italiennes, afin d'être sûr de leur saveur et de leur qualité ou bien, si cela vous tente, fabriquez vous-même des pâtes aux œufs fraîches. Les pâtes sont un aliment naturel sans additifs, riche en protéines, en vitamines et en minéraux – un partenaire idéal pour d'autres ingrédients frais et sains qui font un repas hautement énergétique.

Penne con la rucola e la mozzarella

PENNES À LA ROQUETTE ET À LA MOZZARELLA

Ce plat de pâtes, qui se prépare un peu comme une salade chaude, est idéal pour un déjeuner estival en plein air. Sa réussite repose entièrement sur la qualité des ingrédients – choisissez de préférence des produits très frais.

INGRÉDIENTS

Pour 4 personnes

400 g de pennes
2 grosses poignées de roquette
d'un poids total de 150 g
300 g de mozzarella égouttée
et coupée en dés
6 olivettes bien mûres, pelées,
épépinées et coupées en dés
5 cuil. à soupe d'huile d'olive
vierge extra
sel et poivre noir moulu

1 Faites cuire les pâtes dans une grande casserole d'eau bouillante salée selon les instructions figurant sur le paquet.

2 Pendant ce temps, mettez les tomates, la mozzarella, la roquette et l'huile d'olive dans un grand saladier, salez, poivrez et mélangez bien.

3 Égouttez les pâtes et versez-les dans le saladier. Mélangez bien et servez sans attendre.

VARIANTE

Pour un goût moins poivré, remplacez
les feuilles de roquette par des feuilles
de basilic ou mélangez les deux.

Eliche ai peperoni arrostiti

ELICHE AUX POIVRONS GRILLÉS

Les poivrons grillés se marient délicieusement avec les pâtes, en raison de leur consistance juteuse et de leur goût de fumé. Servez ce plat en été, lorsque poivrons et tomates sont parfaitement mûrs. Vous pouvez également le déguster froid, en salade.

INGRÉDIENTS

Pour 4 personnes

350 g d'*eliche* ou de fusillis
3 gros poivrons (rouge, jaune
et orange)
1 à 2 gousses d'ail finement hachées
4 cuil. à soupe d'huile d'olive
vierge extra
4 olivettes bien mûres, pelées,
épépinées et coupées en dés
50 g d'olives noires dénoyautées,
coupées en deux ou en quatre
1 poignée de feuilles de basilic frais
sel et poivre noir moulu

1 Disposez les poivrons entiers sous le gril chaud du four et faites-les griller 10 min en les retournant souvent, afin qu'ils grillent des deux côtés. Mettez les poivrons dans un sac en plastique, fermez-le et attendez qu'ils refroidissent.

2 Sortez les poivrons du sac et passez-les sous le robinet d'eau froide. Retirez la peau grillée avec vos doigts, ouvrez les poivrons, ôtez les cotes blanches et les graines. Rincez-les à l'eau froide pour faire partir le reste des graines, puis séchez-les sur du papier absorbant.

3 Faites cuire les pâtes dans une grande casserole d'eau bouillante salée selon les instructions figurant sur le paquet.

4 Pendant ce temps, coupez les poivrons en tranches fines et mettez-les dans un grand récipient creux avec le reste des ingrédients, salez et poivrez.

5 Égouttez les pâtes et versez-les dans le récipient. Mélangez et servez immédiatement.

VARIANTE

Ajoutez quelques morceaux de filets
d'anchois en boîte ou en bocal (étape 4).

Tagliatelle verdissime

TAGLIATELLES AUX ÉPINARDS ET BROCOLIS

Cet excellent plat végétarien est à servir de préférence le soir. Il est nourrissant et consistant, et ne nécessite aucun accompagnement. Utilisez des tagliatelles aux herbes si vous le souhaitez.

INGRÉDIENTS

Pour 4 personnes

450 g de tagliatelles aux œufs
2 têtes de brocolis
450 g d'épinards frais, sans les tiges
noix de muscade
3 cuil. à soupe d'huile d'olive
    vierge extra
jus d'1/2 citron
sel et poivre noir moulu
parmesan râpé, pour
    l'accompagnement

1 Mettez les brocolis dans le panier d'une Cocotte-minute. Couvrez et cuisez à la vapeur 10 min. Ajoutez les épinards et continuez la cuisson à la vapeur 4 à 5 min. En fin de cuisson, râpez de la noix de muscade sur les légumes, salez et poivrez. Versez les légumes dans une passoire.

2 Remplissez la cocotte d'eau bouillante et salez. Ajoutez les pâtes et faites-les cuire selon les instructions du paquet. Pendant ce temps, hachez les brocolis et les épinards.

3 Égouttez les pâtes. Faites chauffer 3 cuillerées à soupe d'huile dans la cocotte. Remettez les pâtes dedans en même temps que les légumes coupés et mélangez à feu moyen. Arrosez de jus de citron, poivrez, goûtez et ajoutez encore du jus de citron si nécessaire, de l'huile, du sel ou de la noix de muscade. Parsemez généreusement de parmesan râpé, poivrez et servez sans attendre.

VARIANTES

❖ Si vous le souhaitez, ajoutez des piments rouges séchés écrasés en même temps que le poivre (étape n° 3).
❖ Pour donner plus de consistance à votre plat, garnissez-le d'1 à 2 poignées de pignons grillés. En Italie, on en ajoute souvent aux brocolis et aux épinards.

Conchiglie di Pisa

CONCHIGLIE À LA MODE DE PISE

Quoi de plus simple que des pâtes chaudes mélangées avec des tomates fraîches bien mûres, de la ricotta et du basilic ? Servez ce plat en plein été — il vous paraîtra agréablement frais.

INGRÉDIENTS

Pour 4 à 6 personnes

350 g de *conchiglie*
125 g de ricotta
6 olivettes bien mûres, coupées
  en dés
2 gousses d'ail écrasées
1 poignée de feuilles de basilic frais
  coupées, plus quelques feuilles
  entières pour la décoration
4 cuil. à soupe d'huile d'olive
  vierge extra
sel et poivre noir moulu

1 Faites cuire les pâtes dans de l'eau bouillante salée selon les instructions figurant sur le paquet.

CONSEIL

Vous pouvez peler les tomates
avant de les couper. Ce sera très facile
si elles sont bien mûres.

2 Pendant ce temps, écrasez la ricotta à la fourchette dans une jatte.

3 Ajoutez les tomates, l'ail et le basilic, salez et poivrez. Mélangez bien. Versez l'huile d'olive et fouettez énergiquement. Rectifiez l'assaisonnement si nécessaire.

4 Égouttez les pâtes, versez-les dans la préparation à base de ricotta et mélangez. Garnissez avec des feuilles de basilic et servez sans attendre.

VARIANTES

❖ Vous pouvez utiliser de la mozzarella coupée en dés à la place de la ricotta et baptiser ce plat *Conchiglie caprese* d'après la salade de tomates, de mozzarella et de basilic du même nom.
❖ Si vous voulez donner plus de goût et de couleur à votre plat, ajoutez un avocat. Coupez celui-ci en deux, retirez le noyau et épluchez-le, puis débitez-le en dés. Mélangez-le avec les pâtes chaudes à la dernière minute.

Tagliatelle alle erbe

TAGLIATELLES AUX HERBES

Servez ce plat en été, lorsque les herbes aromatiques sont abondantes. Facile à préparer, il est idéal pour les végétariens.

INGRÉDIENTS

Pour 4 personnes

400 g de tagliatelles aux œufs fraîches
3 brins de romarin
1 petite poignée de persil plat frais
6 feuilles de menthe fraîche
6 feuilles de sauge fraîche
10 grandes feuilles de basilic frais
2 cuil. à soupe d'huile d'olive
    vierge extra
50 g de beurre
1 échalote finement hachée
2 gousses d'ail finement hachées
1 pincée de poudre de piment rouge
1 feuille de laurier
12 cl de vin blanc sec
6 à 8 cuil. à soupe de bouillon de
    légumes
sel et poivre noir moulu

1 Détachez les feuilles de romarin et de persil des tiges et hachez-les en même temps que la menthe, la sauge et le basilic.

2 Chauffez l'huile d'olive et la moitié du beurre dans une sauteuse. Ajoutez l'échalote, l'ail et la poudre de piment, et faites cuire à feu doux 2 à 3 min en remuant souvent.

3 Faites cuire les pâtes dans une casserole d'eau bouillante salée selon les instructions figurant sur le paquet.

4 Incorporez les herbes hachées et la feuille de laurier à la préparation à base d'échalote et mélangez 2 à 3 min, puis versez le vin et augmentez le feu. Portez à ébullition 1 à 2 min pour faire réduire. Baissez le feu, versez le bouillon et laissez mijoter à feu doux 1 à 2 min.

5 Égouttez les pâtes et ajoutez-les au mélange à base d'herbes. Tournez, puis retirez la feuille de laurier et jetez-la.

6 Mettez le reste du beurre dans un grand plat préalablement chauffé, disposez les pâtes dessus et mélangez. Servez sans attendre.

Garganelli primavera

GARGANELLI AUX LÉGUMES PRINTANIERS

Les jeunes légumes ont une jolie couleur tendre et sont délicieux avec les pâtes. Vous pouvez assaisonner selon votre goût avec du beurre ou de l'huile d'olive vierge extra.

INGRÉDIENTS

Pour 4 personnes

350 g de *garganelli*
350 g d'asperges
4 jeunes carottes
1 botte de ciboules
125 g de petits pois frais écossés
4 cuil. à soupe de vin blanc sec
75 g de beurre doux coupé en dés
persil plat, menthe et basilic hachés,
    sans les tiges
sel et poivre noir moulu
parmesan râpé, pour
    l'accompagnement

1 Retirez la partie ligneuse des tiges d'asperges, puis coupez les pointes en biais. Débitez les tiges d'asperges, les carottes et les ciboules, en biais, en segments de 4 cm.

2 Plongez tiges d'asperges, carottes et petits pois dans une casserole d'eau bouillante salée. Portez à ébullition et laissez mijoter 5 à 8 min. Ajoutez les pointes d'asperges 3 min avant la fin.

3 Pendant ce temps, faites cuire les pâtes dans une casserole d'eau bouillante salée selon les instructions figurant sur le paquet.

4 Égouttez les légumes et remettez-les dans la casserole. Incorporez le vin, le beurre, salez et poivrez, puis mélangez sur feu moyen jusqu'à ce que le vin ait réduit et que les légumes soient bien enrobés de beurre fondu.

5 Égouttez les pâtes et versez-les dans un grand plat préchauffé. Ajoutez les légumes, les ciboules et les herbes, et mélangez. Servez sans attendre avec du parmesan râpé.

CONSEIL

Les *garganelli* sont des pâtes aux œufs courtes en forme de tubes. Vous pouvez les remplacer par d'autres pâtes du même type.

Spaghetti al pesto di rucola

SPAGHETTIS AU PESTO DE ROQUETTE

Ce pesto séduira les vrais amateurs de roquette. Fort et poivré, il est idéal pour un repas estival accompagné d'un verre de vin blanc sec très frais.

INGRÉDIENTS

Pour 4 personnes

400 g de spaghettis
4 gousses d'ail
6 cuil. à soupe de pignons
150 g de roquette sans les tiges
50 g de parmesan râpé
50 g de pecorino râpé
6 cuil. à soupe d'huile d'olive
   vierge extra
sel et poivre noir moulu
parmesan et *pecorino* râpés,
   pour l'accompagnement

1 Mettez l'ail et les pignons dans un mixer et actionnez l'appareil.

2 Ajoutez la roquette, le parmesan, le *pecorino* et l'huile, salez et poivrez, puis actionnez 5 s. Arrêtez le mixer et raclez les parois du récipient. Mixez encore 5 à 10 s, de façon à obtenir une pâte lisse.

3 Faites cuire les spaghettis dans une casserole d'eau bouillante salée selon les instructions figurant sur le paquet.

4 Versez le *pesto* dans une grande jatte juste avant que les pâtes soient prêtes. Ajoutez 1 à 2 louches d'eau de cuisson des pâtes et mélangez.

5 Égouttez les pâtes, transférez-les dans le récipient contenant le *pesto* et mélangez bien. Servez immédiatement avec le parmesan et le *pecorino* râpés.

VARIANTE

Pour adoucir le goût de la roquette, ajoutez 125 g de ricotta ou de mascarpone au *pesto* (étape 4) et mélangez bien avant de verser l'eau de cuisson des pâtes.

Spaghetti al limone

SPAGHETTIS AU CITRON

*Si vous disposez de spaghettis,
d'huile d'olive, d'ail et d'un citron
dans votre cuisine, quelques minutes
vous suffiront pour préparer
un délicieux repas.*

INGRÉDIENTS

Pour 4 personnes

350 g de spaghettis
jus d'1 gros citron
6 cuil. à soupe d'huile d'olive
   vierge extra
2 gousses d'ail coupées
   en fines lamelles
sel et poivre noir moulu
parmesan râpé, pour
   l'accompagnement

1 Faites cuire les pâtes dans une casserole d'eau bouillante salée selon les instructions du paquet, puis égouttez-les et remettez-les dans la casserole.

2 Versez l'huile d'olive et le jus de citron dessus, parsemez de lamelles d'ail, salez et poivrez.

3 Mélangez à feu moyen 1 à 2 min. Répartissez entre des assiettes creuses préchauffées et servez immédiatement avec du parmesan râpé.

CONSEIL

Les spaghettis sont les pâtes qui conviennent le mieux à cette recette, car elles retiennent bien l'huile d'olive et le jus de citron, en particulier lorsqu'on les sert avec du parmesan râpé. Si vous êtes à court de spaghettis, remplacez-les par d'autres pâtes longues telles que des *spaghettini*, des *linguine* ou des tagliatelles.

Pipe con ricotta e spinaci

PIPE À LA RICOTTA, AU SAFRAN ET AUX ÉPINARDS

En Sicile et en Sardaigne, on aime associer les pâtes et la ricotta. Pour un meilleur résultat, utilisez de préférence de la ricotta blanche fraîche, vendue au poids dans les épiceries fines italiennes. Prévoyez de petites parts, car ce plat est très riche. Vous pouvez omettre le safran, qui a un goût très fort.

INGRÉDIENTS

Pour 4 à 6 personnes

300 g de *pipe*
250 g de ricotta
1 petite pincée de filaments de safran
300 g d'épinards frais, sans les tiges
noix de muscade
sel et poivre noir moulu
pecorino râpé, pour
    l'accompagnement

1 Mettez à infuser les filaments de safran dans 4 cuillerées à soupe d'eau chaude. Faites cuire les pâtes selon les instructions figurant sur le paquet.

2 Pendant ce temps, lavez les épinards et mettez les feuilles dans une casserole sans ajouter d'eau. Râpez de la noix de muscade dessus, salez et poivrez.

3 Couvrez la casserole et faites cuire à feu moyen 5 min, en remuant la casserole de temps en temps. Transférez les épinards dans une passoire, comprimez-les pour en extraire le plus de liquide possible, puis hachez-les tout en laissant l'eau continuer de s'égoutter.

4 Mettez la ricotta dans une grande jatte. Incorporez l'eau de trempage du safran en la filtrant. Ajoutez les épinards, mélangez, puis versez 1 à 2 louches d'eau de cuisson des pâtes. Assaisonnez.

5 Égouttez les pâtes en réservant une partie de l'eau de cuisson. Ajoutez-les à la préparation à base de ricotta et mélangez, en ajoutant un peu d'eau de cuisson si nécessaire. Parsemez de *pecorino* râpé et servez sans attendre.

Tagliarini al tartufo bianco

TAGLIARINI À LA TRUFFE BLANCHE

Rien n'égale le parfum et le goût de la truffe blanche italienne. C'est l'une des truffes les plus rares et par conséquent les plus chères qui existent ; elle vient des villes d'Albe et d'Asti, dans le Piémont. Cette façon très simple de la servir permet de mettre sa saveur en valeur.

INGRÉDIENTS

Pour 4 personnes

350 g de *tagliarini* frais
1 petite truffe blanche de 25 à 40 g
75 g de beurre coupé en dés
4 cuil. à soupe de parmesan râpé
noix de muscade râpée
sel et poivre noir moulu

1 Faites cuire les pâtes dans une casserole d'eau bouillante salée selon les instructions figurant sur le paquet.

2 Égouttez-les et versez-les dans un grand plat préalablement chauffé. Ajoutez le beurre, le parmesan et la noix de muscade, salez et poivrez. Mélangez bien de façon à ce que les pâtes soient complètement enrobées de beurre fondu.

3 Servez les pâtes aussitôt en parsemant chaque assiette de lamelles de truffe blanche.

CONSEILS

❖ On trouve des truffes blanches italiennes dans les magasins spécialisés et les épiceries fines, en septembre et en octobre. Cependant, elles coûtent très cher, et il y a d'autres moyens de profiter de leur saveur sans se lancer dans de grandes dépenses. Certaines épiceries italiennes vendent du « fromage de truffe », un fromage de montagne qui contient de fines tranches de truffe et que l'on peut employer dans cette recette à la place du parmesan et de la truffe. Vous pouvez également mélanger les pâtes chaudes avec de l'huile de truffe et les servir avec du parmesan râpé.

❖ Dans le Piémont, on utilise des pâtes artisanales aux œufs très fines appelées *tagliarin* ou *tajarin* pour préparer cette spécialité. Les *tagliarini* en sont l'équivalent le plus proche, mais vous pouvez aussi utiliser des *tagliatellini*, des *tagliolini* ou même des *fettuccine* à la place.

Linguine con la rucola

LINGUINE À LA ROQUETTE

Ce plat figure au menu de nombreux restaurants à la mode en Italie. Il est très rapide et facile à préparer — n'hésitez pas à réaliser cette recette chez vous.

INGRÉDIENTS

Pour 4 personnes

350 g de *linguine*
12 cl d'huile d'olive vierge extra
150 g de feuilles de roquette
    coupées en petits morceaux
    ou déchirées
75 g de parmesan râpé
sel et poivre noir moulu

1 Faites cuire les pâtes dans une grande casserole d'eau bouillante salée selon les instructions figurant sur le paquet, puis égouttez-les.

2 Faites chauffer 4 cuillerées à soupe d'huile d'olive dans la casserole utilisée pour faire cuire les pâtes et remettez les pâtes égouttées, puis ajoutez la roquette. Mélangez à feu moyen 1 à 2 min, puis retirez la casserole du feu.

3 Transférez les pâtes et la roquette dans un grand saladier préalablement chauffé. Incorporez la moitié du parmesan râpé et le reste de l'huile d'olive. Salez et poivrez à votre goût.

4 Mélangez rapidement le tout. Parsemez de parmesan et servez aussitôt.

CONSEIL

Achetez la roquette en vrac sur le marché. Celle vendue dans les supermarchés sous cellophane coûte très cher pour ce genre de plat. Vérifiez toujours que les feuilles sont bien vertes. Par temps chaud, elles jaunissent rapidement.

Strozzapreti ai fiori di zucca

STROZZAPRETI AUX FLEURS DE COURGETTES

Ce joli plat estival comprend des fleurs de courgettes, mais vous pouvez le préparer même si vous n'en avez pas. En Italie, les bouquets de fleurs de courgettes sont courants sur les étals des marchés ; elles sont utilisées notamment pour préparer des farces.

INGRÉDIENTS

Pour 4 personnes

350 g de *strozzapreti*
1 grosse poignée de fleurs de
    courgettes lavées et séchées
50 g de beurre
2 cuil. à soupe d'huile d'olive
    vierge extra
1 petit oignon coupé en rondelles fines
200 g de petites courgettes coupées
    en julienne
1 gousse d'ail écrasée
2 cuil. à café de marjolaine fraîche
    finement hachée
sel et poivre noir moulu
copeaux de parmesan,
    pour l'accompagnement

1 Chauffez le beurre et la moitié de l'huile d'olive dans une casserole de taille moyenne. Ajoutez l'oignon et faites-le fondre à feu doux 5 min, en remuant souvent. Incorporez les courgettes, l'ail, la marjolaine, puis salez et poivrez. Faites cuire 5 à 8 min, en retournant les courgettes de temps en temps.

2 Pendant ce temps, faites cuire les pâtes dans une casserole d'eau bouillante salée selon les instructions figurant sur le paquet.

3 Réservez quelques fleurs de courgettes entières pour décorer, puis coupez le reste en petits morceaux et ajoutez-les à la préparation à base de courgettes. Assaisonnez et mélangez.

4 Égouttez les pâtes, transférez-les dans un grand plat préalablement chauffé et versez le reste de l'huile. Mélangez, ajoutez la préparation à base de courgettes et tournez à nouveau. Parsemez de parmesan râpé et de fleurs de courgettes entières.

CONSEIL

Les *strozzapreti* ou « étrangleurs de prêtre » sont des pâtes courtes fabriquées à Modène. Vous pouvez les trouver dans les épiceries fines italiennes ou les remplacer par des *gemelli*, des pâtes torsadées du même genre.

Tagliatelle tricolore

TAGLIATELLES TRICOLORES

Les courgettes et les carottes sont coupées en fins rubans, de sorte qu'une fois cuites et mélangées avec les tagliatelles, elles ressemblent à des pâtes colorées. Présentez-les en accompagnement, ou parsemez-les de parmesan râpé pour les servir en hors-d'œuvre ou comme plat principal pour un repas végétarien.

INGRÉDIENTS

Pour 4 personnes

250 g de tagliatelles aux œufs fraîches
2 grosses courgettes
2 grosses carottes
4 cuil. à soupe d'huile d'olive
vierge extra
2 gousses d'ail épluchées rôties, plus
quelques gousses rôties entières,
pour l'accompagnement (facultatif)
sel et poivre noir moulu

1 À l'aide d'un épluche-légumes, coupez les courgettes et les carottes en longs rubans minces. Portez à ébullition une grande casserole d'eau salée, puis mettez les rubans de carottes et de courgettes. Laissez bouillir 30 s, puis égouttez et réservez les légumes.

2 Faites cuire les pâtes selon les instructions figurant sur le paquet.

3 Égouttez-les et remettez-les dans la casserole. Ajoutez les rubans de légumes, l'huile et l'ail. Salez, poivrez et mélangez sur feu moyen, jusqu'à ce que les pâtes soient bien imprégnées d'huile. Servez les tagliatelles aussitôt en garnissant avec quelques gousses d'ail rôties si vous le souhaitez.

CONSEIL

Pour faire rôtir une tête d'ail entière, placez-la sur une plaque de four légèrement huilée. Préchauffez le four à 180 °C et faites rôtir l'ail 30 min. Sortez l'ail du four et réservez. Une fois qu'il a suffisamment refroidi, extrayez la chair des gousses avec la pointe d'un couteau. Plutôt que de faire rôtir l'ail, vous pouvez également utiliser de l'ail écrasé cru, mais le goût sera plus prononcé.

Maccheroni con i broccoli in tegame

MACARONIS AUX BROCOLIS ET AU CHOU-FLEUR

Cette spécialité du sud de l'Italie est particulièrement savoureuse. Pour un repas végétarien, préparez-la sans anchois.

INGRÉDIENTS

Pour 4 personnes

350 g de macaronis courts
175 g de bouquets de chou-fleur coupés en petits morceaux
175 g de bouquets de brocolis coupés en petits morceaux
3 cuil. à soupe d'huile d'olive vierge extra
1 oignon finement haché
3 cuil. à soupe de pignons
1 dose de poudre de safran dissoute dans 1 cuil. à soupe d'eau chaude
2 cuil. à soupe de raisins secs
2 cuil. à soupe de purée de tomates
4 anchois à l'huile d'olive en boîte ou en bocal, égouttés et coupés, plus quelques anchois entiers, pour l'accompagnement (facultatif)
sel et poivre noir moulu
pecorino râpé, pour l'accompagnement

1 Faites cuire le chou-fleur dans une grande casserole d'eau bouillante salée 3 min. Ajoutez les brocolis et faites bouillir 2 min de plus. Sortez les légumes de la casserole à l'aide d'une écumoire et réservez.

2 Versez les pâtes dans l'eau de cuisson des légumes et portez à ébullition de nouveau. Faites cuire selon les instructions figurant sur le paquet ou jusqu'à ce que les pâtes soient *al dente*.

3 Pendant ce temps, chauffez l'huile d'olive dans une sauteuse et mettez l'oignon à fondre à feu doux 2 à 3 min, en remuant souvent. Incorporez les pignons, les bouquets de brocolis et de chou-fleur cuits, ainsi que l'eau aromatisée au safran. Ajoutez les raisins secs, la purée de tomates et 2 louches d'eau de cuisson des pâtes, jusqu'à ce que le mélange de légumes ait la consistance d'une sauce. Poivrez généreusement.

4 Mélangez, faites cuire 1 à 2 min, puis ajoutez les anchois coupés. Égouttez les pâtes et versez-les sur les légumes. Mélangez bien, goûtez et ajoutez du sel si nécessaire. Servez sans attendre dans des assiettes creuses préalablement chauffées en parsemant de *pecorino* râpé. Garnissez chaque assiette d'1 à 2 anchois entiers, le cas échéant.

SALADES DE PÂTES

Même si les salades de pâtes ne sont pas une spécialité italienne, elles ont pris leur place dans la gastronomie de ce pays. Très variées, elles peuvent être servies en hors-d'œuvre, en entrée ou comme plat principal. Du fait qu'elles peuvent être préparées à l'avance, les salades font un mets idéal pour les repas de fête et les pique-niques. Les pâtes que l'on vient de faire cuire absorbent l'huile, le jus de citron, le vinaigre et les assaisonnements, de sorte qu'elles ne collent pas en refroidissant et sont pleines de saveur. Ne faites jamais tremper les pâtes dans l'eau froide après la cuisson : cela les rend molles et spongieuses, surtout lorsqu'il s'agit de pâtes en forme de coquilles et de tubes, qui retiennent les liquides. Faites-les simplement cuire *al dente*, puis égouttez-les bien et mélangez-les avec de l'huile d'olive vierge extra ou de la vinaigrette. Si vous utilisez de la mayonnaise, il est préférable d'attendre que les pâtes aient refroidi avant de les mélanger, sinon la mayonnaise risque de tourner. Vous pouvez choisir n'importe quelle sorte de pâtes pour faire des salades, mais les formes de coquilles et de tubes sont particulièrement adaptées, car elles retiennent bien les sauces. Beaucoup d'Italiens préfèrent les pâtes aux œufs, parce qu'elles ont une belle couleur, ne se déforment pas à la cuisson et ne collent pas.

Insalata nizzarda

SALADE NIÇOISE AUX PÂTES

Le long de la côte méditerranéenne,
les cuisines française et italienne
présentent de nombreux points
communs. Dans cette recette, la
traditionnelle salade niçoise a reçu
une petite touche italienne moderne.

INGRÉDIENTS

Pour 4 personnes

250 g de *penne rigate*
125 g de haricots verts épluchés
    et coupés en morceaux de 5 cm
7 cuil. à soupe d'huile d'olive
    vierge extra
2 steaks de thon d'un poids total
    de 350 à 450 g
6 petites olivettes coupées en quatre
50 g d'olives noires dénoyautées
    et coupées en deux
6 anchois à l'huile d'olive
    en conserve, égouttés
    et coupés en morceaux
3 cuil. à soupe de persil frais haché
jus d'1/2 citron
2 têtes de chicorée, sans les tiges
sel et poivre noir moulu
rondelles de citron,
    pour l'accompagnement

1 Faites cuire les haricots verts dans une grande casserole d'eau bouillante 5 à 6 min. Sortez-les de l'eau à l'aide d'une écumoire et passez-les sous le robinet d'eau froide.

2 Versez les pâtes dans l'eau de cuisson des haricots, portez à ébullition de nouveau et faites cuire selon les instructions figurant sur le paquet.

3 Pendant ce temps, faites chauffer un gril en fonte à feu doux. Trempez un tampon de papier absorbant dans de l'huile, passez-le sur le gril et faites chauffer. Huilez les deux côtés des steaks de thon et poivrez généreusement. Mettez-les sur le gril et faites-les cuire 1 à 2 min de chaque côté. Retirez-les du feu et réservez.

4 Égouttez les pâtes et transférez-les dans un grand saladier. Ajoutez le reste de l'huile, les haricots verts, les quartiers de tomates, les olives noires, les anchois, le persil, le jus de citron, puis salez et poivrez. Mélangez bien, puis laissez refroidir.

5 Coupez le thon en gros morceaux en ôtant la peau et mélangez avec la salade. Goûtez et assaisonnez. Disposez les feuilles de chicorée autour d'une grande assiette creuse. Mettez la salade de pâtes au milieu et servez avec des tranches de citron.

Insalata ai peperoni arrostiti

SALADE AUX POIVRONS GRILLÉS

Cette salade est idéale pour accompagner du poulet ou du poisson grillé au four ou au barbecue. Les ingrédients sont peu nombreux, mais l'ensemble est très parfumé.

INGRÉDIENTS

Pour 4 personnes

250 g de fusillis tricolores
2 gros poivrons (rouge et vert)
1 poignée de feuilles de basilic frais
1 poignée de feuilles de coriandre fraîche
1 gousse d'ail
sel et poivre noir moulu

Pour l'assaisonnement

2 cuil. à soupe de *pesto* en bouteille
jus d'1/2 citron
4 cuil. à soupe d'huile d'olive vierge extra

1 Placez les poivrons sous un gril chaud et faites-les griller 10 min, en les retournant souvent afin qu'ils cuisent des deux côtés. Mettez-les dans un sac en plastique et réservez. Pendant que les poivrons refroidissent, faites cuire les pâtes selon les instructions figurant sur le paquet.

2 Mettez les ingrédients destinés à l'assaisonnement dans un grand saladier et fouettez. Égouttez les pâtes et versez-les dans l'assaisonnement. Mélangez et laissez refroidir.

3 Sortez les poivrons du sac et passez-les sous le robinet d'eau froide. Retirez la peau grillée avec vos doigts, coupez les poivrons en deux dans la longueur et ôtez les cotes blanches et les graines. Rincez-les à l'eau courante pour faire partir toutes les graines, puis séchez-les sur du papier absorbant.

4 Coupez les poivrons en morceaux et ajoutez-les aux pâtes. Mettez le basilic, la coriandre et l'ail sur une planche à découper et hachez-les. Incorporez-les aux pâtes et mélangez bien, goûtez, assaisonnez et servez.

CONSEIL
Servez la salade à température ambiante ou bien légèrement réfrigérée.

Insalata con tonno e mais

SALADE AU THON ET AU MAÏS

Cette préparation, à servir comme plat principal, convient bien pour un déjeuner estival en plein air. Pensez-y pour un pique-nique.

INGRÉDIENTS

Pour 4 personnes

175 g de *conchiglie*
1 boîte de 200 g de thon à l'huile d'olive, égoutté et coupé en morceaux
175 g de maïs en boîte égoutté
75 g de poivrons rouges grillés en bocal, rincés, séchés et coupés en petits morceaux
1 poignée de feuilles de basilic frais hachées
sel et poivre noir moulu

Pour l'assaisonnement
4 cuil. à soupe d'huile d'olive vierge extra
1 cuil. à soupe de vinaigre balsamique
1 cuil. à café de vinaigre de vin rouge
1 cuil. à café de moutarde de Dijon
2 cuil. à café de miel

1 Faites cuire les pâtes selon les instructions du paquet. Égouttez dans une passoire et rincez à l'eau froide. Laissez refroidir et sécher, en secouant la passoire de temps en temps.

2 Préparez l'assaisonnement. Mettez l'huile dans un grand récipient, versez les 2 sortes de vinaigre et fouettez pour émulsionner. Ajoutez la moutarde, le miel, salez et poivrez, puis fouettez jusqu'à ce que le mélange épaississe.

3 Transférez les pâtes dans la sauce et remuez bien, puis ajoutez le thon, le maïs et les morceaux de poivrons. Incorporez la moitié du basilic, goûtez et assaisonnez. Servez à température ambiante, en répartissant le reste du basilic par-dessus.

VARIANTE

Si vous avez suffisamment de temps, vous pouvez préparer vous-même des poivrons grillés.

Insalata rosa e verde

SALADE ROSE ET VERTE

Relevée avec un peu de piment frais, cette jolie salade fait un délicieux déjeuner, servie avec de la ciabatta *chaude et une bouteille de vin blanc mousseux italien. Les crevettes et l'avocat se marient parfaitement, et ce plat convient bien pour un buffet.*

INGRÉDIENTS

Pour 4 personnes

225 g de farfalles
250 g de crevettes cuites décortiquées
1 avocat
jus d'1/2 citron
1 petit piment rouge frais épépiné et très finement haché
4 cuil. à soupe de basilic frais haché
2 cuil. à soupe de coriandre fraîche hachée
4 cuil. à soupe d'huile d'olive vierge extra
1 cuil. à soupe de mayonnaise
sel et poivre noir moulu

1 Faites cuire les pâtes dans une grande casserole d'eau bouillante salée selon les instructions du paquet.

2 Mettez le jus de citron et le piment dans un saladier avec la moitié du basilic et de la coriandre, salez et poivrez. Fouettez, puis incorporez l'huile et la mayonnaise, jusqu'à ce que la préparation épaississe. Ajoutez les crevettes et mélangez à nouveau.

3 Égouttez les pâtes dans une passoire et rincez-les à l'eau froide. Laissez-les égoutter et sécher en secouant la passoire de temps en temps.

4 Coupez l'avocat en deux, retirez le noyau et la peau, puis coupez la chair en dés. Ajoutez aux crevettes et à l'assaisonnement, en même temps que les pâtes. Mélangez bien et rectifiez l'assaisonnement si nécessaire. Parsemez du reste de basilic et de coriandre, et servez immédiatement.

CONSEIL

Cette salade de pâtes peut être préparée plusieurs heures à l'avance, sans l'avocat.
Couvrez le récipient avec du film alimentaire et placez-le au réfrigérateur. Préparez l'avocat et ajoutez-le à la salade au dernier moment, sinon il brunira.

Insalata di mare

SALADE AUX FRUITS DE MER

Cette salade originale peut être servie en entrée ou comme plat principal. Le choix des pâtes dépend de vous, mais les pipe *conviennent particulièrement bien.*

INGRÉDIENTS

Pour 4 à 6 personnes

175 g de *pipe*
450 g de moules
175 g d'anneaux de calmar préparés
175 g de crevettes cuites, décortiquées
25 cl de vin blanc sec
2 gousses d'ail hachées
1 poignée de persil plat frais

Pour l'assaisonnement
6 cuil. à soupe d'huile d'olive vierge extra
jus d'1 citron
2 cuil. à café de câpres
1 gousse d'ail écrasée
1 petite poignée de persil plat frais haché
sel et poivre noir moulu

1 Nettoyez les moules sous le robinet d'eau froide pour retirer les barbes. Jetez celles qui sont ouvertes ou qui ne se ferment pas lorsque vous les tapez avec un couteau.

2 Versez la moitié du vin dans une grande casserole, ajoutez l'ail, le persil et les moules. Couvrez la casserole et portez à ébullition. Laissez cuire 5 min en secouant souvent la casserole, jusqu'à ce que les moules soient ouvertes.

3 Mettez les moules avec leur jus dans une passoire posée sur un récipient assez profond. Laissez-les refroidir. Réservez-en quelques-unes pour la décoration, puis décortiquez les autres en versant leur jus dans le saladier contenant l'eau de cuisson. Jetez les moules fermées.

4 Remettez le jus de cuisson des moules dans la casserole et ajoutez le reste du vin, ainsi que les anneaux de calmars. Portez à ébullition, couvrez et laissez mijoter à feu doux 30 min, en remuant de temps en temps. Laissez les calmars refroidir dans le jus de cuisson.

5 Pendant ce temps, faites cuire les pâtes selon les instructions du paquet. Mélangez les ingrédients de la sauce dans un grand saladier en fouettant, salez et poivrez à votre goût.

6 Égouttez les pâtes, versez-les dans le saladier et remuez. Laissez refroidir.

7 Mettez les calmars dans une passoire et égouttez-les, puis rincez-les rapidement sous le robinet d'eau froide. Ajoutez les calmars, les moules et les crevettes aux pâtes assaisonnées et mélangez bien. Couvrez le saladier avec du film alimentaire et mettez au réfrigérateur 4 h. Mélangez à nouveau et rectifiez l'assaisonnement avant de servir.

CONSEIL

Pour gagner du temps, vous pouvez acheter une salade de fruits de mer toute prête dans une épicerie fine italienne et la mélanger avec les pâtes et l'assaisonnement.

Insalata con pomodori arrostiti e rucola

SALADE AUX TOMATES RÔTIES

Cette salade est idéale pour accompagner du poulet, des steaks, des côtes de porc ou d'agneau cuits au barbecue. Les tomates rôties sont juteuses et ont un délicieux goût fumé.

INGRÉDIENTS

Pour 4 personnes

225 g de *chifferini* ou de *pipe*
450 g de petites olivettes bien mûres
    coupées en deux dans la longueur
5 cuil. à soupe d'huile d'olive
    vierge extra
2 gousses d'ail coupées en lamelles
2 cuil. à soupe de vinaigre balsamique
2 morceaux de tomate séchée
    au soleil à l'huile d'olive,
    égouttés et hachés
1 pincée de sucre
70 g de roquette
sel et poivre noir moulu

1 Préchauffez le four à 190 °C. Faites cuire les pâtes dans une casserole d'eau bouillante salée selon les instructions du paquet.

2 Disposez les demi-tomates dans un plat à four, côté coupé sur le dessus. Arrosez de 2 cuillerées à soupe d'huile d'olive et parsemez de lamelles d'ail, salez et poivrez à votre goût. Faites-les rôtir 20 min en les retournant une fois.

3 Versez le reste de l'huile dans un grand saladier avec le vinaigre, les morceaux de tomate séchée et le sucre. Salez, poivrez et mélangez. Égouttez les pâtes, mettez-les dans le saladier. Ajoutez les tomates rôties et mélangez en ayant soin de ne pas les écraser.

4 Incorporez les feuilles de roquette, mélangez, goûtez et assaisonnez. Servez à température ambiante.

VARIANTES

❖ Si vous n'avez pas le temps de faire rôtir les tomates, remplacez-les par des tomates crues coupées en deux.
❖ Vous pouvez ajouter, en même temps que la roquette, 150 g de mozzarella égouttée et coupée en dés.

Insalata estiva

SALADE ESTIVALE

*Les tomates mûres, la mozzarella
et les olives sont les ingrédients
de base de cette salade fraîche,
idéale pour un déjeuner estival léger.*

INGRÉDIENTS

Pour 4 personnes

350 g de pennes
3 tomates bien mûres coupées en dés
150 g de mozzarella *di bufala*,
    égouttée et coupée en dés
10 olives noires dénoyautées, émincées
10 olives vertes dénoyautées, émincées
1 ciboule coupée en rondelles
    en diagonale
1 poignée de feuilles de basilic frais

Pour l'assaisonnement

6 cuil. à soupe d'huile d'olive
    vierge extra
1 cuil. à soupe de vinaigre
    balsamique ou de jus de citron
sel et poivre noir moulu

1 Faites cuire les pâtes dans une
casserole d'eau bouillante salée selon
les instructions figurant sur le paquet.
Égouttez-les dans une passoire et
rincez-les sous l'eau froide. Laissez
bien égoutter.

2 Préparez l'assaisonnement. Versez
l'huile d'olive et le vinaigre balsamique
ou le jus de citron dans un grand récipient creux, salez, poivrez et mélangez en fouettant.

3 Ajoutez les pâtes, la mozzarella, les
tomates, les olives noires et vertes,
et la ciboule. Mélangez bien. Goûtez
et rectifiez l'assaisonnement si nécessaire, parsemez de feuilles de basilic
et servez.

CONSEIL

La mozzarella faite avec du lait de buffle a
plus de goût que celle à base de lait de vache.
On en trouve dans la plupart des épiceries
fines italiennes et des supermarchés.

VARIANTE

Pour donner plus de consistance
à cette salade, vous pouvez ajouter
d'autres ingrédients tels que des
poivrons coupés en tranches, du thon
en morceaux, des filets d'anchois
émincés ou du jambon coupé en dés.

Fusilli campagnoli

SALADE DE PÂTES CAMPAGNARDE

*Colorée, pleine de saveur et
nourrissante, cette salade de pâtes est
idéale pour un pique-nique estival.*

INGRÉDIENTS

Pour 6 personnes

300 g de fusillis
150 g de haricots verts épluchés
    et coupés en morceaux de 5 cm
1 grosse pomme de terre coupée en dés
200 g de petites tomates coupées
    en deux et vidées
2 ciboules finement hachées
100 g de parmesan en copeaux
    ou coupé en dés
6 à 8 olives noires dénoyautées
    et émincées
2 cuil. à soupe de câpres

Pour l'assaisonnement

6 cuil. à soupe d'huile d'olive
    vierge extra
1 cuil. à soupe de vinaigre balsamique
1 cuil. à soupe de persil plat frais haché
sel et poivre noir moulu

1 Faites cuire les pâtes dans une
casserole d'eau bouillante salée selon
les instructions du paquet. Égouttez-
les dans une passoire, rincez-les sous
l'eau froide. Laissez bien égoutter et
sécher en secouant la passoire de
temps en temps.

2 Faites cuire les haricots et la pomme
de terre dans une casserole d'eau
bouillante salée, 5 à 6 min. Égouttez-
les et laissez refroidir.

3 Préparez l'assaisonnement. Mettez
tous les ingrédients dans un grand
saladier, salez, poivrez et mélangez
en fouettant.

4 Ajoutez les petites tomates, les
ciboules, le parmesan, les olives et
les câpres, puis les pâtes froides,
les haricots et les dés de pomme de
terre. Mélangez bien. Couvrez et laissez reposer 30 min. Goûtez et rectifiez
l'assaisonnement si nécessaire avant
de servir.

CONSEIL

Achetez un morceau de parmesan
frais dans une épicerie fine italienne
plutôt que du parmesan plus dur,
habituellement utilisé pour râper.
C'est un parmesan moins fait, plus mou,
vendu comme fromage de table.

Insalata di pollo e broccoli

SALADE AU POULET ET AUX BROCOLIS

Le gorgonzola donne un goût piquant à l'assaisonnement qui se marie bien avec le poulet et les brocolis. Servez ce plat au déjeuner ou au dîner, avec du pain italien croustillant.

INGRÉDIENTS

Pour 4 personnes

225 g de farfalles
175 g de bouquets de brocolis
2 blancs de poulet cuits

Pour l'assaisonnement

100 g de gorgonzola
1 cuil. à soupe de vinaigre de vin blanc
4 cuil. à soupe d'huile d'olive
    vierge extra
1 cuil. à café de sauge fraîche
    hachée, plus quelques feuilles
    entières, pour la garniture
sel et poivre noir moulu

1 Faites cuire les brocolis 3 min dans une grande casserole d'eau bouillante salée. Sortez-les de l'eau à l'aide d'une écumoire et rincez-les sous le robinet d'eau froide, puis étalez-les sur des torchons pour les laisser égoutter et sécher.

2 Mettez les pâtes dans l'eau de cuisson des brocolis, portez à ébullition de nouveau et laissez cuire selon les instructions figurant sur le paquet. Égouttez les pâtes dans une passoire, rincez-les sous l'eau froide, puis laissez-les égoutter.

3 Enlevez la peau des blancs de poulet et coupez la volaille en petits morceaux.

4 Préparez l'assaisonnement. Écrasez le fromage à la fourchette dans un grand saladier. Ajoutez le vinaigre de vin blanc, l'huile d'olive, la sauge, le sel et le poivre, et mélangez bien.

5 Incorporez les pâtes, le poulet et les brocolis. Mélangez, assaisonnez, garnissez de feuilles de sauge et servez.

Insalata saporita

SALADE AU SALAMI ET AUX OLIVES

L'ail et les herbes donnent une saveur méditerranéenne à cette salade composée d'ingrédients très courants. Vous pouvez utiliser différentes sortes de salami italiens. Le salame napoletano *est coupé grossièrement et poivré, tandis que le* salame milanese *est coupé en tranches fines et a un goût plus doux.*

INGRÉDIENTS

Pour 4 personnes

225 g de gnocchis ou de *conchiglie*
75 g de salami coupé en tranches
    fines, sans la peau
50 g d'olives noires dénoyautées
    et coupées en quatre
1/2 petit oignon rouge finement haché
1 grosse poignée de feuilles
    de basilic frais

Pour l'assaisonnement

4 cuil. à soupe d'huile d'olive
    vierge extra
1 pincée de sucre
jus d'1/2 citron
1 cuil. à café de moutarde de Dijon
2 cuil. à café d'origan séché
1 gousse d'ail écrasée
sel et poivre noir moulu

1 Faites cuire les pâtes dans une casserole d'eau bouillante salée selon les instructions figurant sur le paquet.

2 Pendant ce temps, préparez l'assaisonnement. Mettez tous les ingrédients dans un grand saladier, salez, poivrez selon votre goût et fouettez.

3 Égouttez les pâtes, versez-les dans le saladier et mélangez bien. Laissez-les refroidir en remuant de temps en temps.

4 Lorsque les pâtes sont froides, ajoutez le reste des ingrédients et mélangez. Goûtez, rectifiez l'assaisonnement si nécessaire et servez sans attendre.

Remerciements de l'auteur
Je dois beaucoup à Elisa Surini pour son aide précieuse dans
l'élaboration de cet ouvrage, ainsi qu'à Roberta Mitchell, de Rome,
pour ses informations de dernière minute et ses conseils. Je tiens
également à remercier ma fille Sophie et ses amies qui m'ont indiqué
leurs recettes préférées, j'ai nommé : Alessia Ferretti, Silvana Hobcraft-
Capraro, Isabella Medri, Stefania Spiga et Karin Trczka. Enfin,
je tiens à exprimer toute ma gratitude à Liz Mizon pour son soutien
administratif et technique.

Remerciements des éditeurs
Les éditeurs tiennent à remercier Jenni Fleetwood pour sa direction
éditoriale, Annabel Ford qui s'est occupée de faire photographier
les différentes sortes de pâtes, les photographes William Lingwood
(recettes) et Janine Hosegood (découpages), les stylistes Helen Trent,
Lucy McKelvie et Kate Jay, qui ont préparé les plats pour la photographie,
Elisa Surini qui a vérifié l'exactitude des termes italiens et Giuseppe
Tranchina d'*Italbrokers Foodservice,* qui a fourni les pâtes aux œufs
pour les recettes et la photographie.

Notes

NOTES

NOTES

NOTES

NOTES

NOTES